Web3時代のAI戦略

カギはBASICsフレームワーク

社会課題解決を成長ビジネスに変える
正のスパイラル

エクサウィザーズ
大植択真

日経BP

はじめに

日本で急速にＷｅｂ３への関心が高まりつつある。

「テクノロジー業界のキーワードなので、自分には関係ない」と思われる読者の方もいるかもしれない。だがこの流れはテクノロジー業界にとどまるものではない。多くの企業、そして社会が抱える課題の解決に大きな影響を与えようとしている。

２０２２年６月７日に閣議決定された、いわゆる「骨太の方針」には「ブロックチェーン技術を基盤とするＮＦＴやＤＡＯの利用等のＷｅｂ３・０の推進に向けた環境整備の検討を進める」の一文が明記された。ここで引用されているＷｅｂ３・０は本書でいうＷｅｂ３と理解してもらって構わない。

Ｗｅｂ３はブロックチェーンと呼ばれる技術を使ったサービスの総称と定義されることも多いが、最近では中央集権だったネットの非中央集権への移行であるという考えが強くなりつつある。私自身は、Ｗｅｂ３をテクノロジーやビジネスに言及した言葉ではなく、パワー・トゥー・ザ・ピープル、つまりネットはユーザーに力をもたらすものだという新しいパラダイム、価値観を示す言葉だととらえるべきだと考えている。

なぜ最近になってＷｅｂ３という言葉が取り上げられるようになってきたのか。

１つはブロックチェーンの普及やデジタルアートの高額落札を可能にしたＮＦＴ、さらにはメタバースといった技術の進展が挙げられる。だがここにきてＷｅｂ３に注目が集まっているのは、ほかにも理由がある。

ビッグテックと呼ばれるグーグルやアマゾン・ドット・コム、メタ（旧フェイスブック）、アップルなど一部の米国の大手テクノロジー企業に富と社会的な影響力が集中したことへの反発だ。日本で報道されることは少ないが、既に米国ではテック大手の巨大化と影響力の強さは、独占禁止法や言論の自由の観点から問題視されている。格差の拡大に対する不満に加え、コロナ禍やウクライナ危機、急激なインフレーションといった社会の激動に端を発する不安もＷｅｂ3という新たな波への期待を高めているのかもしれない。

１９９０年代以降、Ｗｅｂは世界を大きく変えてきた。ざっと挙げるだけでもホームページやメールによる情報収集・伝達から始まり、ＥＣで（電子商取引）モノの売買、ＳＮＳ（交流サイト）でコミュニケーション、ライドシェア、民泊マッチングで移動や旅行も激変した。スマートフォンは社会インフラといって過言でない存在となった。

２０１０年代以降、Ｗｅｂと同様の変革を世界に与えてきたのがＡＩ（人工知能）だ。ＡＩの持つインパクトが世界に伝わったのは２０１２年だった。ディープラーニングという手法によって劇的な進化を遂げたからだ。１９５０年代からの研究の結果が、機械学習、ディープラーニングを中心とした２０１０年代以降の第3次ブームで大きく花開いた。

特に重要なのは、ここ10年以上にわたって大きなインパクトをもたらした「ＡＩのぐるぐるモデル」だ。

ＡＩのぐるぐるモデルは可能な限りすべてのバリューチェーンと顧客のデータを集めてＡＩを活用する。多くのデータを集めることによりＡＩの質が高まり、質の高まったＡＩへの利用が増えると、効果を期待して新たなデータが集まり、さらにＡＩの質が向上するループが起こる。この繰り返しの中で指数関数的に企業が創造する価値が伸びる。

指数関数的というのが重要だ。大量生産モデルをはるかに超える、びっくりするほどの価値を創造できる。残念だが、これに対してほとんどの日本企業のＡＩ導入は、画像認識や異常検知といったパーツ単位だった。大量生産による効率化重視のモデルから抜けきれなかった。

結果、何が起こったか。

過去20年間で米国のテック大手は世界を股にかけて急成長したにもかかわらず、日本からはこうした企業は登場しなかった。テクノロジーで経済をけん引する企業の不在は日本経済の長期停滞にも大きく影響している。

今後、Ｗｅｂ３がもたらす変化とＡＩが深く連動するのは間違いない。過去10年以上、ＷｅｂとＡＩは米国のビッグテックを生み出す原動力となった。米国で指摘されるゆがみはＷｅｂとＡＩ活用の行き過ぎた結果ともいえる。

Ｗｅｂ３の時代のＡＩも社会、そして企業を大きく変えるはずだ。Ｗｅｂを巡るパラダイムの転換は、競争のリセットにつながる。日本企業、日本社会にとってのチャンスに変えなければならない。Ｗｅｂ３を理解し、日本企業、さらに社会全体のプロセスをＡＩのぐるぐるモデルで構築し直すことができれば、日本経済は新しいパラダイムに入るだろう。これまでは社会的な意義は認められつつビジネスとして成立させるのが難しいと思われていた公共性の高い事業も、十分に収益をもたらすようになる。社会課題の解決が一気に進む。

私の所属するエクサウィザーズは、「ＡＩを用いた社会課題解決を通じて幸せな社会を実現する」をミッションに掲げて生まれ、そこにメンバーが集まってきている。Ｗｅｂ３時代にどうＡＩを用いて社会課題を解決していくべきか。Ｗｅｂ３という言葉が広がるにつれ、特にＡＩが果たす役割について日々考えをめぐらすようになった。

答えを探るべく我々は、Ｗｅｂ３さらには、国内外でのＡＩやＤＸを活用した社会課題解決の事例をサーベイした。浮かび上がってきたのが、５つの要素を組み合わせた社会課題解決のフレームワークである「ＢＡＳＩＣｓ」である。

ＢＡＳＩＣｓは、Behavioral change（行動変容）、Accountability（効果の可視化）、Scale & Continuous improvement（規模の追求と継続的改良）、Income with profit（持続できる経済性）、Cultivate data value（データ価値の創出）の頭文字を取ったものである。いずれもＡＩを使った社会課題解決に不可欠の要素だ。最後の「ｓ」はＢＡＳＩＣの活用によって、カスタマーサクセス（Customer Suucess）を実現させていきたい、そして最終的に社会の成功（Society Success）に結び付けたいという思いを込めたものだ。

行動変容を最初に持ってきたのは、意思の力が何よりも重要だと考えるからだ。現在のＡＩは一度利用が始まると、あとは自分で勝手にどんどん賢くなっていく。そこに人間の持つ倫理や道徳、良心が反映される余地は少ない。「社会課題を解決するためにＡＩを使うのだ」という強い意思がなければ、気がつかないうちにＡＩに使われる側に回ってしまいかねない。

自分だけがよければいい、自分の会社だけがよければいい、という考えで使い続ければ、ＡＩが社会に不利益をもたらす可能性もある。それを抑え込めるのは、人間の意思の力である。

本書の第１部では、Ｗｅｂ３による変化やＷｅｂ３時代のＡＩ戦略、そしてＢＡＳＩＣｓについて詳しく説明する。ＢＡＳＩＣｓの実践は、単なるデジタル化にとどまらない一歩進んだＤＸをもたらすだろう。これをＢｅｙｏｎｄ　ＤＸと呼んでいるが、これについても指摘したい。

第２部では、ＢＡＳＩＣｓのフレームワークをベースに、ＡＩを活用した社会課題解決の事例を解説する。Ｗｅｂ３による社会課題解決の波頭ともいえる事例も紹介する。

概念、事例の後は、未来へ向けた実践だ。第３部では、武道などで言われる心技体という考え方

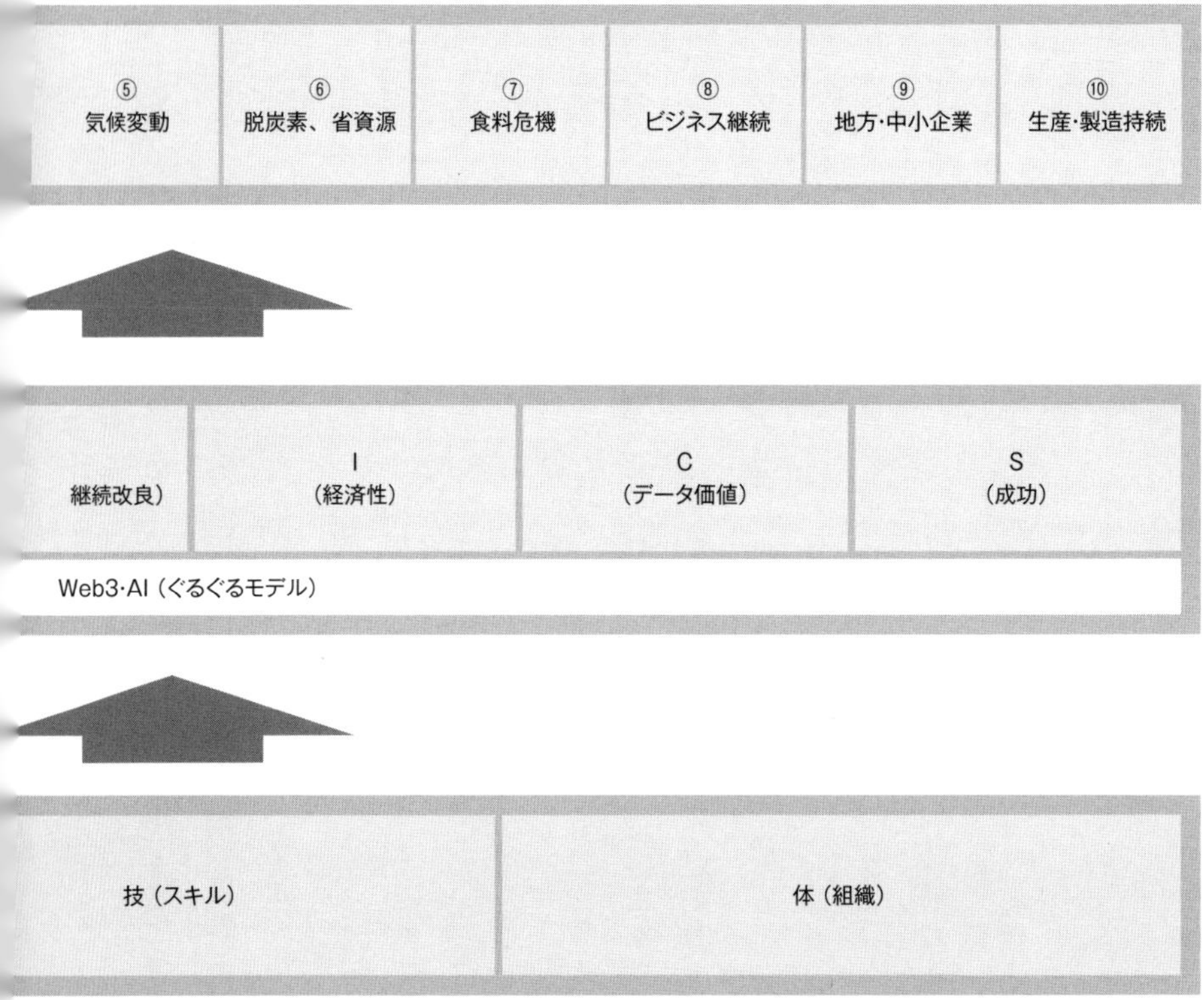

になぞらえて「心（従業員のマインドセット）」「技（スキル）」「体（組織）」の3点から目指すべき方向を示す。BASICsを実現するための組織要件といえる。

既に触れた格差の拡大にとどまらなず、地球温暖化、食料危機、パンデミック、グローバル化したサプライチェーンの破綻が問題となっている。健やかに過ごせている人類はまだ少ない。日本では、経済が停滞する中で高齢化と人口減少が進行し続ける。このままでは世界も日本も危機的状況に陥りかねない。この状況は打破しなければならない。

社会課題を解決しようと本気で思っている人たちが1つになっ

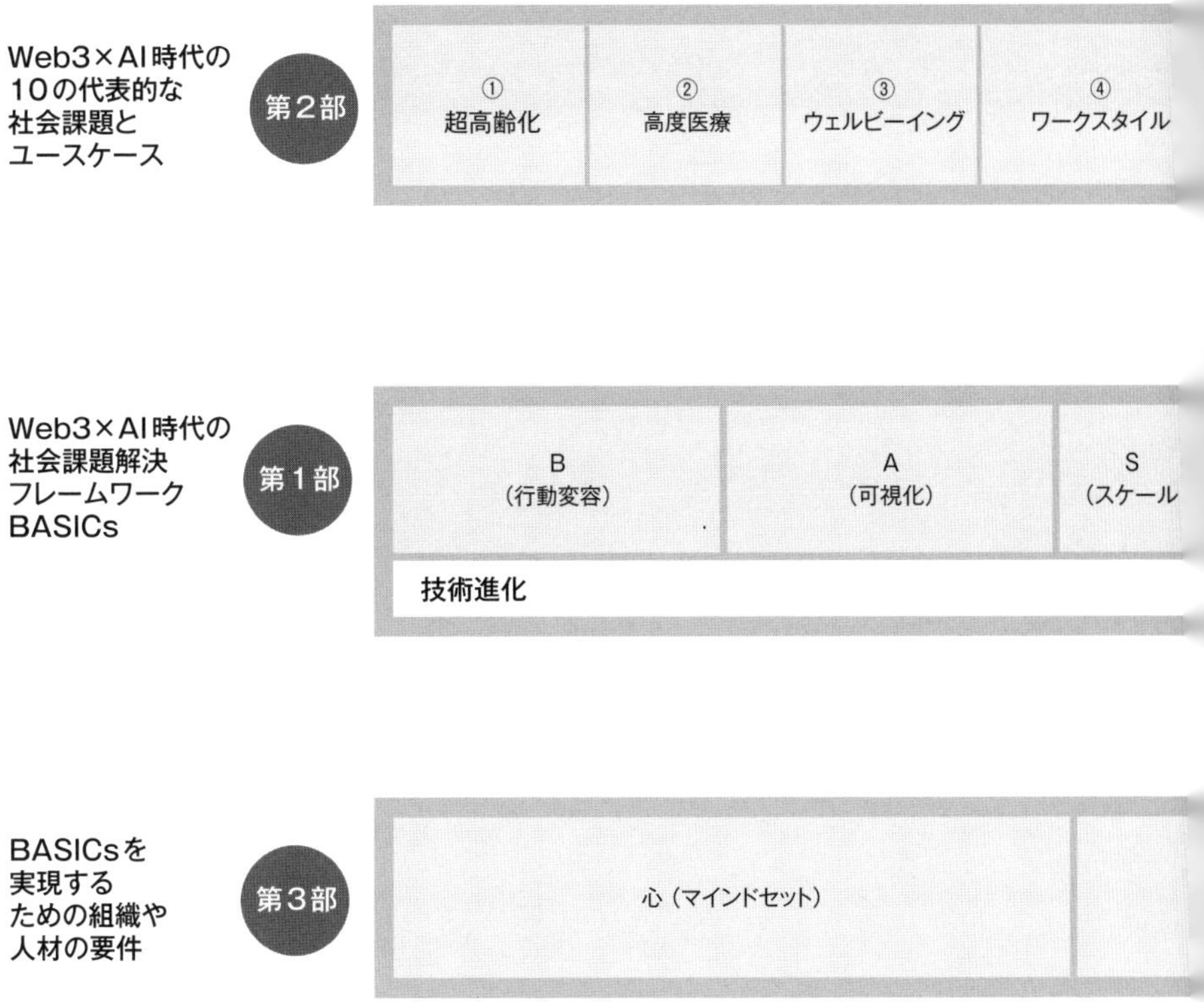

本書で紹介する「フレームワーク」「社会課題とユースケース」「組織や人材の要件」の構成

て、日本社会にパラダイムシフトを起こす。こうする以外に日本を再生する方法はないと思う。

テクノロジー業界のレジェンドである、米国のアラン・ケイ氏は「未来を予測する最善の方法は、自ら未来を作ることだ」と語った。われわれにはＷｅｂ３の先にある明るい未来予想図が見えている。ＢＡＳＩＣｓというフレームワークを使って、Ｗｅｂ３時代のＡＩ戦略を描き実行し、読者の皆さんと一緒に、明るい未来予想図を現実のものにしていきたい。

２０２２年８月　大植　択真

目次

第2部

AIが10の社会課題を解決

第3部 Ｗｅｂ３時代のＡＩ戦略を成功に導く 組織・スキル・マインドセット

第1部

Web3とAI

第1章 急速に高まるWeb3への関心、本質は価値観の変化

２０２２年春過ぎから、世界を追うように日本でもＷｅｂ３への関心が急速に高まり始めた。スタートアップを含めた一部のテック企業のみならず、関心は国中に広がりつつある。テクノロジー業界にとどまるものではない。

既に日本でも政府が注目するまでになった。２０２２年６月７日、岸田内閣によって閣議決定された、いわゆる「骨太の方針」には以下の記述がある。

「より分散化され、信頼性を確保したインターネットの推進や、ブロックチェーン上でのデジタル資産の普及・拡大など、ユーザーが自らデータの管理や活用を行うことで、新しい価値を創出する動きが広がっており、こうした分散型のデジタル社会の実現に向けて、必要な環境整備を図る。

そのため、トラステッド・ウェブ（Trusted Web）の実現に向けた機能の詳細化や国際標準化への取組を進める。また、ブロックチェーン技術を基盤とするＮＦＴやＤＡＯの利用等のＷｅｂ３・０の推進に向けた環境整備の検討を進める。さらに、メタバースも含めたコンテンツの利用拡大に向け、２０２３年通常国会での関連法案の提出を図る。Fintechの推進のため、セキュリティトークン（デジタル証券）での資金調達に関する制度整備、暗号資産について利用者保護に配慮した審査基準の緩和、決済手段として

の経済機能に関する解釈指針の作成などを行う」

ここにあるWeb3・0はWeb3にほかならない。なぜここまでの勢いでWeb3は広がり始めたのか。私自身は、Web3が単にテクノロジーやビジネスに言及している言葉ではなく、新しい価値観を示しているからだと考えている。まさに社会課題解決に欠かせないものになっていくだろう。

Web2・0に匹敵、あるいは超える劇的な変化

少し歴史を振り返る。

20年近く前にWeb2・0という言葉が流行した。この言葉を有名にしたのは米オライリー・メディアの創業者であるティム・オライリー氏だ。Web2・0は、簡単に言えば「ユーザー参加型」のインターネットを意味していた。それまでのインターネット、つまりWeb1・0は、情報を掲載したウェブサイトがあり、ユーザーは見るだけという一方通行の存在だった。代表例はYahoo!などのポータルサイトだ。

そこに登場したのが、ブログやツイッター、フェイスブック、ユーチューブなどユーザーが発信する情報をベースにした、ソーシャルメディア、SNSなどと呼ばれるユーザー参加型メディアだった。ネット上の情報を双方向にやり取りすることが可能になり、SNSなどはWeb2・0型のサービスと呼ばれた。Web2・0の時代で重要だったのが、手のひらサイズの高性能コンピューターであるスマートフォンの普及だ。ほとんどすべての人がスマホを持つまでになり、スマホ用アプリを開発するだけで簡単に新しいサービスが立ち上げられるようになった。SNSの普及にスマホが果たした役割を考えれば明白だろう。

テクノロジーのツールとしては、クラウドコンピューティングも忘れてはならない。クラウド以前は、Webで新しいサービスを開始しようとすれば、ハードやソフトを購入するために相当な初期投資が必要だった。使用量に比例した従量課金が前提のクラウドが普及したことで、費用面のハードルは劇的に下がった。

結果として世界は大きく変わった。SNSやビッグテックの存在なしに社会やわれわれの日常生活を語るのは難しい。Web3も同様のインパクトを与える可能性を秘めている。

非中央集権へ移行、Web3・0でなくWeb3のワケ

言葉は似ているがWeb3は、Web2・0が進化した次のフェーズを指すわけではない。全く別の概念だと理解した方がいい。

1つのヒントとなるのが「How the Web3 reinvents the Internet」、つまりWeb3はどのようにインターネットを再構築するのかという副題のついた、シャミン・ヴォッシュムギア氏著の書籍「トークンエコノミー(Token Economy)」だ。現時点ではWeb3を理解するための好著といっていい。余談だが、同書は全文がクリエイティブ・コモンズと呼ぶライセンスの下でソースコードなどを共有するサイトのGitHubに公開されている。

トークンエコノミーではWeb1・0、Web2・0ではなく、Web1、Web2、そしてWeb3という形でこれまでのインターネットを分類する。Web1はシンプルなディレクトリーや掲示板の、Web2はSNSやEC、検索エンジンの時代だと総括される。同書では、アマゾンやグーグルが

Ｗｅｂ２の企業として扱われる。

　同著によれば、Ｗｅｂ２とＷｅｂ３の最大の違いは、中央集権か非中央集権かにある。パワーがテック大手のようなごく一部の企業にあるのか、ユーザーにあるのかがＷｅｂ２とＷｅｂ３の違いであり、Ｗｅｂ３はパワー・トゥー・ザ・ピープル、つまりユーザー側にあるというパラダイムだ。

　現在の意味でＷｅｂ３が初めて使われたのは２０１４年のこととされる。ビットコインと並ぶ有力な暗号資産（仮想通貨）として知られるＥｔｈｅｒを実現させるブロックチェーンプラットフォームのイーサリアムの共同創立者であるギャビン・ウッド氏が、自らのブログで「ÐApps: What Web 3.0 Looks Like」と題した記事を公開したことから始まった。

　この記事では、Ｗｅｂ３ではなくＷｅｂ３・０としており、現在のＷｅｂ３と完全に同じ意味で使われているとは言い切れない面もある。

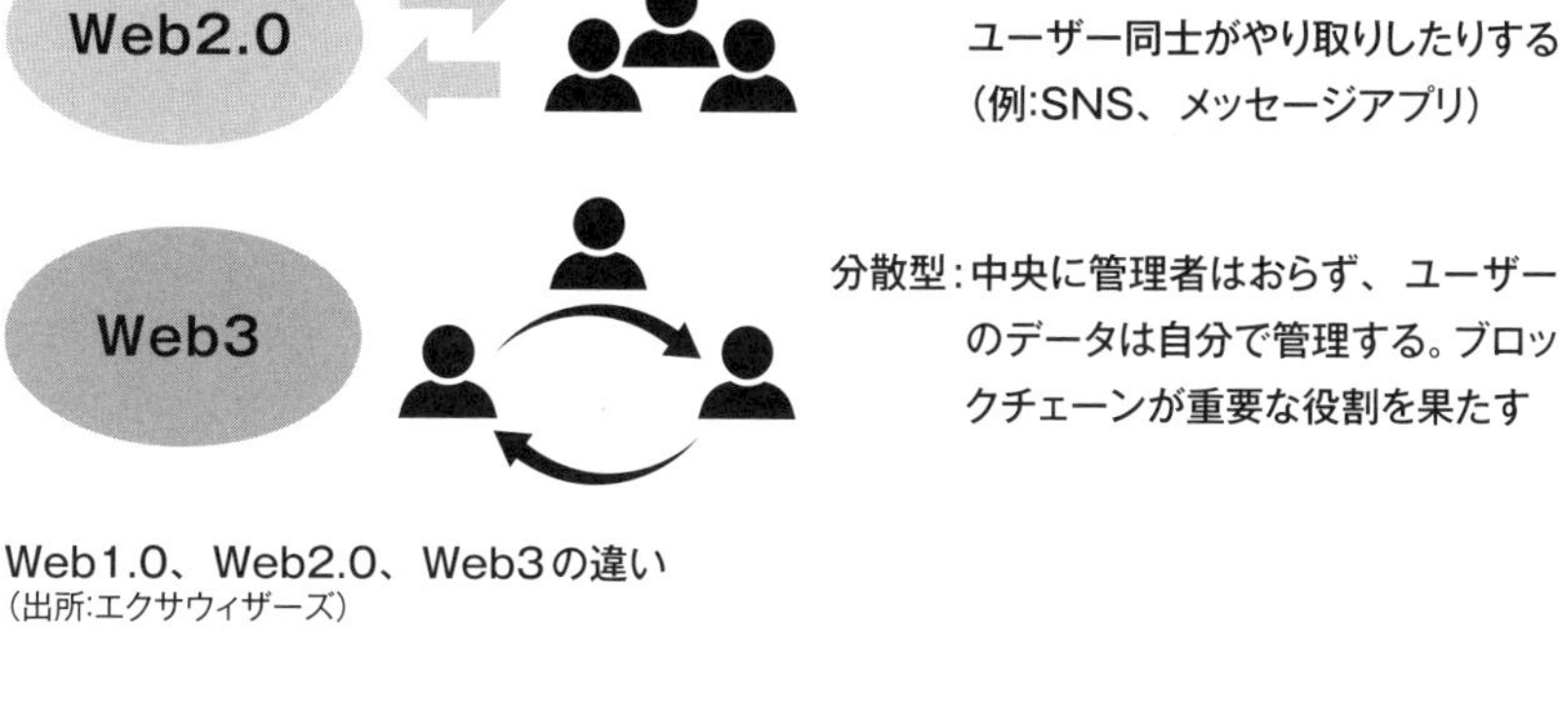

Web1.0、Web2.0、Web3の違い
（出所：エクサウィザーズ）

少し複雑になるがWeb3なのかWeb3・0なのか、という議論についてもここで説明する。骨太の方針のように、本書でいうWeb3の意味でWeb3・0を使うケースがあるのが現状だが、以前からWeb3・0という言葉はあり、異なる意味で使われていた。

当初は、インターネットの生みの親の1人ともいわれる英国のコンピューターサイエンティストであるティム・バーナーズ・リー氏が1998年に明らかにした、セマンティックWebに基づくインターネットをWeb3・0と呼んでいた。セマンティックWebは、Webページに記載してある文字列以上の意味を持たせることで、効率よく情報にアクセスできるようにするのが目的だ。

現在のWeb3とセマンティックWebを指す場合のWeb3・0は意味が異なる。混乱を避けるためにも本書では可能な限り、Web3・0ではなくWeb3を用いる。

管理者なしにデータを正確に記録する

Web3に関しては、ブロックチェーンやブロックチェーンを使ったサービスの総称という見方もある。だが本書では既に記したように、分散型への移行によるインターネットの中央集権から非中央集権へというパラダイム、価値観の変革をWeb3の本質と捉える。米国のWeb3支持者たちの間でもこの考え方が主流になっている。ただし現時点でWeb3を語る際、ブロックチェーンの果たす役割が非常に大きいのも事実だ。

もともと、ブロックチェーンは、ビットコインなどの暗号資産を実現させた中核技術として登場した。1つのオンライン台帳を複数人で共有することで、実質的に台帳を改ざんできないようにする技術だ。

情報の改ざんが困難なので暗号資産に使われたり、第三者を介さずに信用が担保された契約を自動で実行する「スマートコントラクト」や、デジタルアートに関連した売買で話題の「ＮＦＴ（非代替性トークン）」などに応用されたりするようになっている。

既存のシステムで同様の情報を管理しようとすれば、何らかの形で全体を管理する存在が必要だった。ブロックチェーンを使えば、ネット企業あるいは国家のような特定の存在なしに、データを正確に記録できるようになる。

管理者がいないにもかかわらず、更新が可能で改ざんが困難、つまり常に真正であるのを保証できるのがブロックチェーンの特徴である。ビットコインがどこかの国や中央銀行の後支えなしに、「通貨」としての信頼を獲得し、広く流通しているのはブロックチェーンを使っているからだ。この点を評価して「ブロックチェーンはインターネット並みの発明」と評価する声もある。

ビットコインの広がりとともに、ブロックチェーンが話題に上り始めたのは２０１０年代前半になる。当初は暗号資産との関連でだけ言及されていたが、２０１４年にはそれ以外の領域でのブロックチェーン適用が話題に上り始めた。Ｗｅｂ３と関わりの深いイーサリアムのベータ版がリリースされたのは２０１５年だ。

ブロックチェーンを使って非中央集権の社会を作ろうという動きは、このころから存在したが、当時は理想論として片付けられることが多く、主流な意見にはなり得なかった。なぜここにきてＷｅｂ３というコンセプトとともに、理想論に再び注目が集まっているのか。

米ビッグテックへのデータと富の集中への反動

Ｗｅｂ３が広がった大きな理由の１つとして、テック大手の巨大化に対する懸念が顕在化していることがある。興味深い調査がある。

米ワシントン・ポスト紙などがネットユーザー１０００人以上から回答を得た２０２１年11月のアンケート調査では、「ネット上のサービスが個人情報を正しく扱っていると、どの程度信用していますか」という問いに対し、フェイスブックや、TikTok（ティックトック）、インスタグラムなどのＳＮＳについては「まったく、もしくはあまり信用していない」と答えた人が「かなり信用している」と答えた人を大きく上回る。特にフェイスブックに関しては「かなり信用している」人が20％だったのに対し、「全く、もしくはあまり信用していない」と答えた人は72％に達した。アマゾンやアップルも、「信用している」と「信用していない」がほぼ同程度だ。

購買行動やプライバシーの把握にとどまらない。十分なデータを収集し現在のＡＩで分析すれば、直接は把握していない趣味嗜好まで非常に正確に予測できる。

Ｗｅｂ２・０の企業への富の集中、富の偏在も懸念に拍車をかけている。自分たちのプライバシーを使って過剰に富を得ているのではないか、という指摘だ。

よく米国と比較して、日本経済は低迷しているといわれる。だがここにはちょっとした誤解がある。國光宏尚著『メタバースとＷｅｂ３』でも指摘しているが、米国の大手企業５００社の株価指数のＳ＆Ｐ５００と日本の東証株価指数ＴＯＰＩＸを比較すると、確かにＳ＆Ｐ５００の方が伸びているが、グーグル、アップル、メタ、アマゾン、マイクロソフトのテック大手5社を除いて比較すると推移はＴＯＰＩＸとほぼ同様になる。特に２００7年以降はこれら5社の株価だけが突出して伸び続けている。

個人資産も傾向は同様だ。米有力経済誌フォーブスによる世界のリアルタイム資産家リストによると、２０２２年7月24日の時点で世界第1位は２５３４億ドルの資産を持つイーロン・マスク氏で、３位は１４８１億ドルの資産を持つアマゾンの創業者のジェフ・ベゾス氏。10位まで見ても5位にマイクロソフト創業者のビル・ゲイツ氏、６位にオラクル創業者のラリー・エリソン氏、グーグル共同創業者のラリー・ペイジ氏が8位、同じくセルゲイ・ブリン氏が10位と、テック大手の創業者が何人も名前を連ねる。

懸念は思った以上に強い。これはビッグテックへの寡占、Ｗｅｂの中央集権化への批判と言い換えてもいい。だからこそ初めて語られた２０１４年でも、ブロックチェーンや非中央集権の考え方が最初に登場した数年前でもなく今、現状を打破するキーワードとしてＷｅｂ３が急浮上している。

参考文献

*フォーブス「THE WORLD'S REAL-TIME BILLIONAIRES」、https://www.forbes.com/real-time-billionaires/#509cec5f3d78

通貨やアートから決議まで、多様化する「トークン」

Ｗｅｂ３拡大の２つ目の理由として、イーサリアムを中心としたブロックチェーン技術の進化が挙げられる。

当初登場したのは、デジタル通貨のような代替可能なトークンだ。トークンとは本来は「しるし」や「象徴」の意味だが、「暗号資産」を意味することが多い。代替可能とは「私の持っている1ビットコインと、あなたの持っている1ビットコインは、取り替えることが可能」というような意味だ。

なのでブロックチェーンの最初の利用方法は、暗号通貨だった。当時のネット上の記事などには「トークン」を「暗号通貨」と訳しているものが多いが、暗号通貨以外の利用方法が当時はほとんどなかったからだ。

次に登場してきたのがＮＦＴだ。高額のデジタルアートの落札などで話題になったので、聞いたことがある方も多いだろう。ＮＦＴとは非代替性トークンのことで、非代替性とは「私の持っている絵は価格が1ビットコインで、あなたの持っている絵も1ビットコインなので、金銭的価値は同じ。でも全然違う絵なので、取り替えるわけにはいかない」というような意味になる。ＮＦＴはアートの所有者をブロックチェーン上に明記でき、勝手に改ざんできないデジタルデータの鑑定書のようなものだと表現することがある。デジタルアート自体をブロックチェーン上に載せた場合は、そのデジタルアート自体をＮＦＴと呼ぶこともある。

こうして暗号通貨以外の使い方が出てきたので、トークンを暗号資産と呼ぶようになってきた。

今後、注目すべきトークンとしては「ＳＢＴ」を挙げたい。ＳＢＴはSoulbound Tokensの略で、日本語で言うなら非譲渡性トークンになる。非譲渡性とは「本人以外が持っていても仕方ない」というような意味だ。これについては詳しく後述する。

以下ではより具体的に、中央集権から非中央集権へというＷｅｂ３の流れを実現させる考え方や技術を説明する。

DAOという新たな組織が課題解決に向け動き出す

Web3で大きな意味を持つ存在が、DAO（分散型自律組織）だ。イーサリアムの提唱者の1人でWeb3のオピニオンリーダー的存在であるヴィタリック・ブテリン氏らが執筆した「Decentralized Society（分散型社会）」という論文によると、DAOとは、共通の目的のために集まったオンラインコミュニティーで、運営のための投票がブロックチェーン上に記録されるスマートコントラクトをベースに行われる組織、だという。

つまり従来の会社組織とも、同好の士が集まっただけの単なるコミュニティーとも異なる。プロジェクトを進めるために、Web3の技術を使って組織される集団になる。当然だがオンライン上で完結できる組織なので行動に物理的な制約は受けない。

DAOはそのDAOで流通する独自のトークンを発行する。このトークンを入手することでDAOに参加できる。トークンは法定通貨と交換できない場合もあるが、通常は一定の金額と交換で入手する。目的に賛同してメンバーの一員となるためというケースもあれば、スタートアップに出資するようにトークンを入手するケースもあるだろう。

DAOではオンライン上で議論が進み、トークンの保持者がすべての決議に参加できる。DAOでの活動や貢献に応じてトークンを付与し、参加者へのインセンティブにすることもある。

現在、多くのDAOは米国のディスコード（Discord）と呼ばれるサービスを用いて議論を進める。ディスコードはビデオとテキストの双方が使えるチャットサービスで、もともとはオンラインゲームユーザーから利用が広がった。

会社ではないので、会社の設立に必要なさまざまな手続き、例えば登記や定款作成は不要だ。決議に当たって取締役会にはかる必要もない。各人のＤＡＯへの参加は主体的なものであり、経営者と被雇用者といった上下関係は存在しない。議論と投票を通じて物事は決まり、参加者は自らの専門性を生かして貢献を図り、対価としてトークンを受け取る。ＤＡＯが発展すれば、利益を目的とする企業とは異なる論理で、世界を動かす原動力になる可能性がある。

世界最初のＤＡＯは２０１６年に設立されていた。ドイツのスタートアップであるSlock.itによるもので、その名も「The DAO」だ。The DAOもイーサリアムの技術を用いていた。ただしThe DAOは、脆弱性を原因とした巨額の資金流出事件を起こしたこともあり、現在ではほとんど話題に上らなくなっている。

一方で、Ｗｅｂ３の世界でＤＡＯの可能性自体は強く信じられている。ＤＡＯ専門の統計サイトであるDeepDAOによると２０２２年７月時点で、４８００を超す。

日本国内でもＤＡＯの実例が出始めている。

２０２２年６月には岩手県紫波町が「Ｗｅｂ３タウン表明」をした。人口が約３万３０００人の同町は、積極的にデジタル化に取り組んできたことでも知られる。

同町は地域活性化には多くの優秀な人材の参加が重要と考え、起爆剤としてＷｅｂ３の技術を利用する。具体的に目指すものの例として、地域課題の解決を目指すＤＡＯの設立、Ｗｅｂ３技術を活用した新型地域通貨の発行に向けた活動、ふるさと納税の返礼としたデジタルアートのＮＦＴ化、Ｗｅｂ３技術の推進に取り組む企業の誘致など、を挙げている。

紫波町の例に限らず、どういった目的でもＤＡＯを作ることはできる。あとはどれだけ目的に賛同するメンバーが増え、トークンを生かしながらどういった活動を展開していくかだ。トークンをある種の絆のように使い、従来の会員制度やＳＮＳでの活動などを含めた広義のコミュニティーとは異なる形で活動を拡大できる可能性がある。

これからは株式会社ではなく法人としてＤＡＯが設立されるようになるかもしれない。米コロラド州やワイオミング州では既に法人格が与えられている。

医療や教育からCO_2クレジットまで、NFTで課題解決始まる

デジタルアートの売買だけに関心が集まり、新たな投機の対象のように見られることがあるＮＦＴだが、本質は違う。ＮＦＴはデジタルのデータが本物であることを証明できる。鑑定書であり所有者証明の機能を持つことだ。

暗号資産に用いられる代替可能トークンは分割も可能だが、ＮＦＴは分割できない。それぞれのＮＦＴには個別のトークンＩＤが割り振られており、作成日や歴代の所有者の情報をメタデータとして保持する。ブームになったのは２０２１年だが、２０１７年には登場していた。

現在の多くのＮＦＴはイーサリアムのプラットフォームを用いる。実装には同プラットフォーム向けの技術規格である「ＥＲＣ７２１」を使う。イーサリアムには「スマートコントラクト」と呼ばれる機能が

ある。スマートコントラクトは、あらかじめ設定されたルールに従って、ブロックチェーン上のトランザクションや、ブロックチェーン外から取り込まれた情報を引き金にして実行されるプログラムのことだ。契約のスムーズな検証、執行、実行、交渉を意図したコンピュータプロトコルと言ってもいい。よく言及されるのはデジタルアートのＮＦＴに関して、売買の度にクリエーターに報酬を与えるといったものだ。

今後、思ってもいない領域での変革がＮＦＴによって起こる可能性がある。実例を挙げる。

効果を測定するためにプライベートな情報の取得が必要な分野がある。分かりやすいのは病歴などを含む健康関連情報だろう。デリケートな内容の個人情報であり、誰も勝手に扱われたいとは考えない。だが多くの人から健康に関する情報を集めたうえで分析できれば、確実に有効な効果測定指標になる。

現在のＷｅｂで医療情報を分析しようとすれば、特定の企業に健康関連情報を預けるというのが現実解だ。この企業が信頼できること、透明性やアカウンタビリティーを確保できるかどうかをチェックしなければならない。

ここにＮＦＴが利用できるとしたらどうだろう。実際、米国の学術誌サイエンスに掲載された論文「How NFTs could transform health information exchange（ＮＦＴが健康情報のマーケットプレイスを大きく変えるかもしれない）」は、ＮＦＴもしくはその関連技術で、患者が自分の健康データのやり取りを自分で決めることのできる方法を確立できると主張している。ＳＢＴが大きな役割を果たす可能性もある。

Ｗｅｂ３をフルに活用した社会課題解決に乗り出すスタートアップも現れている。

例えば、米国のノリは、CO_2を吸収する畑を管理・維持する農家と、カーボンクレジットの購入を通じてCO_2削減に貢献しようと考える企業を結びつけるマーケットプレイスを運営する。

　詳しくは第2部で説明するが、ノリの提供するマーケットプレイスの特徴はブロックチェーンを利用して、「ＮＲＴ（Nori Carbon Removal Tonne）」と呼ぶＮＦＴでカーボンクレジットを発行することだ。特定の機関による認証は必要なく、ＮＲＴ上のメタデータでの記録によって、唯一性、真正性が透明性を持って担保される。ＮＦＴには各農家によるCO_2除去への毎年の取り組みが書きこまれており、企業がクレジットを購入した時点で消滅する。ＮＲＴはＮＯＲＩと呼ばれる独自の代替可能トークンと等価で交換できるので、通貨との交換が可能だ。

参考文献
＊サイエンス「How NFTs could transform health information exchange」、https://www.science.org/

個人を認証し、学歴・職歴・技能を証明するＳＢＴ

　非譲渡性のトークンの一種であるＳＢＴ（Soulbound Tokens）に関しては、２０２２年5月に発表された「Decentralized Society: Finding Web3's Soul（分散型社会、Ｗｅｂ３の魂を見つける）」に詳しく記述されている。実用可能になるのは早ければ２０２２年末ころだというが、影響範囲は幅広い。上記の文章を参考にしながら、少しＳＢＴについて説明してみたい。
　ＳＢＴは、ブロックチェーンを使ってどういったものが本人に関する情報かを証明する。存在するかどうかといったことだけでなく、ＳＢＴで作成された第三者による経歴に関する情報を取り込めるのが特徴だ。ＳＢＴが広まれば、管理者に依存しない広範な情報を含む本人認証が一般化する可能性がある。
対象とするのは、その人の学歴、職歴、技能を示すようなデータ。例えば、卒業証書や運転免許証、技能研修の修了証、社員証などの職歴データ、論文やブログ記事、アート作品、さらにはファンクラブの会員証などもＳＢＴ化できる。他人の卒業証書を手にしても使い道がない。これが譲渡可能なＮＦＴとは異なる。

こうしたその人物のスキルや属性を表現できるＳＢＴを格納したアプリを「Ｓｏｕｌ（ソウル、魂）」と呼ぶ。ＳＢＴを対象とするウォレットのようなアプリだ。

ソウルの中のＳＢＴは基本的に一般に公開される。ＳＢＴの中には卒業証書や運転免許証、社員証のように、本人以外の人や組織が発行したものがある。ソウルに保管するＳＢＴの種類が増えれば、Ｗｅｂ上で真実と認められる本人情報はより豊かになる。自らのソウルで公開するＳＢＴの公開範囲は自分で設定できる。公開する情報を選んで、１人が複数のソウルを持つことも可能だ。

ＳＢＴを発行した人や組織も、そのデータをＳＢＴとして、自分たちのソウルの中に格納する。関係性を持つソウル同士は同じＳＢＴを持つので、一方のＳＢＴが消去されたとしても、もう一方のソウルのＳＢＴをベースに失われたＳＢＴを復元できる。またソウル自体が盗まれたとしても、関係性を持つすべてのソウルがそれぞれのＳＢＴを復元すれば、盗まれたソウルを復元できる。

メタバースによる課題解決も始まる

Ｗｅｂ３について考えるなら、メタバースの話題を除くわけにはいかない。メタバース、つまり仮想世界についてどう考えればいいのか。現時点では２つの定義が混在していると考えている。

１つ目の定義は、３次元空間の仮想現実だ。３次元であることが必須で、ＶＲゴーグルを装着することでその世界感に浸ることができる。

リアルの現場が不可欠な製造の世界でも、メタバースの動きは生まれている。独自動車大手のＢＭＷと米大手半導体メーカーのエヌビディアは、実際の工場の環境と作業員をデジタル空間に生成。新たな作業や問題が起きた場合にどのような状況であるかを精緻にシミュレートするメタバースのコンセプトを発表した。

製造業は世界各地に拠点を持つが、それぞれに専門人材を配置するのは難しい。技術伝承も年々難しくなっている。そうした課題に対して、リアルとバーチャルをシンクロナイズさせるためＡＩをフルに活用したメタバースが用いられていくだろう。

もう１つの定義は、オフラインの世界とは切り離されたオンラインだけで成立する世界になる。この定義では、メタバースが３次元空間である必要はなく、暗号資産やブロックチェーン、ＮＦＴなどのＷｅｂ３関連技術を多用する。

最初の定義のメタバースでも、内部空間の一部の所有権やアバターをＮＦＴ化し売買している例が少なくないことなどから、Ｗｅｂ３技術を多用する後者の定義のメタバースと混同されることがあるが、実際には２つは別物だ。ＮＦＴなどのＷｅｂ３技術は、前者のメタバースには不可欠のものではない。

われわれが注目するのは後者のメタバースだ。具体的にはどのようなものになるのか。

例えば決済は、金銭のやり取りが発生する取引は法定通貨を用いず、ビットコインなどの暗号資産でやり取りする。リアルの経済とは別のいわば暗号資産経済だ。これも１つのメタバースだ。

今はリアル経済の方がはるかに大規模だが、メタバースの暗号資産経済では、いろいろなイノベーションが起こっている。リアル経済の外為市場や証券取引所に当たるＤＥＸ（分散型取引所）と呼ばれるアルゴリズムの自動取引サービスや、ＮＦＴ、ＳＢＴのような技術も生まれてきた。ＤＡＯもこの中で大きく発展することが予想される。

対面でのやり取りなしのオンラインだけで業務を進めるワークスタイルも、拡大解釈すればメタバースの１つと言えるかもしれない。会議はＺｏｏｍなどのオンラインサービスを利用しているし、情報はメールやメッセージングサービスでやり取りする。書類やデータはクラウド上にファイルとして共有。決済や承認もオンラインのワークフローで完了する。

「今のインターネットは壊れている」

Ｗｅｂ３を構成するＤＡＯやＮＦＴ、ＳＢＴ、メタバースといった技術については理解いただけただろうか。

以上を踏まえたうえで、Ｗｅｂ３で重要な意味を持つ、インターネットを中央集権から非中央集権に移行させるとはどういうことかを考える。

トークンエコノミーの著者であるヴォッシュムギア氏は、「今のインターネットは壊れている」と言う。確かにユーザーは自分のデータを思うようにコントロールできないし、決済機能なども設計思想の中に入っていない。

可能なのは、途中の回線やコンピューターが故障してもデータを回り道させて目的地に届ける、という基本的な役割だけ。情報を送ったのがどこの誰かも分からない。

インターネットの起源となったＡＲＰＡＮＥＴは、現在の米国防総省高等研究計画局（ＤＡＲＰＡ）の前身にあたる高等研究計画局（ＡＲＰＡ）が１９６９年に開始した実験ネットワークだ。当時は離れた距離にあるコンピューターをネットワークで接続し効率的に利用するために考え出された。クラウドやスマホはおろかパソコンが生まれる前のことであり、個人情報の管理やＥＣなどは現実的な用途として想定されていなかった。

だが１９９０年代に入り、急速にインターネットが広がる中で、ネットの利用法は拡大していく。コミュニケーション、ＥＣなどを実現させるためには、利用主体やトランザクションの履歴、つまりデータを残す必要がある。

これらを可能にするため、ネット企業はユーザー情報を自社データベースに記録している。セッションが途絶えても元のページを開くようにしたり、購入ごとに住所、氏名を再入力しなくていいようにしたりした。これ自体は当然でもあり非常に便利なのだが、結果として大手ネット企業にユーザーの個人情報が蓄積されることになった。

これらの情報はＡＩと組み合わされると、膨大な価値を創出する。行動履歴データをターゲティングすることで、企業はより効率的にものやサービスを売ることができる。デジタル広告市場やレコメンドを通じたＥＣは急拡大し、ネット企業が膨大な収益を得るようになった。手中に収めたデータこそがビッグテックの力の源泉といってもいい。

データによって使い勝手が改善し、利用が増え、これがデータの拡大をもたらし、さらに使い勝手をよくする。はじめにで触れたＡＩのぐるぐるモデルによる価値向上のプロセスだ。

ビッグテックはＷｅｂ２・０時代の新たな中間業者

身近なところでＡＩのぐるぐるモデルの力を感じることができる例がグーグル検索だ。ユーザーの検索履歴データから特定の傾向をＡＩが見つけ出し、最適だと判断した検索結果を表示する。

検索履歴のデータが多くなればなるほどＡＩが賢くなり、ＡＩが賢くなるほど質の高い検索結果の表示が可能になり、ユーザーがさらに増えるという正のスパイラルが働いている。

グーグルはこの検索最適化をあらゆる単語で実施している。そして検索する単語に連動させた広告枠を販売するという巨大なビジネスにつなぎ、全世界にスケールさせているのだ。

インターネットが一般に広まった約25年前には「中抜きされて中間業者が消える」という主張がよく話題に上った。生産者と消費者がネットで直接つながることが可能になるため、流通を担うオフラインの中間業者は不要になるというものだ。

確かにオフラインの中間業者を巡る状況は激変した。米国の書店や百貨店をはじめとして、アマゾンとの競合にさらされ姿を消した企業もある。

だがこういった企業は姿を消しても、生産者と消費者が直接つながる社会は誕生しなかった。実際にはネット企業が、オフラインの中間業者に取って代わっただけだった。それも単に中間で手数料を得ている従来型の企業とは違う。大量のデータをＡＩのぐるぐるモデルによって分析し、気が付かないうちにわれわれの行動に大きな影響を与える、過去には存在しなかった強力な存在だ。

ユーザーの特定を基本機能に

こうやってＷｅｂ２・０時代にビッグテックによる新たな中央集権が成立した。利用者の立場に立てば、形の上では同意を取ったうえで情報を収集しているとはいえ、自らの情報が気づかない場所で利用されているようなイメージを持つのは自然なことだ。

かといってネット企業が提供するサービスを使わずに暮らすのも簡単ではない。ビッグテックのサービスは社会インフラに近くなっている。自らに関するデータの提供は参加券のようなものだ。

Ｗｅｂ３はヴォッシュムギア氏の言う壊れたインターネットの修復作業でもある。具体的にはＷｅｂ３の提唱者たちは、インターネットの基本設計の部分に、ユーザーを特定する機能を持たせるべきだと主張する。こうすれば、一人ひとりのユーザーが自分の情報のどの部分を誰に教えるのかを自分で決められるようになる。

ユーザーを特定する機能があるから、あらゆる情報の発信元が明らかになる。発信元を公開しないという選択肢もあるが、その場合は発信元が公開されていないという事実は明確にわかる。意図しない形で個人情報を取り扱われるという問題は解消できる。

これだけではない。デジタル著作物の違法コピーをなくせる。デジタル著作物に著作権に関する改ざんできない情報を付記できるからだ。正式な権利者以外は複製や頒布ができない。

発信元の情報を公開できるからフェイクニュースの発信も難しくなる。発信者が誰だかわかるからだ。

誤っているにもかかわらず事実かのように伝わり、正確な判断を阻害するフェイクニュースは社会に対する大きな脅威だ。排除できるならその意味は大きい。誰が書き込んだかが明示されれば、心ないコメントや誹謗中傷の書き込みも少なくなるかもしれない。

残念ながら現在のインターネットはなりすましを防ぐことができない。こうしたことがWeb3では可能になる。

テック業界の関係者を含めて今でも「Web3や非中央集権は単なるファンタジー」と指摘する声は存在するが、今度こそ本当にWeb3は中間業者を不要にするかもしれない。パラダイムシフトによって、Web2・0時代の勝者が今の影響力を失う可能性もある。

これまでにもあった非中央集権型サービスの萌芽

テック大手が運営しているようなサービスを、ブロックチェーンで実装して非中央集権型で実現しようという動きはこれまでにもあった。

「Casa」は、民泊のオンラインマーケットプレイス「Airbnb（エアビーアンドビー）」の非中央集権版と言えるものだった。エアビーアンドビーのような事業者を仲介しなくても、部屋を貸したいユーザーと借りたいユーザーが直接つながることのできるサービスだ。

「Afia」は非中央集権型の医療データサービス、「Guild」はコンテンツの非中央集権型マーケットを展開するという話だった。「Open Bazaar」はヤフオク！やメルカリの非中央集権版で、何かを売りたい人と買いたい人が直接つながることができるという触れ込みで始まった。

非中央集権型というアーキテクチャーと相まって、いずれもサービス開始時には一定の話題を呼んだと記憶している。ただこれらは現時点までにすべてサービスを停止している。非中央集権という志はよかったものの、後発であり使い勝手の面で先行するＷｅｂ２・０のサービスに見劣りしたのが主要因だろう。

では可能性はないのか。私は違うと考えている。

もともとスタートアップの世界は多産多死だ。失敗事例が先行したからといって未来永劫可能性がないわけではない。むしろＷｅｂ３の良さを生かした成功事例の登場はこれからではないかと考える。

グーグルマップ対抗のＷｅｂ３型サービス

実際に今、Ｗｅｂ３の波が広がる中で、新たな非中央集権型サービスが次々と登場している。その中でも、Ｗｅｂ３ならではの考え方を取り込んでおり、注目したいのが米国シリコンバレー発のHivemapper（ハイブマッパー）だ。

同社は、非中央集権型で地図アプリを提供するスタートアップ。この領域はグーグルマップが圧倒的に強い。これに対抗するサービスを提供しようとすればクリアしなければならない課題はいくつもある。

まず世界中から地図データを集めなければならない。競合のグーグルは、いわゆる地図情報だけでなく、画像での情報提供にも積極的だ。航空写真に加え、世界中の道路から見える風景を３６０度カメラのついた自動車を走らせ、ストリートビューを更新し続けている。ガイドとしての機能も強化している。近くのレストランを検索すれば、レストランの外観やメニュー、ユーザーレビューも見られる。乗換案内のほかに渋滞情報も提供する。

地図情報に関連したＡＩも、多くの人が使えば使うほどデータが集まり、賢く便利になる。検索からは、何を知りたいのかというニーズが把握できる。賢く便利になればより多くの人が使って、より多くのデータが集まり、ＡＩはさらに賢くなる。ＡＩのぐるぐるモデルが働くので、グーグルマップの地名検索は、どこよりも使い勝手がいいものになっている。

　地図を利用するビジネスを手がける企業に対してグーグルは圧倒的な影響力を持つようになった。グーグルマップに対抗するため、オープンソースの地図を作ろうという動きも過去にはあったが、力及ばず消えていった。

　グーグル同様の資金力を持つ米国のテック大手ですら、グーグルを追い越すのは難しい。何年も前からアップルはｉＰｈｏｎｅに

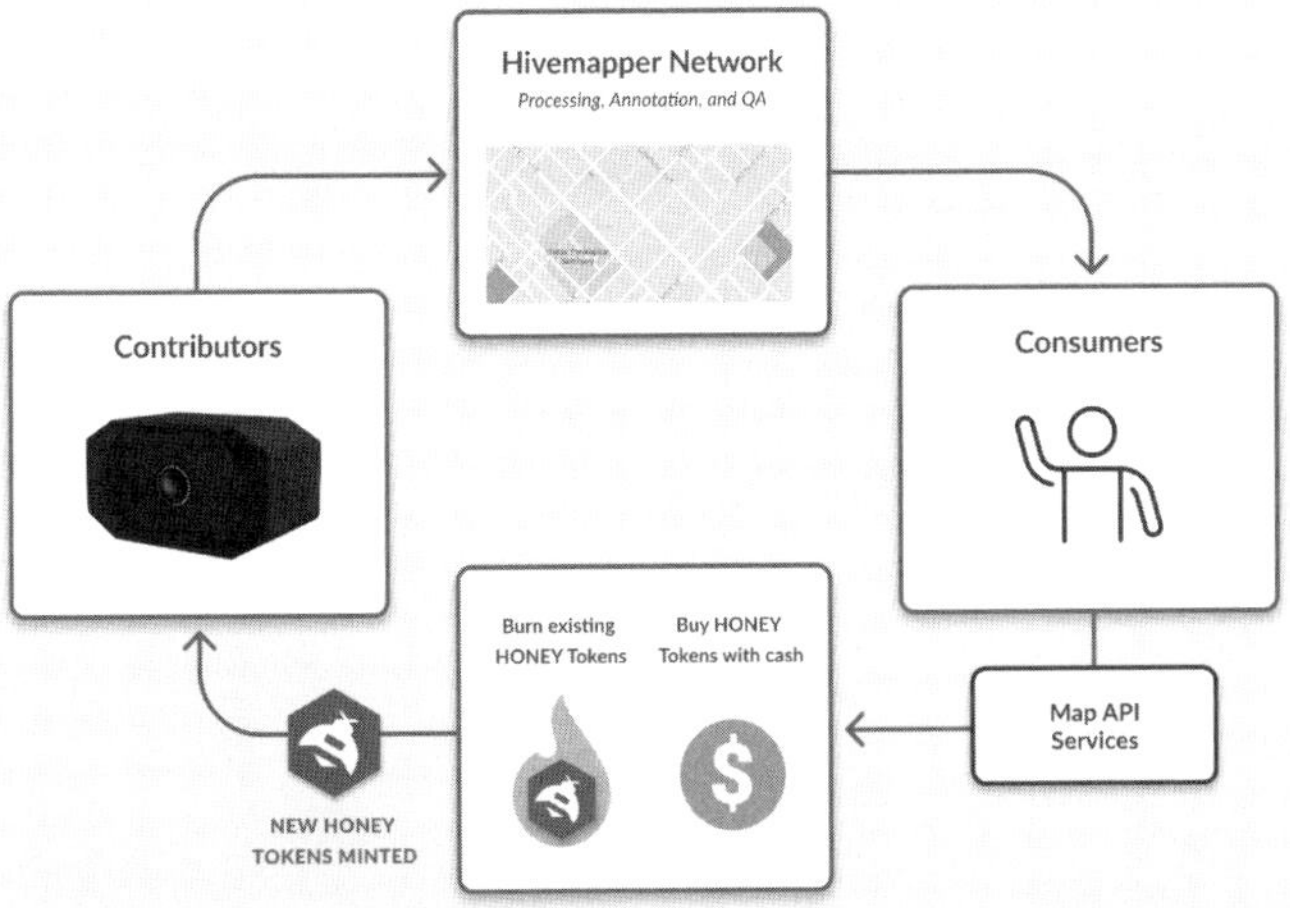

ハイブマッパーのエコシステム
（出所:ハイブマッパーのサイト）

地図アプリを標準搭載しているが、グーグルマップほどの存在感を示せていない。

地図作りに貢献した人に暗号資産

ハイブマッパーに注目するのは、Ｗｅｂ３的な手法でグーグルマップに対抗しようとしているからだ。具体的には、トークンを発行し、地図作りに貢献した人に配布する。同社は自動車のダッシュボードの上に設置するカメラを数百ドルで発売する予定で、取得したデータをアップロードすればトークンを与える。データをそろえにくい過疎地域の地図データや、多くの建設物が誕生する都市部のデータには、より多くの暗号通貨が支払われるようになるといった運用も考えられる。トークンという金銭的なインセンティブを加えることで、参加者の善意に頼るしかなかったオープンソース地図の轍を踏むのを避けようというわけだ。

市場もハイブマッパーに注目し始めている。２０２２年４月にはベンチャーキャピタルから１８００万ドルの出資も受けた。出資者の中には、Ｗｅｂ２・０時代の企業への投資で利益を上げた有名ベンチャーキャピタルも含まれる。

トークンという武器で、人々を巻き込みながら影響力を拡大できるＷｅｂ３的な手法が評価されてのことだろう。数年後にはハイブマッパーがグーグルマップのような存在になるかもしれない。

参考文献
＊テッククランチ「At long last, web3 makes a push to fight Google Maps」、https://techcrunch.com/2022/04/05/hivemapper/

イーサリアム考案者が見るＷｅｂ３の未来

今後、Ｗｅｂ３はどのような世界を実現するのか。Ｗｅｂ３のオピニオンリーダー的存在になっているイーサリアムの考案者ヴィタリック・ブテリン氏の最近の講演が参考になる。

ブテリン氏はＷｅｂ３関連技術で「ブロードバンド民主主義」が可能になるという。同氏は、今日の民主主義を「低速通信の民主主義」だと呼ぶ。

米国の大統領の場合だと、選挙は４年に一度だけ。国民が直接影響を与えることができるのは４年に一度だけであり、やり取りできるコミュニケーションデータが非常に少ない、つまりナローバンド、帯域の狭い低速通信の状態だというのだ。

頻繁に自分の意見を投票できるという点から見れば、ＳＮＳの「いいね！」やツイッターのリツイートもブロードバンド民主主義につながる。ただし信頼性に問題がある。リツイートするボットを作れば投票結果を簡単に操作できるからだ。一部では人海戦術で、「いいね！」やリツイートを売り買いしているともいわれる。

しかしブロックチェーンに代表されるテクノロジーを使えば、案件ごとに投票することが可能になる。為政者と有権者のやり取りのデータ容量が格段に増えるという意味で、ブロードバンド民主主義が可能になるという。為政者の暴走を有権者がその都度コントロールできるようになるかもしれない。

参考文献

＊YouTube「Steps to the Digital State & Open Mic AMA - Vitalik Buterin」、https://www.youtube.com/watch?v=Geg2-ru5eik

暗号化、ゼロ知識証明、ブロックチェーンで公正な投票を実現

高セキュリティーでブロードバンド。ブテリン氏によると、これを実現するには、投票内容を見られないようにする暗号化技術と、秘密投票を正確に集計できるようにする「Zero Knowledge Proof（ゼロ知識証明）」、投票内容を改ざんされていないかを確認するためのブロックチェーンなどの技術が必要だという。

データを外部から簡単には解読させないようにする暗号化技術の必要性は詳しく説明する必要はないだろう。ブロックチェーンが何かは既に記した。

ゼロ知識証明とは、相手に知識の内容を教えずに自分がその知識を知っているのを証明する方法のこと。ブテリン氏は、社会が機能するにはプライバシーが不可欠だと言う。その１つの例が秘密投票だ。投票内容を知られることがなければ、安心して本音で投票できる。力を持っている人間も投票を強要できない。「誰か、ゼロ知識証明を使った投票システムを開発してくれないかな」とブテリン氏は言っている。ゼロ知識証明を使うことで、実際に投票権を持ったコミュニティーのメンバーかどうかを証明でき、ボットによる投票を排除できるという。

ゼロ知識証明を使えば、位置情報や過去の取引履歴などのプライベートな情報、あるいはビジネスでの

利用場面で競合他社に知られたくない情報は公開されることなく、スマートコントラクトとしてブロックチェーン上で実行可能になる。ブロックチェーンの特徴である信頼性や透明性を保ったうえで、秘密を守って自動で処理できるわけだ。

Ｗｅｂ３は価値観の変化にも注目、社会に波及も

Ｗｅｂ３を考える際にはテクノロジーの進化だけでなく、社会の価値観の変化にも注目すべきだ。Ｗｅｂ３は「ヒッピー文化」とも呼ばれた１９６０年代の米国でのいわゆるカウンターカルチャーを思想的には継承しているという見方がある。

カウンターカルチャーは、時代の主流であるメインカルチャー、既存の価値観に対抗する文化という意味になるだろう。「１９６０年代の」という条件が付くと、物質的な豊かさだけでは解決できなかった問題への異議申し立て、例えばベトナム戦争に対する反戦、多様性の支持、環境保護、消費者保護などの動きを忘れるわけにはいかない。

すべてに同意できるわけではないが、60年代のヒッピー文化を「国家のやり過ぎ」への異議だとすれば、Ｗｅｂ３は「テック大手のやり過ぎ」への異議だと言えるかもしれない。共通するのは「物質的な豊かさよりも、心の豊かさを大事にしたい」ということになるだろう。

あくまで「行き過ぎた現状に少しブレーキをかけたい」というのが趣旨であって、物質的豊かさの全否定ではない。こうした価値観変化はいろいろな領域で表出し始めている。

Ｗｅｂ３関連の技術が進化すれば、人々の価値観が「行き過ぎた状態に少しブレーキを」から「新しい

技術を使って、まったく新しい仕組みで刷新を」というものに変化する可能性もある。「中央集権から非中央集権への移行」がネット上の技術の話だけではなく、社会システムに波及する可能性がある。

前述のブテリン氏は言う。「この技術で、最初から国政を変えようとしないほうがいい。今あるものに暗号技術を追加するのではなく、まずは新しい機能を持った新しいモノを作るべき。これまでできなかったことを可能にすることのほうが、人々にとって価値があるから」。

安全で頻繁な意見表明の仕組みを取り入れることで、可能になるビジネスや組織の形がいろいろとある。そこに注力し、成果が出てくれば、これまで長年やってきた方法も変えてみようという動きにつながる。同氏はこう主張している。

第２章 Ｗｅｂ３時代に必須な ＡＩのぐるぐるモデルとデータの価値化

Ｗｅｂ３のインパクトについて、その重要性や可能性を感じていただけたと思う。

ここからはＷｅｂ３時代にますます重要となるＡＩとＤＸのもたらす力について説明する。Ｗｅｂよりも古くＡＩは１９５０年代に生まれ、進化を続けてきた。ブームになることも下火になることもあったが、２０１０年代に入り、Ｗｅｂ２・０と機械学習・ディープラーニングが融合することで、社会に大きな変革をもたらした。ＡＩ革命といってもいい。

写真や映像に何が写っているのかを認識する画像認識や、音声でのやり取りを可能にする音声認識、発言の内容を解釈する自然言語処理、文章自動生成などは、約10年前にはほとんど使い物にならなかった。自動運転車は夢のまた夢だ。２０１２年に起こったディープラーニングのブレークスルーのおかげで、10年前ならＳＦの中のような話が現実になってきている。

既にＡＩは意外なところでもわれわれの生活に大きく貢献する存在になっている。コロナ禍から日常を取り戻す過程にＡＩが大きく関わったのをご存じだろうか。

コロナ禍の収束にワクチンの果たした役割を否定する人はほとんどいないだろう。新型コロナウイルス感染症の世界的な拡大から1年弱でワクチンの投与は始まった。感染者拡大のペースから考えれば遅いと思われるかもしれないが、ワクチン開発の歴史から見れば驚くほどの速さでワクチンを開発できた。

ワクチン開発は４つのフェーズに大別できる。①ウイルスのタンパク質の配列を調べる、②配列をベースにウイルスの立体構造を３Ｄモデル化、③３Ｄモデルからワクチンのターゲット部分を特定、④ウイルスの動きを止める分子を生成する、の４つだ。

ＡＩが大きく貢献したのはウイルスの立体構造の３Ｄモデル化だ。今までは研究者の勘と試行錯誤に頼るしかなく、従来は何年もかかっていた。

囲碁の名人に勝ったＡＩソフトを作ったことで知られる英国のディープマインドが開発したAlphaFold2というＡＩがこの工程を変革した。圧倒的なコンピューティングパワーで、この試行錯誤を高速に繰り返して学習し、ごく短期間で新型コロナウイルスの立体構造を予測した。ＡＩの専門家としてアップル、マイクロソフト、グーグルの３社で勤務した経験を持つカイフ・リー氏は自身の書籍『ＡＩ２０４１』（日本語未訳）で、「科学におけるＡＩの最高の貢献」「生物学の50年来の課題を解決した」とAlphaFold2を絶賛している。

前章までで触れたが、Ｗｅｂ２・０の時代、米ビッグテックが急拡大したのも、ユーザー参加型のＷｅｂから集まるデータをＡＩで分析できたからこそだ。ＡＩのぐるぐるモデルが機能し、凄まじい速度での成長をけん引した。影響圏は世界に及ぶ。上記のワクチン開発のように功の部分はもちろん大きい。

これに対して、日本企業はタスクを分割し、標準化したうえで改善を重ねて大量生産するビジネスモデルで先んじてきた。このモデルでは、ほとんどの企業が一定までなら収益を拡大できる。ただ一定規模を超えると成長の伸びは鈍化する。このモデルを絶対視してＡＩを導入しても、ぐるぐるモデルの恩恵を得るのは難しい。標準化による大量生産という従来の勝ちパターンでは世界で戦えなくなっている。実際に、日本では「失われた10年」と言われた経済低迷が長引き、「失われた20年」となり、「30年」になろうとしている。

日本企業にこそ、Ｗｅｂ３という新たな時代に向け果敢に前例を打破したＡＩの活用が求められている。

広がりつつあるぐるぐるモデルの採用

本来のＤＸを考えた際に、欠かせないのはＡＩが持つ価値創造モデルとしての能力である。これまでにも触れてきたＡＩのぐるぐるモデルがそうだ。

商品やサービスがより便利になれば、より多くの人が利用する。より多くの人が利用すると、データが増え、データが増えると、ＡＩがさら

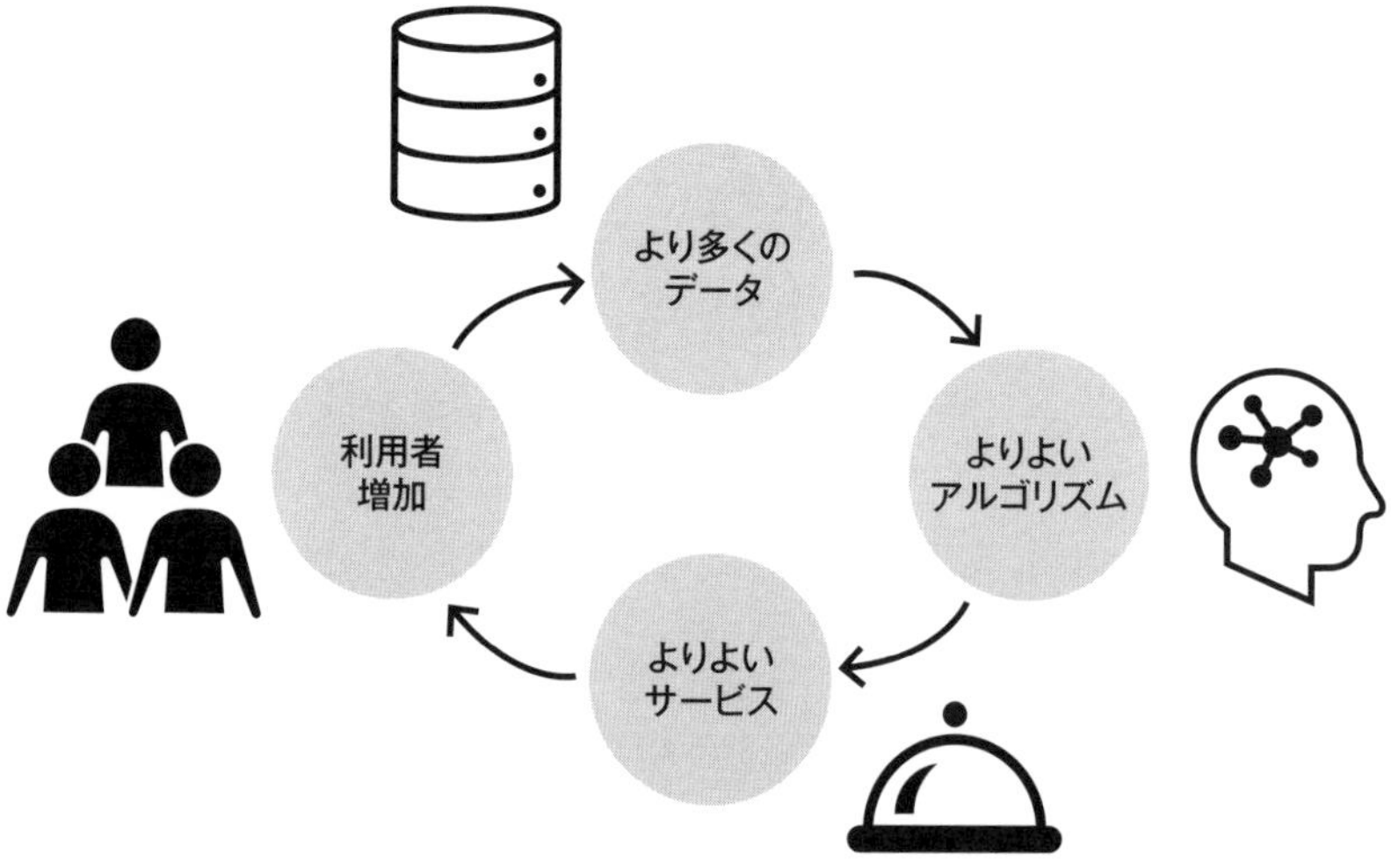

「AIのぐるぐるモデル」が機能すると正の回転が加速する
（出所：「Competing in the Age of AI」を参考にエクサウィザーズ作成）

に賢くなる。この正のスパイラルがぐるぐる回ることで、ビジネスはどんどん大きくなっていく。

ＡＩは人ではないから24時間３６５日、不平不満を言わずに改善に取り組む。利用者が何を望んでいるのかを察し、利用者個別に対応することも可能である。日本企業が得意としてきた大量生産による価値創出とは異なるゲームで成果を生み出せる。ここまで実現して初めてＤＸと言うべきだ。

ＡＩのぐるぐるモデルの力を生かそうとしているのはアマゾンやグーグルのようなビッグテックだけではない。

エクサウィザーズはＡＩの力に早くから気づいていた。必要なのはデータだ。われわれは、特定顧客にＡＩによるソリューションを提供するだけでなく、アルゴリズムを蓄積し、ＡＩやＤＸ推進のための汎用的なＳａａＳ（ソフトウエア・アズ・ア・サービズ）として提供している。

汎用化して多くの顧客が利用することでさらにＡＩアルゴリズムが磨かれ、それがＳａａＳに反映される循環を実現させている。また、後述するが、ヤマト運輸のような日本の大手企業も、ＡＩのぐるぐるモデルを本格的に導入し、課題解決に乗り出している。

中華鍋カーブで指数関数的に成長する

ＡＩのぐるぐるモデルがもたらす価値とは何で、本当のＤＸとはどういうものなのか。もう少し詳しく説明する。

２０２２年現在、日本企業のＡＩ導入状況はどうなっているのか。多くのメディアで毎日のように「ＡＩの導入でＤＸを実現」といった記事を目にする。日本企業はＡＩで十分に成果を上げていると反論する読者もいるかもしれない。

しかし、これらの記事で目にする内容は、ほとんどがＡＩの価値を最大限に引き出しているとは言えない。架空の居酒屋を例に考えてみたい。


東京・新宿西口に居酒屋を経営するやり手の店主がいた。新鮮な魚介類や豊富な日本酒が話題となり、１店舗目が繁盛する。これを受け、東口に２店舗目を開店させた。店主は両方の店舗を行き来しなくてはならないので少し忙しくなったが、売り上げは２倍に増えた。少し忙しくなるだけで、２倍の収入である。生産性が伸びたわけだ。

気をよくした店主は３店舗目を新宿歌舞伎町に開店した。さらに忙しくなったものの、店主の収入は伸びた。次に東京・渋谷に４店舗目を開店した。さすがに新宿と渋谷の行き来は大変なので渋谷店を部下に任せた。優秀な部下ではあったが店主ほどやり手ではないので、それほど売り上げは伸びない。その後も池袋、上野と店舗を増やしていったが、今までのように売り上げが倍々で伸びることはなかった。

そこで店主は考えた。インターネットを活用し、各店舗の売り上げ、仕入れ、来客数などのデータを店主のパソコンで集計できるようにした。店内には最新のＡＩカメラを設置し、店内の人数、客層、客の性別まで把握できるようにした。

メニューや繁忙時間に合わせた従業員のシフトなどを見直し、各店舗にあった接客ができるようになったので、満足度が上がり、客数が増えた。売り上げも以前よりは伸びる。ＡＩ導入後の繁盛を聞きつけて取材に訪れたテレビ番組のディレクターに対し「最新ＡＩでＤＸに成功した」と店主は自慢げに語った。

　確かに店主はＡＩの導入で効率を上げることに成功したが、店主が行ったのはデジタル化であり、われわれの考える本来のＤＸではない。業務が効率化して生産性が向上し、業績は改善するが、一定の水準まで進めば追加的な効果は発生しなくなる。

　居酒屋の経営に限らない。店舗だけでなく、工場でも、オフィスでも、公共・福祉サービスの現場でも、似たような例はいくらでも存在する。

　図を見ながら説明しよう。居酒屋の店主がパソコンやインターネットを導入する前の

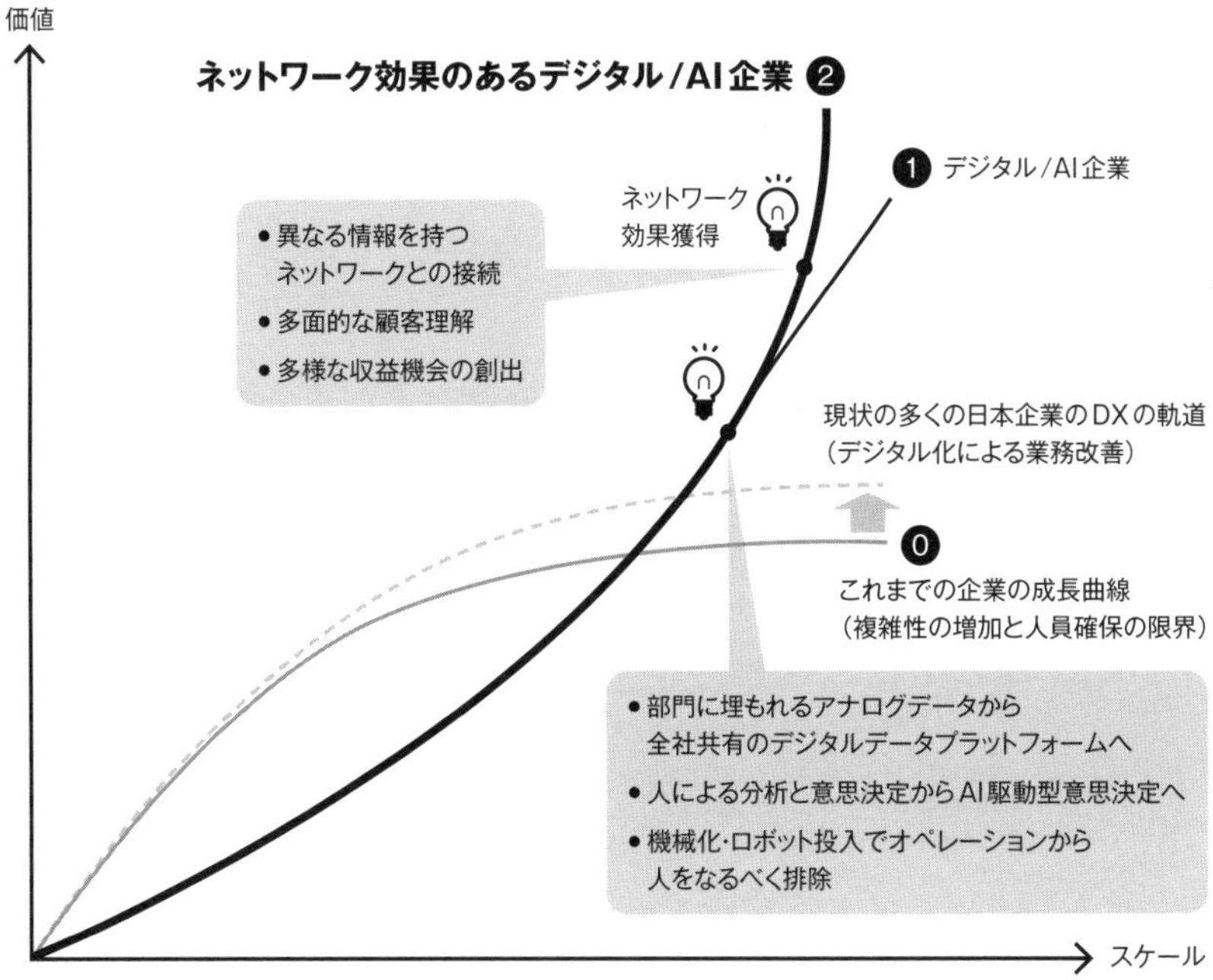

AIによる価値の加速化。データの有効活用ができずに人に依存していると事業がスケールしても価値は高まらない。一方で、社内外の多様なネットワークを活用することで、効果は加速していく。②のような価値増加が加速する曲線を、その形から「中華鍋カーブ」と本書では呼んでいる
（出所：「Competing in the Age of AI」を参考にエクサウィザーズ作成）

状態はカーブ⓪にあたる。中華鍋をひっくり返したようなカーブを描いている。言わば「逆中華鍋カーブ」である。複雑性の増加と人員確保の限界から規模の拡大につれて新たに発生する価値が逓減する。大量生産型企業の成長カーブと言い換えてもいい。

　パソコンやインターネット、ＡＩカメラを効率化のために導入すると、逆中華鍋カーブを少し持ち上げた破線のグラフになる。デジタル化による業務改善の段階で、多くの日本企業の言うＤＸはこの段階で止まっている。

　ＤＸを進化させ、ＡＩのぐるぐるモデルの恩恵を受けられる企業になるにはどうすべきか。「ＡＩはデータがなければ、ただの箱」と言われることがある。すべてはＡＩを教育し精度の高い予測を可能にするデータを収集するところから始まる。

　データが増えるほど、ＡＩは強力になっていく。ＡＩカメラを含めＩｏＴと呼ばれるインターネットに接続された各種デバイスをはじめ、電子マネーの利用履歴、ＳＮＳの投稿など、身の回りの情報がどんどんデータ化されている。プライバシーの問題をクリアできれば、こうしたデジタルデータをすべてＡＩで解析できるようになる。

　ここで打ち破らなければならないのが企業に存在するデータのサイロだ。だが多くの日本企業がデータのサイロを放置したままになっている。大きな価値につながるデータが、バラバラで連携することなく企業のどこかに保存されている。

戦い方は大量生産から「ＡＩファクトリー」に

より重要なのは、ＡＩのぐるぐるモデルは、グーグルのようなビッグテックやＡＩ企業だけが活用できるものではないということだ。言い方を変えれば、成長し続けたいならＡＩのぐるぐるモデルを活用する企業になるしかない。

この辺りの考えを理解するのに役立つのが、米国で出版された『Competing in the Age of AI（ＡＩ時代の戦い方）』という本だ。米ハーバード大学のマルコ・イアンシティ教授とカリム・ラカーン教授が２０２０年に共著で出したもので、明確に「企業の価値創造のモデルが大量生産や標準化からＡＩのぐるぐるモデルに変わった」と指摘している。

少しこの本の内容を解説しながら、いかにＡＩのぐるぐるモデルの力を使い企業がＤＸを実現させるかについて説明する。

「日本からなぜグーグルやアップルのような企業が生まれなかったのか」
「日本企業はなぜ世界の最先端から脱落したのか」

本書の冒頭に示したこれらの問いに、いろいろな有識者が多くの仮説を示しているが、同書の著者である２人の教授の考え方に従えば、「日本企業は価値創造の新しいパラダイムに移行できていないから」となる。

新しいパラダイムこそ、ＤＸをもたらすものであり、これを可能にするのがＡＩのぐるぐるモデルにほかならない。Competing in the Age of AIの中では「ＡＩのぐるぐるモデル」ではなく、ほぼ同じ内容を「ＡＩファクトリーの好循環」と呼んでいる。ファクトリーとついているが工場を意味するのではなく、ＡＩをベースにした企業といった意味でＡＩファクトリーを使う。

ＡＩファクトリーの好循環を実現するには、意思決定のレベルにまでＡＩが入ることが重要だ。逆に言うと、ＡＩファクトリーの好循環のループには人間を入れてはならない。

人間の意思決定に時間を取られることなく、好循環の無限ループが高速でぐるぐると回転し続ける。これに成功した企業は、グーグルやアマゾンのように従来型の企業を圧倒する。ＡＩファクトリーの好循環を実現している企業を「ＡＩ駆動型企業」と呼ぼう。ＡＩ駆動型企業はＡＩによるＤＸを実現した存在になる。

例えば宅配サービスの「ウーバーイーツ」の配達をどの配達員に任せるのかを決めるのも、アマゾン上で、売れ行きに応じて販売価格を変動させるのもＡＩである。これまで人間が行ってきた判断をＡＩが代替する。だからこそ大量の案件を短時間に決定できる。

データのサイロを破壊し、ＡＩに与える

ＡＩファクトリー実現のためには「サイロの破壊」が必要だとイアンシティ教授とラカーニ教授は指摘する。企業に、各部門に分断され埋もれているデータを集め、全社共通のデジタルデータプラットフォームを構築することを求めている。こうでなければ、ＡＩのぐるぐるモデルを回すためのデータの質を高め、量を増やし、ＡＩによる意思決定を高度化できない。

企業内に存在するデータはそのままではＡＩで使えないものがいくつもある。アナログ状態のデータは

使えない。すべてデジタル化し、１つのプラットフォームにまとめたうえで、ＡＩを導入する。電子化、機械化やロボットの投入、つまりバリューチェーンの意思決定以外の領域でも自動化が可能な業種であれば、より高速の成長カーブを描けるようになる。

居酒屋の事例で引用した図を見てほしい。ＡＩによる意思決定に有効な量と質のデータを用意できれば、ビジネス規模の拡大に伴って、①のような傾きの中華鍋カーブで、価値がスケールしていく。さらに競合との差異化をもたらす別のデータを入手できるネットワークにアクセスできれば、②のカーブのように価値が指数関数的カーブで増えていく。

個人情報保護の関連法案やプライバシーに配慮する必要があるが、同じ顧客であっても自社の複数のサービスを利用したり、利用している他社のサービスのデータまで得たりできれば、顧客をより深く理解できるようになる。

ＡＩに意思決定を任せる場合、重要なのは現場のオペレーションをできる限り自動化することだ。自動化されたシステムは正確な数字、デジタルデータをはじき出す。自動化が進むほど、データのサイロが破壊され全社からデータが集まり始めるため、ＡＩの判断はより迅速で的を射たものになる。この過程で、各種の決定に伴う担当者の勘や属人的な判断のかたよりがなくせる。

正確な計画は業績にプラスの影響を与える。製造業であれば、各部門からの正確な数字を集計しＡＩが判断を下したサプライチェーン計画などが典型だろう。これだけではない。自動化は単独で、人件費削減などを通じて業績にプラスの影響を与える。

自動化とＡＩによる意思決定の効果は足し算ではない。掛け算だ。掛け算がＡＩ駆動型企業の高い成長、そして課題解決を可能にする。

掛け算の効果を生み出すには、あらゆる業務をデジタル化し、データを管理し、ＡＩの判断で業務フローを自由自在に組み換えることができる柔軟な組織形態も前提となる。多くの日本企業が、働き方や意思決定、組織運営の形も見直す必要がある。これに関しては第３部で、詳しく説明する。

業界越境で急成長した中国アント・フィナンシャル

ＡＩ駆動型企業に高い成長を実現させる掛け算は現場の自動化とＡＩによる意思決定だけではない。データによる新たな顧客価値創出と業界越境・ネットワーク効果の掛け算である。

その代表例としてCompeting in the Age of AIでは、中国のAnt Financial（アント・フィナンシャル）を挙げている。同社は、２０１８年６月に評価額１５００億ドルで１４０億ドルの資金調達に成功、一時は世界で最も評価額の高いユニコーン（評価額が10億ドルを超える未上場企業）となった。創業数年で、米アメリカン・エキスプレスや米ゴールドマン・サックスなどを時価総額で超える金融機関と評価されたわけだ。

アント・フィナンシャルは、中国ＥＣサイト最大手であるアリババの決済システムAlipay（アリペイ）の成功から生まれた。アリババは米国のアマゾンや日本の楽天のようなＥＣのプラットフォームだが、もともとはヤフオク！やメルカリのような個人間の売買プラットフォームとしてスタート。個人間のやり取りでは、売り手は買い手が代金をきちんと支払うかどうか、買い手は商品が売り手の言った通りのものかどうかが気になる。売り手と買い手の間に立ち、第三者の立場で決済までの取引の安全性を担保するサービスとして登場したのがアリペイだった。

買い手からまず代金を預かり、製品を受け取って問題がなければ、アリペイが売り手に代金を支払う。いわゆるエスクローと呼ばれるサービスだ。

売り手と買い手が集うマーケットプレイスのようなプラットフォームには、ネットワーク効果と呼ばれる現象が生じる。要は利用者が増えること自体が価値の増加をもたらす。売り手が集まって取り扱う商品が増えれば、これを目当てに集まってくる買い手が増える。買い手が増えると、それを目当てにさらに多くの売り手が集まってくる。これも１つのぐるぐるモデルだ。

アリババのマーケットプレイスの決済システムとして始まったアリペイだが、アリババは自社に限定することなく、中国のすべての事業者、消費者に電子マネーとしてアリペイ

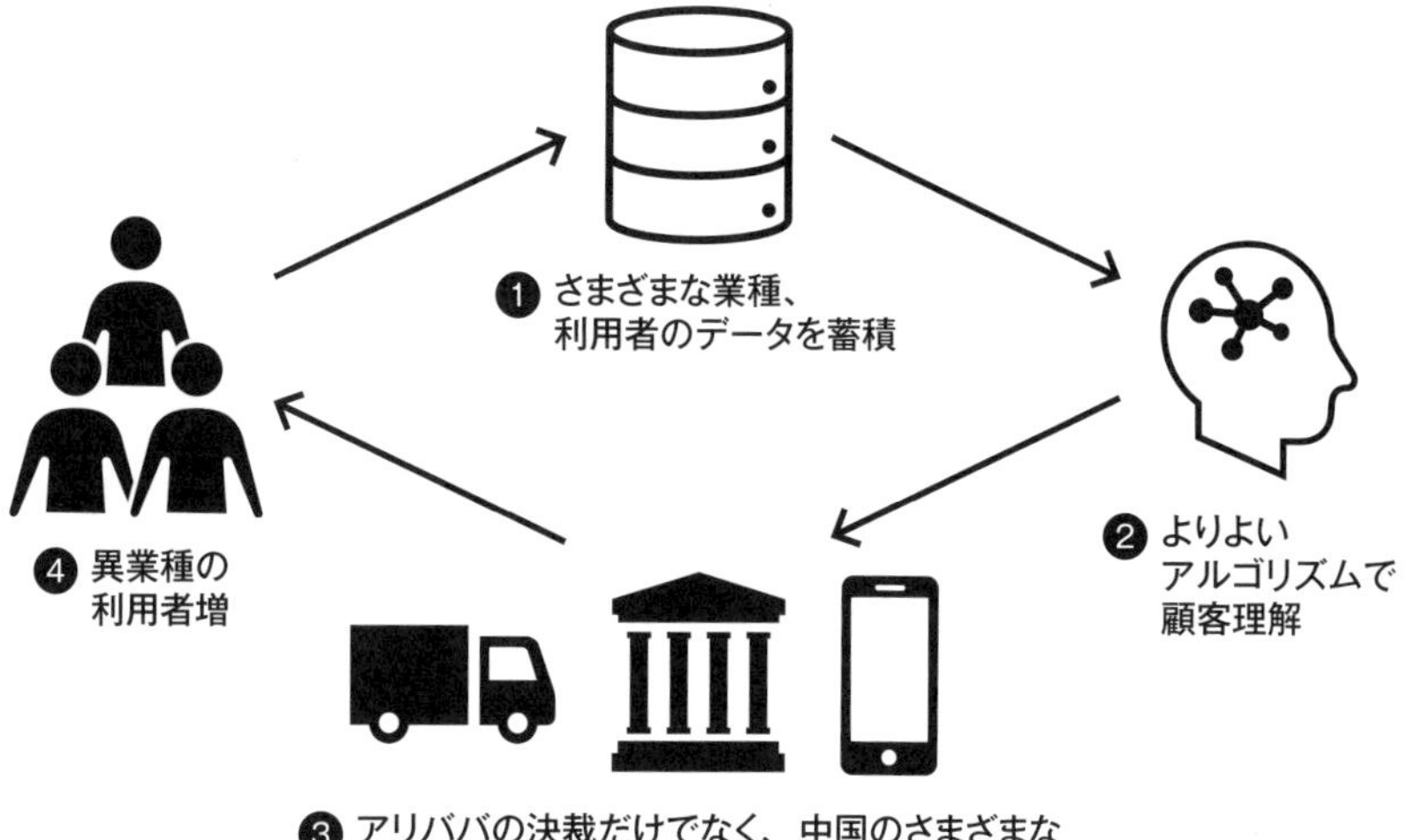

アリババは決済サービスを解放し、多種多様なユーザーのデータを保持し活用できるようになった
（出所:『Competing in the Age of AI』を参考にエクサウィザーズ作成）

を公開した。これが成功し、立ち上げから2年後の2006年には3300万ユーザーを抱え、1日に46万件を、2009年には1億5000万ユーザーが1日に400万件を決済する巨大システムになったという。中国でスマホが普及した2011年ごろには、多くの消費者がアリペイのアプリを現金代わりに利用するようになった。

今ではアリペイ上で動作する「ミニアプリ」でさまざまなサービスが可能だ。アリペイでコーヒーを買うことも、タクシーに乗ることも、電気代を支払うこともできる。病院の事前予約もできるし、レストランで友人と割り勘もできる。ストリートミュージシャンへの投げ銭もできる。

電子マネーにはＡＩのぐるぐるモデルではないが、ネットワーク効果が働く。ネットワーク効果は、時間の経過や利用者の増加にともなって、1人のユーザーにとっての価値が増加するメカニズムだ。ネットワーク外部性とも呼ばれる。取り扱う店舗が増えるほど、利便性が高まって消費者の利用が増え、消費者の利用が増大するほど、取り扱う店舗が増える。これに伴って創造される価値は、中華鍋カーブを描いて上昇し続ける。マーケットプレイスの利用者に加え、外部に公開し用途を拡大したことで、圧倒的な優位に立てた。

ぐるぐるモデルは、先行者の利益が大きい。中国の電子マネーの市場は、アリペイとアリババのライバルであるネット企業のテンセントの決済システムであるWeChat Pay（ウィーチャットペイ）の2強状態にある。

日本では電子マネーが乱立している。ぐるぐるモデルを理解しユーザー獲得のため大胆に先行投資する事業者が登場し、勝ち逃げの体制に入る前に、多くの企業が参入。中華鍋カーブを描けなかった。

アント・フィナンシャルの成功は、２０１３年に金融商品「余額宝（ユエバオ）」を始めたことにもあると言われている。ユエバオはアリペイの口座の残金を投資信託に簡単に投資できるもの。スマホがあれば利用できるし、残高を一定額以上に保たなければならないなどといった条件もない。スタート数日後には１００万人以上が申し込み、5年後の２０１８年には、運用残高が一時は27兆円に達し、米ＪＰモルガン・チェースを抜き世界最大のＭＭＦ（マネー・マーケット・ファンド）になった。

アント・フィナンシャルは、ユエバオ以外にも資産管理システムや保険、信用スコアリングなどのシステムを次々とスタートさせた。医療、交通、レストラン関連の予約、オンラインゲーム、フード宅配など、さまざまな領域にアリペイのアプリの機能を拡充したのは既に述べた通りだ。

これらの事業から取得できるデータをすべて統合し、ＡＩで解析する。ユーザー一人ひとりの財政事情や趣味嗜好まで手に取るように分かるわけだ。これをベースに、かゆいところに手が届くようなサービスを提供する。ＡＩのぐるぐるモデルが高速で回転するので、ほかではできない便利なサービスを提供できる。

データによる顧客価値創出と、業界越境・ネットワーク効果の掛け算の結果、中華鍋カーブが実現したわけだ。

AIによる意思決定でコロナ禍を乗り切ったイケア

データのサイロの解消を進め、現場の自動化とＡＩによる意思決定の掛け算が成果を上げた例として、Competing in the Age of AIではスウェーデン発祥の家具ブランドＩＫＥＡを取り上げている。

ＩＫＥＡを展開するイケアは小売業としては世界7位の大企業で、世界中に４００以上の巨大店舗を持つ。コロナ禍で多くの店舗を閉鎖しなければならなくなった。残された販売チャネルは、オンラインだ。そこですべての店舗を倉庫・配送センターと捉え直し、オンライン業務に軸足を一気に移すことを決断した。もともとＤＸを推進する計画を立てていたが、待ったなしの状況の中、前倒しで課題解決に踏み切った。

具体的には、店舗閉鎖からわずか1週間で、地域ごとに開設していた13のウェブサイトを全部クラウド上に移行。それまでは国や地域といった50の市場ごとに、それぞれのカントリーマネジャーが何をいくらで売って、どのような価値をお客に提供するのかを決めていた。明確にデータのサイロを破壊したわけだ。すべてのデータを統合して中央で一元管理すれば、ＡＩによる予測精度を引き上げることも期待できる。その後、イケアでは取引業者とのデータもシステムに統合し、サプライチェーンのＤＸにも取り組んでいるという。

サイロの破壊には、利用する側のリテラシーも重要だ。イケアは店舗閉鎖から3週間で、幹部クラスのシステム利用のト

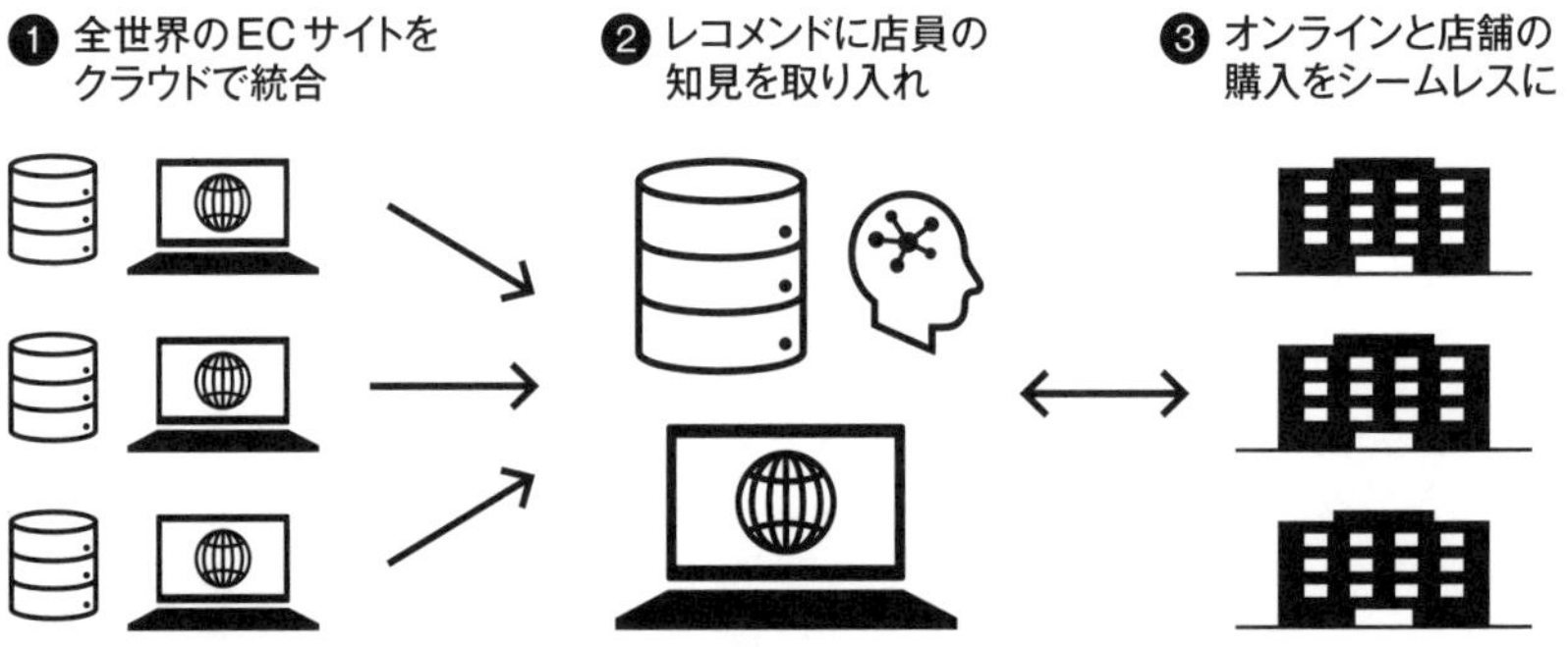

イケアは、全世界のECサイトと店舗のデータをAIが活用できるように統合したり、連携したりした。経営層がAIやデータを活用して判断できるようにトレーニングも行った
（出所:『Competing in the Age of AI』を参考にエクサウィザーズ作成）

レーニングを終了。商品、価格、配達などの担当幹部たちが、システム、データ、ＡＩを駆使して、迅速に決断できるようにした。

顧客との接点でもＡＩを活用する。オンラインストアのレコメンデーション機能にＡＩとストアスタッフ双方の知見を取り入れることで、顧客体験を改善。同社のオンライン売り上げが3〜5倍の伸びを示したという。リアル店舗とオンラインストアの壁はなくなり、相互補完の関係に変わったわけだ。

イケアの変革のポイントは、リアルとオンラインのシームレスな統合だ。リアル店舗とオンラインのそれぞれの顧客の動きという異なる購買活動を、１つの購買システムに統合し、トータルでスムーズな購買体験を顧客に提供できるようになった。

多様な顧客の要望にすべて応えられる複雑なシステムを人間だけで運用するのは不可能に近い。同社では、リアル店舗とオンラインショップのデータを統合してＡＩに学習させ、商品のレコメンドでＡＩのぐるぐるモデルが回るようにした。

AIのぐるぐるモデルを導入する日本企業も

本来の意味のＤＸに気付く日本企業も現れて、ＡＩのぐるぐるモデルへの取り組みも始まっている。物流大手のヤマト運輸がそうだ。宅急便を取り扱う約３５００拠点の各営業所の業務量予測に、MLOps(Machine Learning Operations、MLOps、エムエルオプス）と呼ぶ手法を活用している。

ヤマト運輸は、MLOpsを活用した業務量予測によって、社員の勤務シフトや車両計画をはじめとした経営資源の最適配置とコスト適正化を図る。

聞き慣れない言葉かもしれないが、Ｗｅｂ２・０、さらにはＷｅｂ３時代のＡＩを考えた時、ＭＬＯｐｓは重要な手法になる。以下でＭＬＯｐｓについて説明する。

ＭＬＯｐｓは機械学習のモデルを本番環境で運用しながら、継続的かつ効率的にモデルを改善する手法である。ＡＩのぐるぐるモデルをシステムとして実装する場合に不可欠なものであり、グーグルやマイクロソフトといったテック大手を中心に採用が進んでいる。

これまでＭＬＯｐｓはＩＴがビジネスに直結するテック大手が中心だったが、ここに来て一般企業でも採用の機運が高まっている。一般企業でも、テクノロジーやＡＩなどのデジタル技術が競争力の維持に欠かせないという意識の高まりを反映したものだろう。

ソフトウエアの開発と運用を一体で行う「ＤｅｖＯｐｓ（デブオプス）」という手法をご存じの読者もいらっしゃるだろう。ＭＬＯｐｓはその機械学習・ＡＩ版と言え、機械学習モデルの開発と運用を一体に行う。

ＭＬＯｐｓの開発と運用を一体化する効果は３つある。

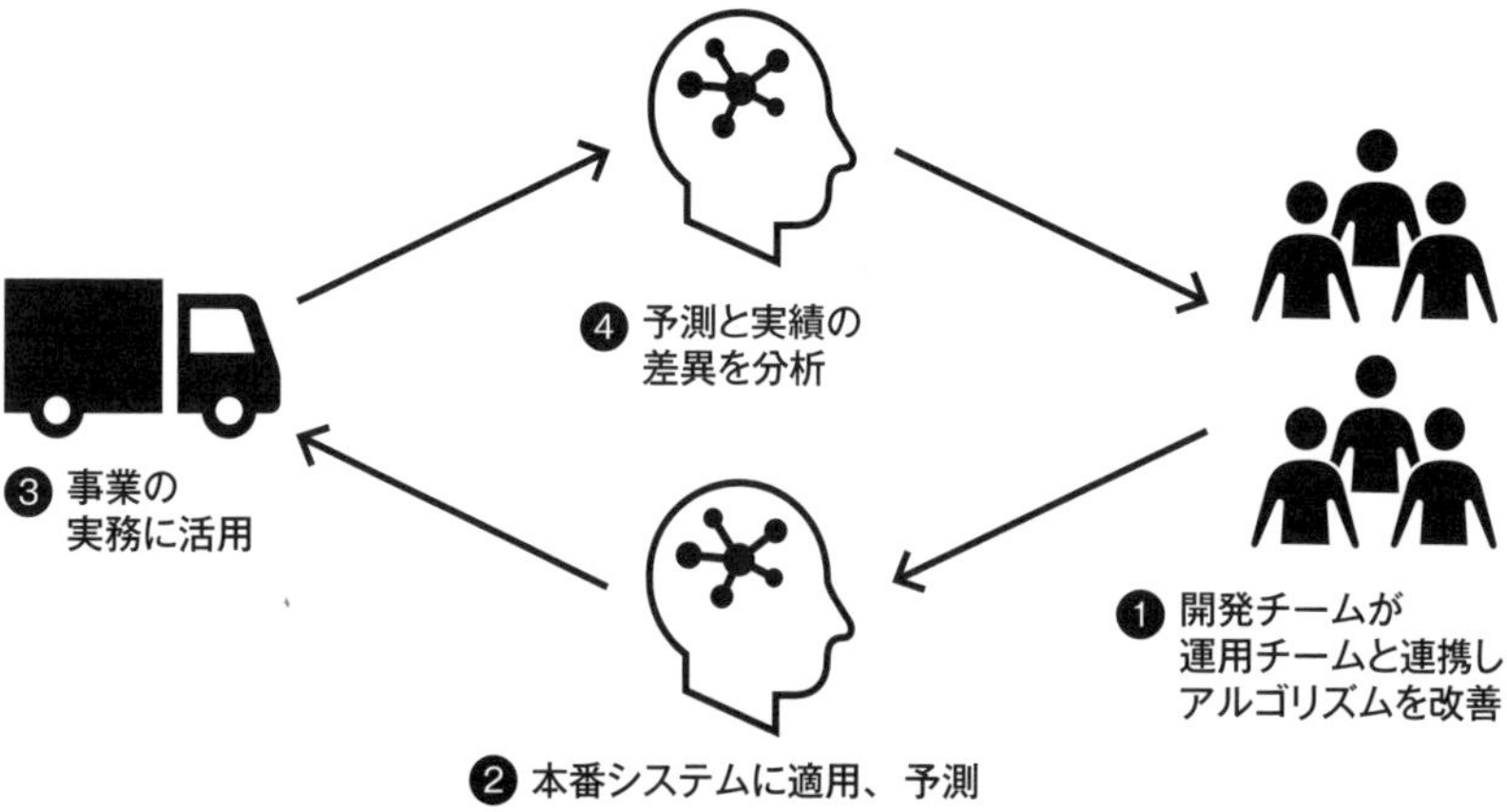

ヤマト運輸はAIアルゴリズムを確実かつ定期的に更新できる「MLOps」と呼ぶ手法を導入した。従来はテクノロジー大手が採用していたものだ
（出所：エクサウィザーズ）

まずは運用の安定だ。優れた機械学習モデルを開発しただけでビジネスに活用できるとは限らない。実運用時の予測ではさまざまなデータを読み込んだり加工したりする必要があり、エラー処理も欠かせない。モデルの開発と運用を一体で進めることでそうしたトラブルを抑えることができる。

２つ目はモデルの改善のスピードアップだ。機械学習モデルは実績や改善点などを基に開発チームがモデル開発し、それを使って運用チームが本番環境で予測する。このＰｏＣ（概念実証）のような作業の繰り返しは、実績データ準備、モデルのプログラム作成が手動のため手間がかかり、モデルの更新頻度が低くなる。

MLOpsでは一般に、開発環境をそのまま運用に移すことを想定した開発と本番の対の実行環境を構築する。これによって、開発したモデルや一連の手順を自動化し運用に移すことができ、無理なくモデルの更新頻度を上げることができる。

３つ目が２つ目のメリットを生かした、「複利的」な費用対効果の向上だ。絶えず改善が続けば、効果は複利のように効いてくる。仮に月に１回の改善幅が０・３％であっても、確実に毎月実行していけば、１.００３×１.００３×……の複利効果で１年後には約４％、２年後には約７％の改善となる。対象が１０００億円のサービスだとすると７％で70億円の改善効果と考えることもできる。軌道に乗って利用が拡大すれば改善は継続し、成長カーブを描くようになる。

ＡＩで最適化し、植物を５倍の生産性で育成

ヤマト運輸は以前からＩＴ活用先進企業としても知られてきた。しかも大企業だから取り組めたので

あって、自分たちとＡＩのぐるぐるモデルは関係ないと思われるかもしれない。

そんなことはない。次に紹介するのは、ＤＸとは距離感があると思われているかもしれない第一次産業、具体的には農業の領域でＡＩのぐるぐるモデルを活用し、超効率的な農作物生産を目指すスタートアップであるプランテックス（東京・中央）の例だ。資本金は５０００万円で社員も少ない。

２０１４年に設立された同社は植物工場の企画・設立・運営の支援に加え自らも農作物生産を手掛けてきたが、一般的な植物工場の事業者ではない。完全に密閉した生産装置内で、温度や水、湿度、栄養素などを時系列で緻密に管理し、より多く早く収穫したり、機能性の高い食物を生産したりできるようにする事業を手掛ける。

生産装置内は、光、CO_2、湿度、肥料量、風量などを緻密に制御できるように設計されている。栄養価の高い作物を短時間で栽培するためには、どの

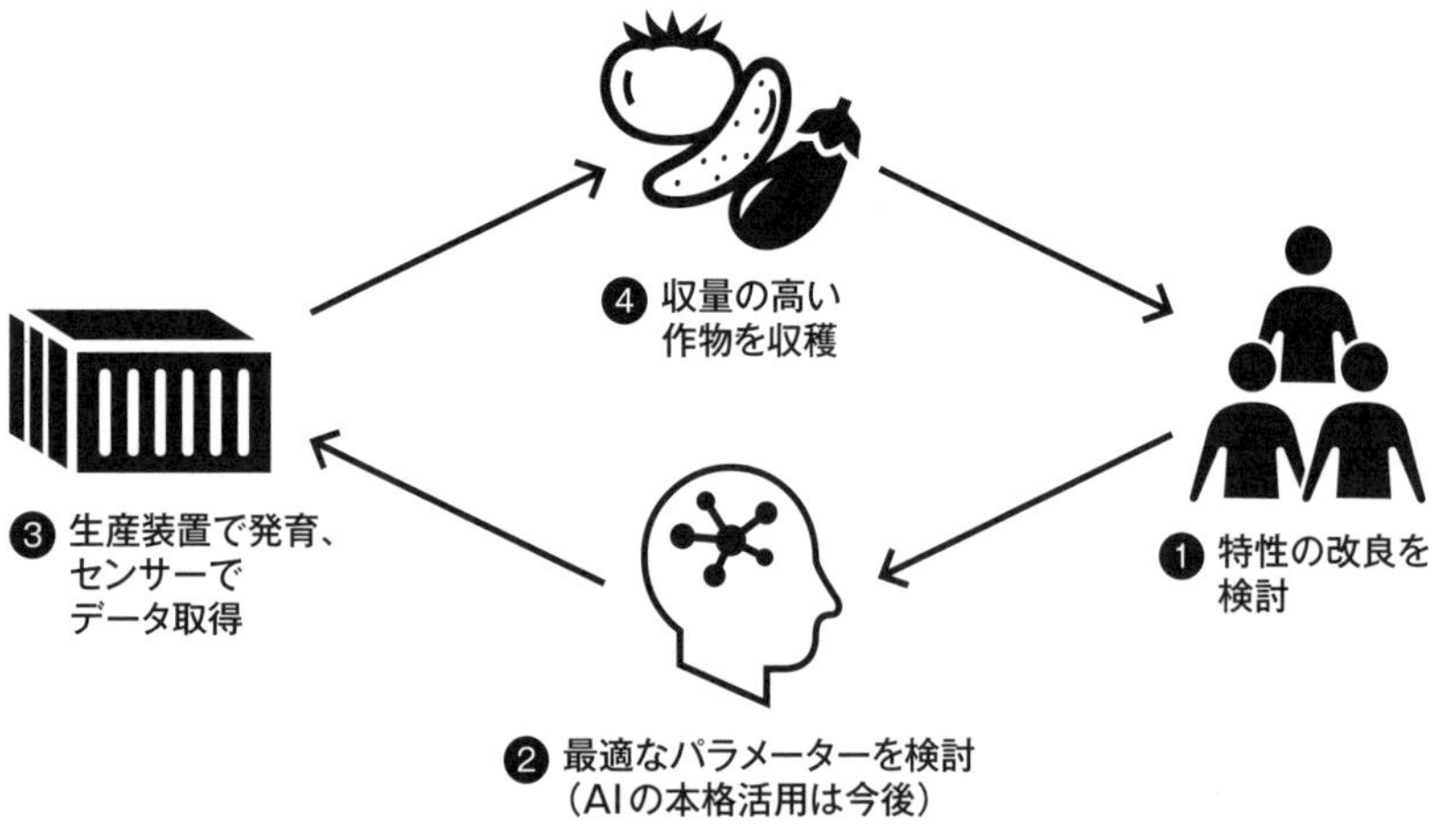

プランテックスは通常の育成環境にはない環境を実現し、高い特性の作物を育成する。今後はAIの活用でパラメーターのさらなる最適化に挑む
（出所:エクサウィザーズ）

パラメーターの組み合わせが最適かを見極め、改良していく。レタスであれば通常の約5倍の生産性で育てる組み合わせが見つかっているという。ＡＩを活用することで、パラメーターの組み合わせのさらなる最適化に挑んでいる。生産装置を縦に積み重ねれば土地面積当たりの収量を引き上げることもできる。データを活用した栽培手法の改良により同社の事業が拡大することで、さらに多くの質の高いデータが得られるようになる。ＡＩのぐるぐるモデルが機能していく。

　これらヤマト運輸とプランテックスの取り組みについては、どちらも第2部で詳しく取り上げる。

第3章 Web3時代のAI・DX戦略

前章までで、Ｗｅｂ３の可能性とＡＩとそのぐるぐるモデルが創出する価値について説明した。本章では、Ｗｅｂ３時代に企業はどのようなＡＩ戦略を推進すべきか。テクノロジーによって企業や社会を変革していくＤＸを軸に見ていくことにする。

そもそもＤＸとは何か。新聞や雑誌などのメディアではさまざまな意味で使われているが、経済産業省が２０１８年に発表した「デジタルトランスフォーメーションを推進するためのガイドライン」では、ＤＸを以下のように定義している。

「企業がビジネス環境の激しい変化に対応し、データとデジタル技術を活用して、顧客や社会のニーズを基に、製品やサービス、ビジネスモデルを変革するとともに、業務そのものや、組織、プロセス、企業文化・風土を変革し、競争上の優位性を確立すること」

同省が発表した別のドキュメントでは、①デジタイゼーション（デジタル化）、②デジタライゼーション（デジタル活用）、③デジタルトランスフォーメーション（デジタル変革、ＤＸ）の３ステップに分け、取り組みを進めることをＤＸ成功のパターンとして紹介している。

よく指摘されていることだが、活用でも改革でもなく、変革の実現がキーワードになるのだと思う。ＡＩのぐるぐるモデルがもたらすのは変革にほかならない。

ＡＩそしてＷｅｂ３の時代に実現すべきなのは、われわれが「Beyond DX」と名付けた３ステップ目のＤＸの先にある世界である。ここでは、個々の企業がＤＸを進めるだけでなく、各企業の価値のネットワークが有機的につながる。非中央集権的なＷｅｂとこれを反映したデータの持ち方にＡＩを掛け合わせたモデルが実現する。

選択と集中から事業領域の再定義に

前提として、企業とＤＸ、特にＡＩのぐるぐるモデルで実現するＤＸとの関係を考えたい。

本章の冒頭で、経産省によるＤＸの定義とデジタイゼーション、デジタライゼーション、ＤＸの３段階の変革のステップを記した。残念ながらまだ多くの日本企業は経産省の定義するＤＸを実現できる状態にはない。その理由には、日本企業がＤＸを強く指向した運営形態をとっ

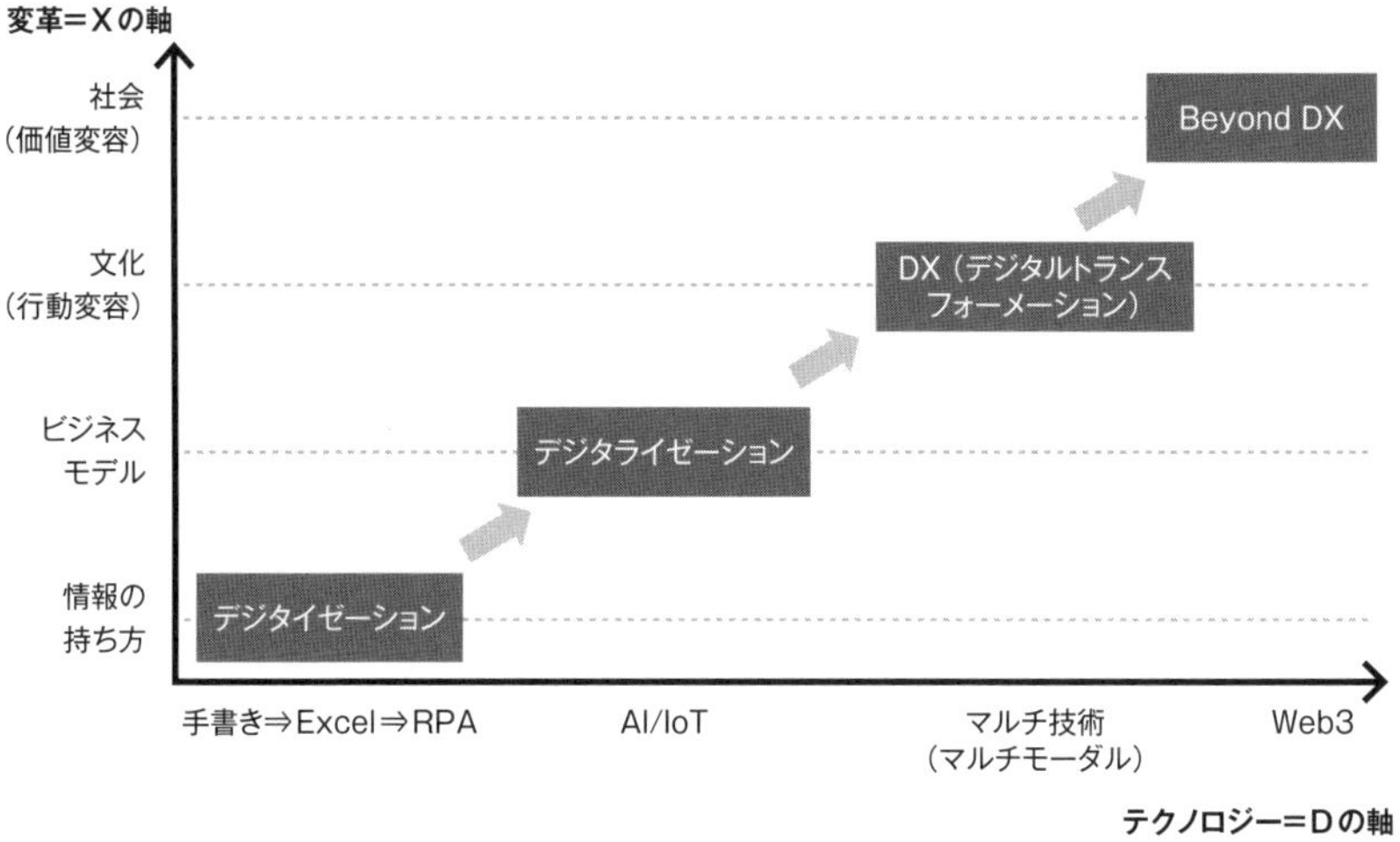

DX（デジタルトランスフォーメーション）の各段階。社会課題解決を取り入れた「Beyond DX」の時代へと向かっている
（出所:経済産業省の資料を基にエクサウィザーズ作成）

てこなかったことがある。

　これまで日本の企業運営は、中核となるコア事業への「選択と集中」が大きなウエートを占めてきた。企業は既存事業の中から収益性の高い事業を中心に、限られた項目のＫＰＩ（重要業績評価指標）を設定して、人間中心のリーダーシップを基に経営陣がカイゼンのサイクルを回す。アナログのオペレーションが前提だから、こうなるのは当然のことだ。トップによる質の高い意思決定と戦略の推進が成功には不可欠になる。

　ＡＩのぐるぐるモデルに取り組もうとする企業の運営は異なる。財務指標など集計した全体の結果を評価する際に、絞られたＫＰＩによる分析は有効だ。だが、ＡＩのぐるぐるモデルを軸に成長する企業にとっては、何よりもデータが重要になる。一つひとつのデータはそれ自体が成長に不可欠な資産であり、

	これまでの企業のあり方	Web3×AI時代の企業のあり方
戦略	コア事業へのフォーカス	事業領域の再定義 （マルチモーダル、マルチセクター）
意思決定	絞られたKPIに基づく意思決定	AI駆動型 （顧客中心的な意思決定）
事業推進	リーダーシップ	データ基盤とAI活用の アーキテクチャー
オペレーション	人	人＋デジタル
	コアへの戦略的フォーカス、 強力なリーダーによる質の高い 意思決定・推進がカギ	AI中心のオペレーティング モデルの構築がカギ

AI時代の企業のあり方。マルチモーダル・マルチセクターで事業領域を再定義していくことが求められる
（出所：エクサウィザーズ）

データがもたらすインサイトを前提に事業を展開する。

ＡＩのぐるぐるモデルを駆使するＡＩ駆動型企業は、顧客に関係する多くのデータを収集し、分析することで一人ひとりの特性・好みに応じたサービスが提供可能になり、これによってサービス品質が高まり、さらにユーザーが増え、新たな顧客データが集まる好循環が続く。顧客中心の好循環の中で、ＡＩを活用しサービス提供にかかわる意思決定をしていく。

よほど小規模な事業でなければ、人間だけで顧客一人ひとりの特性・好みにすべて対応するのは不可能だ。ＡＩのぐるぐるモデルの前提となるのが全社的に統合されたデータ基盤であり、そのデータ基盤の上にＡＩモデルが載る。

ＡＩ駆動型の経営を実現する際には、マルチモーダルとマルチセクターのアプローチが重要になる。ここでいうマルチモーダルは複数種類のデータや処理に対応するＡＩを、マルチセクターは既存の業種の垣根を超えた領域からデータを収集・分析するＡＩを指す。

マルチモーダルはなぜ重要なのか。これまでのＡＩは、画像なら画像だけ、テキストならテキストだけで学習し予測するという、１種類のデータに特化したものが主流だった。マルチモーダルＡＩは、画像、テキスト、音声、映像などを１つのＡＩアルゴリズムで処理するもので、異なる種類の情報を統合的に分析しモデル化することで、正確な学習と予測が可能になる。

マルチセクターは複数業種というよりも、既存の業種の枠を超えた事業展開の重要性を指摘したものだ。データを起点に事業領域を再定義しながら広げていくあり方こそが、ＡＩビジネスの本質である。ＥＣから金融へと染み出していったアント・フィナンシャルが好例だろう。特定の業種やテーマに絞った事業では、ある一定の水準にしかデータは広がらないし、データからＡＩが示す知恵は既存の業種やビジネスを前提にしたものではない。

Ｗｅｂ３とＡＩは相互を高め合う

ここからＷｅｂ３の時代にＡＩが何を可能にするのかを考えていく。インターネットとＡＩは全く別の技術だが、Ｗｅｂ２・０の時代には連携することで発展を加速してきた。Ｗｅｂ２・０で集まったデータと機械学習やディープラーニングで進化するＡＩの相互作用で生まれたビッグテックへの力の集中はその象徴だ。

Ｗｅｂ３の時代には現在よりも圧倒的に多くの情報がデジタル化される。ＤＡＯやＮＦＴ、ＳＢＴはもちろん、メタバースでのやり取りはすべてがデジタルデータである。Ｗｅｂ３の領域が広がるほどＡＩの精度を上げるデータが増える。ＮＦＴやＳＢＴが一般化すれば、ＡＩの分析対象になる構造化データだけでなく画像などの非構造化データも入手しやすくなる。スマートコントラクトの機能によって、規約への同意やＡＩでの分析への連動を自動化することも可能だろう。

逆にメタバースの領域を中心にＡＩによって加工されたデータが、その内容をさらに豊かに変えていく可能性もある。リアルタイムの自然言語処理と機械翻訳が実用化すれば、メタバースは言語の壁を越える。画像認識技術でより高度な情報を含めた映像が共有できるようになる。

こういった技術によって、リアルの世界を超えた各種の判断が可能になるだろう。既に書いたように、本書では、オンラインで完結する世界という定義で主に取り上げているが、３次元空間の仮想現実としてのメタバースもより豊かになる。カメラで表情を読み取って瞬時にアバターに反映させるといったことにはＡＩの力が不可欠だ。

一方で、データをＡＩで分析させるかどうかの主導権は個人に移っていく。

オプトイン、つまり個人が明確に同意したうえでデータを利用する方式がより一般的になる。これまでは、同意を得るために重要なのは、データを提供する個人への明確なメリットの提示だと言われてきたが、Ｗｅｂ３の世界ではＤＡＯのように自らが趣旨に賛同できる形でＡＩが用いられるかどうかが焦点になる。

AIがWeb3の〝契約〟で必須に

Ｗｅｂ３で実現しようとする多くのサービスにはＡＩが必須になってくる可能性が高い。

これまでのブロックチェーンでは、誰がどの暗号資産をどの程度保有しているのかという数値やテキストのデータの扱いが主体だった。これに対してＷｅｂ３のスマートコントラクトによるプログラムなどの実行時には、動画や画像なども扱うようになることが想定されるからだ。

一例として、利用者があらかじめ定めた運動をこなした報酬として、トークンを与えるような場合を考えよう。簡易なものとしては、スマホの加速度センサーを活用して、利用者が何らかの運動をしていることを把握するようなケースが挙げられる。ストレッチや散歩などがこれにあたる。ただ、Ｗｅｂ３の活用が進むにしたがって、動画や画像で利用者の動作の詳細まで把握したいと考えるようになるだろう。

例えば、ヨガで、手足の角度や姿勢などまで精緻に評価するようなケースである。加速度センサーだけでは把握が難しく、動画を撮影してそれをＡＩで分析する必要が出てくる。ヨガの姿勢の評価だけにとどまらない。エクサウィザーズは、高齢者の歩行の安定度を動画像で評価するサービスを提供しているが、もちろんこういった場合にも有効だ。

　こうしてＷｅｂ３×ＡＩによって、さまざまな利用者に健康に好影響を与える行動変容をうながしていくことが可能になってくる。さらにデータが蓄積されれば、行動変容によってどの程度健康が改善するのかも推測できるようになるかもしれない。そうすれば、社会保障費の削減を想定し、行動変容に結び付くような報酬を与えていくことも可能になるだろう。

　もう１つ例を挙げる。英国では国民がガーデニングをすることで、ＧＤＰ（国内総生産）が上昇すると言われている。

　英国王立園芸協会が２０２１年９月に発表した調査によると、観賞用の園芸、造園産業の「グリーン経済」が２０３０年までに19年比で１３０億ポンド増えて４２０億ポンドに達し、76万３０００人以上の雇用を支えるという。間接的に、住環境の美化が進むことによる住民の心身の健康、そして緑化が進むことによるCO_2削減効果も見込める。

　であれば、庭をしっかり手入れしている住民に対価を配ることで、最終的に自国のＧＤＰを引き上げられるという仮説も考え得る。

　それぞれの家の庭がどの程度きれいに保たれているのか。通行人はどの程度その庭を見て話題にしているのか。プライバシーに配慮したうえで、防犯カメラなどの映像のＡＩ解析で判断できるかもしれない。ＳＮＳへの投稿なども分析できるだろう。清掃車など行政の車両にＡＩカメラをつけて、それぞれの住人の庭の整備状況を評価できる可能性もある。

ＤＡＯにおける意思決定の際にもＡＩの支援が重要となってくる。

トークンを報酬として配分する際に、初期に参加した人だけが得するような条件だと、永続的な運営が難しくなる。そうした問題を解消するため、ＡＩで各フェーズにおける参加者への報酬の公平性をコントロールすることも必要になってくるだろう。

参考文献

＊英国王立園芸協会「The UK's "original green economy" could be worth £42 billion by 2030」, https://www.rhs.org.uk/press/releases/ornamental-horticulture-and-landscaping-report

Ｗｅｂ３とＷｅｂ２が複合した成長モデル

Ｗｅｂ３の世界でＡＩを使って成長するためにはどういったモデルが望ましいのか。

トークンエコノミー　の著者であるヴォッシュムギア氏は「将来のインターネットが非中央集権に向かっていることは、ほぼ間違いない。しかし中央集権システムがすべて淘汰されることはないだろう。特定の用途においては中央集権システムの方が優れているから」と語っている。

われわれが考えるのは、Ｗｅｂ３とＷｅｂ２・０を複合させたうえでＡＩを活用して成長していくモデルだ。すべてを非中央集権的なやり方で設計し直すのではなく、中央集権的な仕組みと、非中央集権的な仕組みをうまく使い分けるべきなのだと思う。

Web2・0とWeb3は、ユーザーに与える価値の推移の形が逆だ。Web2・0の世界では時間の経過とともにユーザーの受け取る価値が増えるが、Web3の世界では、より早くよりスタート時点に近いほど、一人のユーザーが享受するメリットが多くなる。中央集権的な仕組みと非中央集権的な仕組みの使い分けをより具体的なビジネスの展開に例えるなら、Web3でスタートと同時にユーザーへのメリットを提示しサービスを確立させ、ある程度、利用者が増えた時点で、Web2・0のぐるぐるモデルの手法で利用者の増大がメリットの拡大につながるモデルに変えていく。

具体的なメカニズムを説明する。

Web3ビジネスはその会社や組織が発行するトークンを購入することで、誰でもメンバーの一員となり、所有権の一部を手にすることが

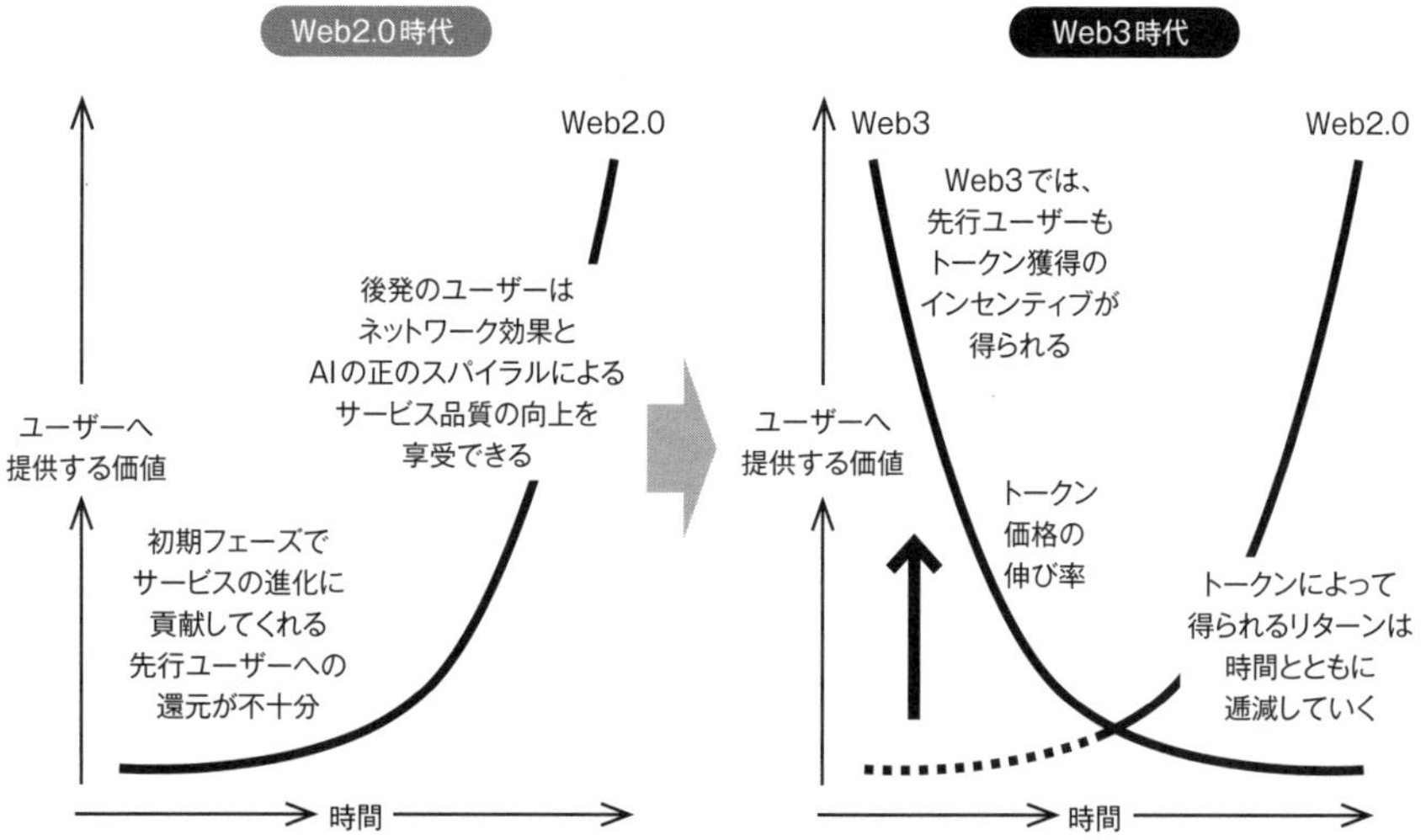

Web3時代とWeb2.0時代のユーザーへ提供する価値の遷移の違い。Web3時代はWeb3とWeb2.0のハイブリッドモデルで、先行ユーザー、後発ユーザーの両方に価値がもたらされる
（出所:エクサウィザーズ）

できる。サービスが立ち上がって間もないころならトークンを比較的安価に購入できるが、将来性を見込んでトークンを購入したい人が増えれば、価格が向上する。早く参入するほど金銭的メリットが大きいので、Web3のビジネスは急成長する可能性がある。

Web3の代表的なゲームと言われたAxie Infinityは、かわいいキャラクター同士をバトルさせるものだが、比較的高額な入会金を原資として、高得点プレーヤーや長時間プレーヤーにトークンを分配するというplay to earn（プレーすればするほど稼げる）というビジネスモデルで一世を風靡した。ビジネスモデルへの批判はあるが、これが、コロナ禍でリアル社会での働き口がなくなった途上国の若者に受け急成長。その後、ハッキングの被害にあったり、暗号資産の相場が下落したりしたことで、稼げなくなったユーザーが離脱し、一時の勢いは失ったがこの成長ぶりはWeb3ならではだ。

これまで多くのスタートアップが製品やサービスは優れていても、利用者を増やせずに消えていった。Web3の手法なら、広告やマーケティングに費用をかけなくても、金銭的価値というインセンティブで最初から一気にユーザーを増やせる可能性がある。

これに対して、Web2・0の世界は、フェイスブックのようなSNSやLINEのようなメッセージングアプリを見てもわかるように、時間の経過とともに一人ひとりのユーザーが受け取る価値が向上する。スタート当初はあまり利用価値がない。友人、知人が加入していなければ、使っていてもあまり楽しくないからだ。

サービス開始から時間がたつにつれ、メンバーは増えていく。友人、知人、仲良しグループのメンバーのほとんどが使っていれば生活のインフラになる。時間の経過やメンバー数の増加にともなって、１人のユーザーにとっての価値が増加する。ネットワーク効果のメカニズムだ。

Ｗｅｂ３の集客力が弱まってきた時点で、Ｗｅｂ２・０のネットワーク効果やＡＩの正のスパイラルという価値創造の力に切り替える。Ｗｅｂ３の力で利用者を増やし、当初から大量のデータを集め、Ｗｅｂ２・０のモデルにシフトし、継続的にＡＩのぐるぐるモデルを機能させる。

個々の企業はこのモデルを追求していくことになるが、Ｗｅｂ２・０時代との違いは、データは個人が所有するという点だ。企業は個人ユーザーに対してデータの使用料としてトークンを支払うことになる。

Ｗｅｂ２・０の時代には、ユーザーは個人データの提供や共有には消極的だった。テック大手などの企業は、ＳＮＳなどの公開情報をかき集めることでＡＩを賢くさせてきた。

一方、Ｗｅｂ３時代には、金銭を含めた何らかのインセンティブを得ようとする個人ユーザーが、セキュリティーを担保した形で、積極的にデータを共有することが予想される。

インセンティブを負担することなどから、企業のもうけは少なくなるかもしれない。ただ、これまで事業会社が持っていたデータの所有が個人に移る中で、その個人から提供されるデータが増える可能性がある。日本においても、そうしたデータを利用した科学技術やビジネスがぐるぐるモデルで進展するだろう。Ｗｅｂ３はこれまで以上にＡＩが活躍する時代になりそうだ。

第４章
重なり合う公共とビジネスの課題解決

Ｗｅｂ３とＡＩを組み合わせることで目指すBeyond DXの対象に何を置くべきなのか。われわれは大量生産モデルの応用が難しく、問題の重要性は誰もがわかっていても、今までは解決が難しかった社会課題の解決こそが舞台になると考える。Ｗｅｂ３の仕組みとＡＩのぐるぐるモデルがあれば社会課題を解決していける。

これまで社会課題の解決は公共が主導して進むことが多かった。主なツールは支援策と規制だ。ただ社会課題は社会全体にかかわる。そこにかかわる人間は多く、課題は共通していても、それぞれの立場で求める答えは１つではない。大量生産モデルを前提にした、漸進的アプローチで効率的かつ効果的に解決していくのは簡単ではなかった。

ＡＩやＤＸを活用することで、どう変革できるのか。コロナ禍で実施された国民全員への10万円の特別定額給付金を例に、従来型の公共サービスが抱える課題を指摘したうえで解決へのアプローチをお示ししたい。

給付金の一律支給で、助かった人はごく一部

特別定額給付金は、日本での新型コロナウイルス感染症による経済的影響に対する緊急経済対策の一施

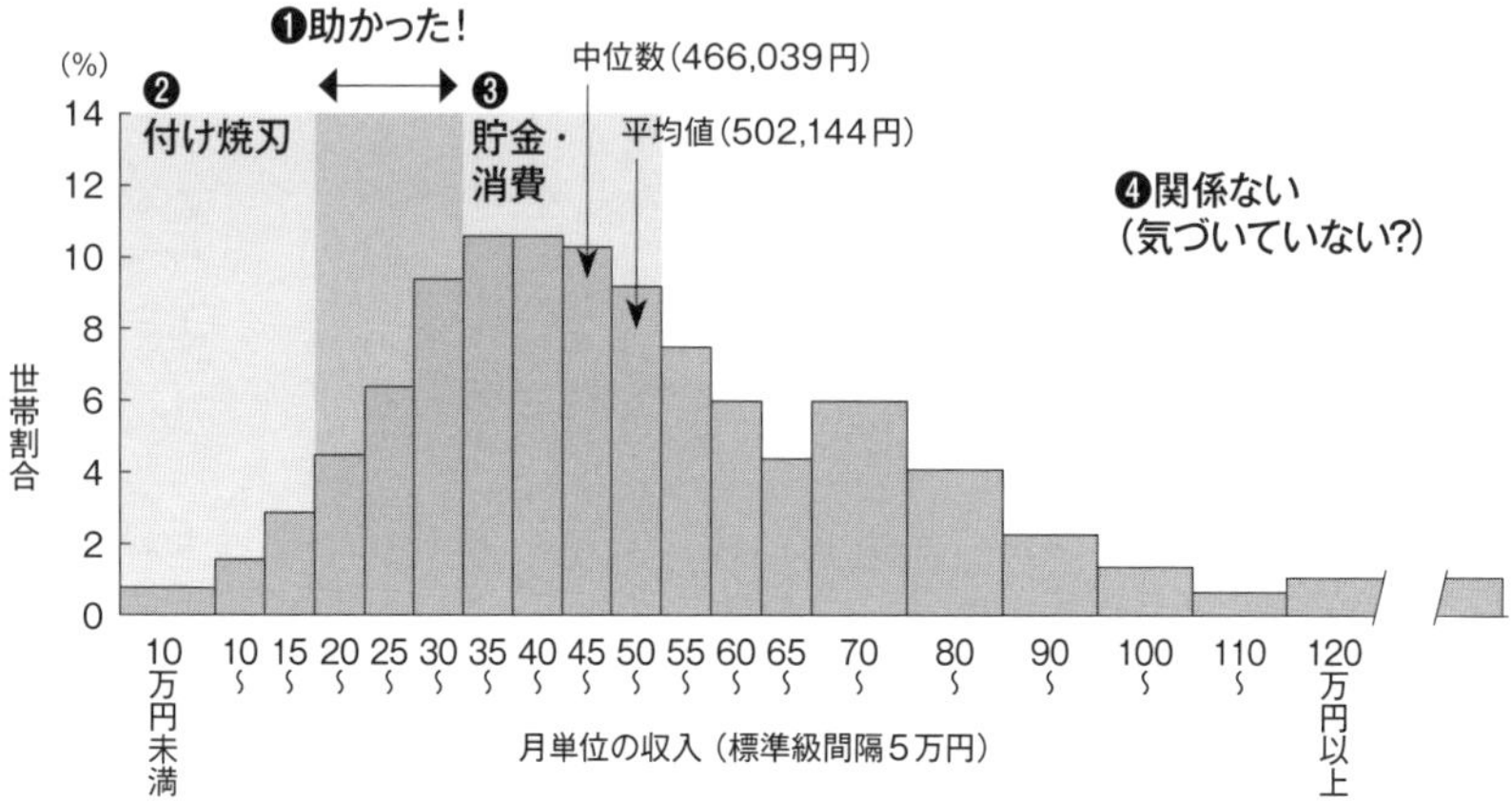

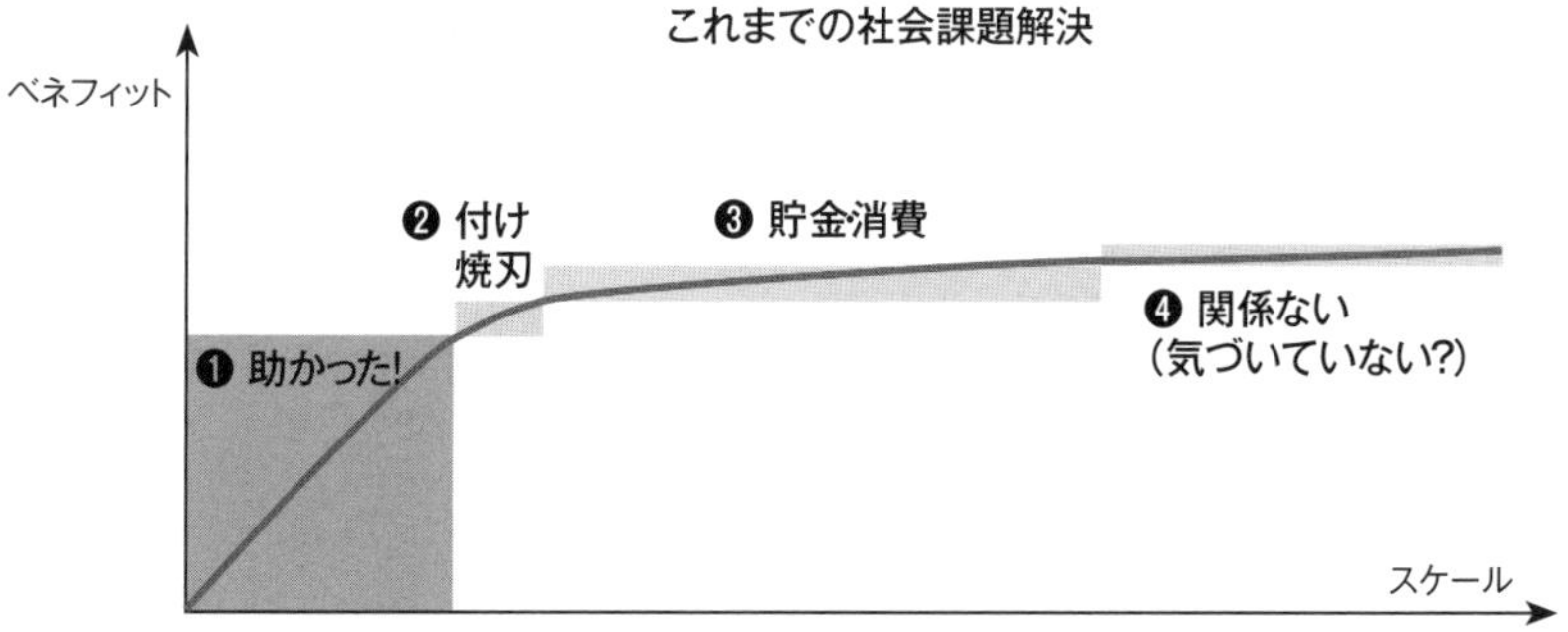

コロナ禍における10万円給付の効果。収入によって受けるベネフィットが異なり（上）、投入するリソースに対して一定の規模を超えるとベネフィットが増えない
（出所:エクサウィザーズ）

策として、２０２０年に実施された。具体的には、日本に住民基本台帳がある世帯主に対し世帯の構成員１人当たり10万円の現金を給付した。財源の約12兆８８００億円は国が全額負担し、約１４５９億円のコストをかけて全国民に配布した。

果たしてこの政策は、本当に役立ったのか。グラフは、横軸が月単位の収入で、縦軸が世帯数だ。どのくらいの収入のある家庭が何世帯ぐらいあるのかが分かる。

給付金を受け取って「助かった」と強く感謝しているのは、１カ月の収入が20万円から35万円ぐらいの家族が中心だと推測している。

収入が大きく下がり20万円以下になった家族では、10万円を１度だけ支給されたところで、苦しい状況は変わりない。一方で、月に35万円から55万円の収入がある家族は生活が困窮していない。給付金をすべて貯金したかもしれない。それ以上の所得のある家庭では、給付金が銀行口座に入金されたことすら意識しないケースもあったのではないか。

最も必要とする層に絞って給付金を配ることができれば、高い効果が見込めるが、より多くの層に配るほど効果の増加率は小さくなっていく。まさに逆中華鍋カーブだ。スケールすればするほど、ベネフィット（便益）の伸び率が縮小する。効果逓減のグラフとも、全市民に平等にベネフィットを与えなければならないという前提ゆえの非効率さだとも言える。

本章の冒頭に述べた通り、世の中は課題に満ちている。自治体や国など公的機関が抱えている社会課題は年々複雑化しており、解くのが難しくなっている。従来の手法を超え、手詰まり状態を解消するために、注目すべきなのがＷｅｂ３×ＡＩの手法だ。

利潤追求だけでビジネスは進められない

社会課題の解決は公共部門だけの問題ではなくなりつつある。企業は継続して利益を上げていればいいとは言えない。社会課題解決への姿勢が問われる時代が到来している。社会課題を無視し続ければ、中長期的に企業に大きなマイナスをもたらす。

まず資本家が変わった。インパクト投資というプレッシャーだ。

インパクト投資とは、財務的な利潤と並行して社会的、環境的インパクトを生み出す意図を持って行われる投資のことである。２０１３年の先進国首脳会議（Ｇ８）で、英キャメロン首相（当時）の呼びかけで「Ｇ８社会的インパクト投資タスクフォース」が創設されたのがきっかけだ。

これを受け、日本でも社会的投資推進財団（現：社会変革推進財団）が設立されたほか、Ｇ８社会

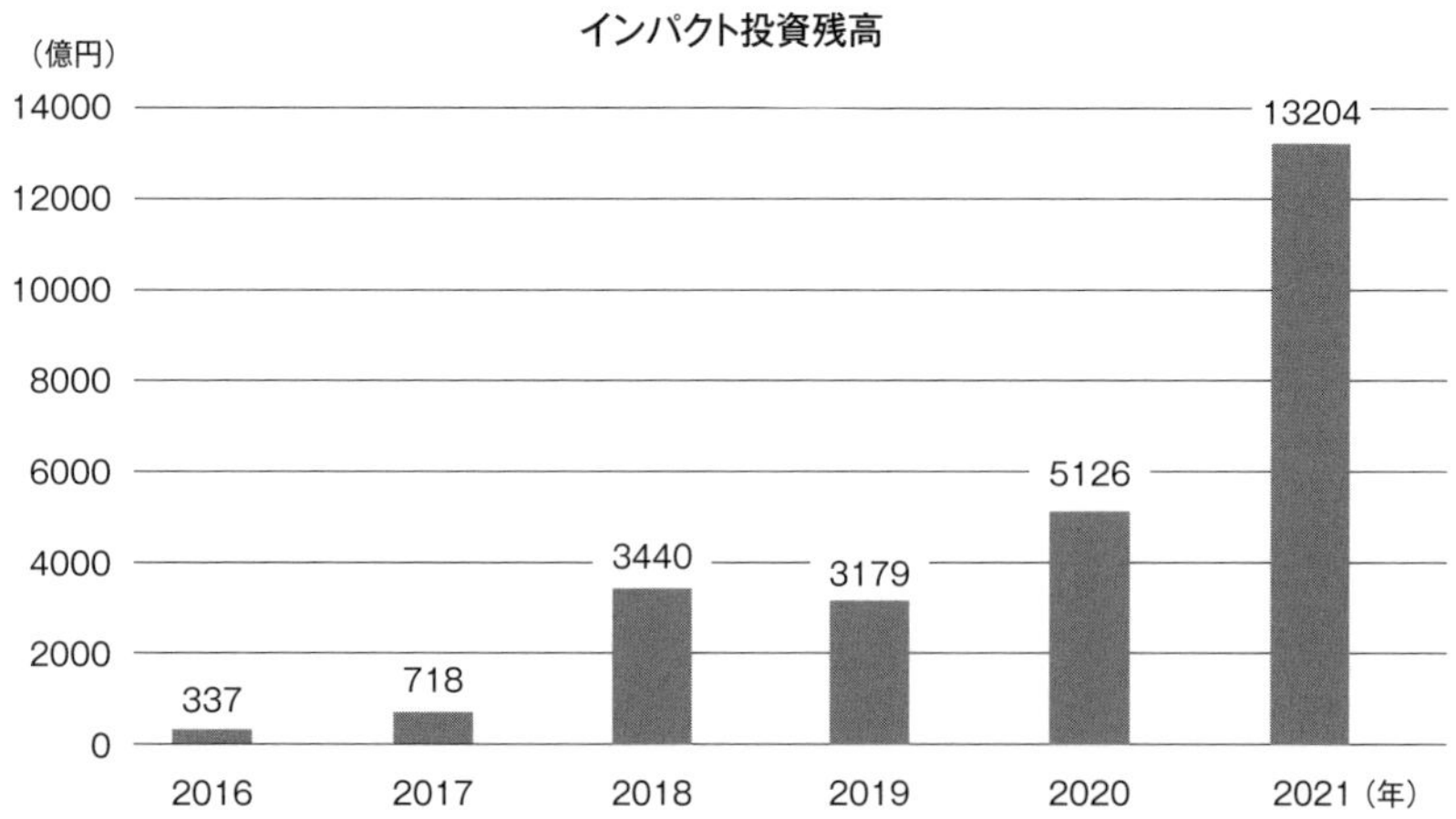

日本におけるインパクト投資残高推移
（出所:社会変革推進財団）

的インパクト投資タスクフォース国内諮問委員会が「日本における社会的インパクト投資の現状」というレポートを発行した。２０２０年には金融庁が同諮問委員会とともに「インパクト投資における勉強会」を開催している。

２０２２年5月15日付の日本経済新聞は、ＥＳＧ（環境・社会・企業統治）の視点で、企業に経営の改善を求める株主提案が増えていると報じている。米国ではその数が過去最多となっており、エクソン・モービルやマクドナルド、ファイザーといったグローバル企業が対象になっている。日本でも電力会社への気候変動の影響の開示を要求する声が高まっているという。国際世論だけではない。「行き過ぎた経済成長よりも社会貢献が大事」という機運は、特に１９８０年から95年に生まれたミレニアル世代、１９９６年から２０１０年に生まれたジェネレーションＺと呼ばれる若い世代の間で広がる。傾向は日本も同じだ。学情が２０２０年４月、新卒向け就職情報サイト「あさがくナビ」の約１０００人の利用者に行ったアンケート調査で「どのような企業を志望するか」と聞いたところ「社会貢献性の高い企業」と答えたユーザーが前年比４ポイント増の31・４％になった。「安定していそうな企業」「知名度のある大手企業」などが軒並み前年比ポイント減となる中で、「社会貢献性の高い企業」の伸び率はひときわ目を引く。人材確保は日本企業に共通する悩みだ。社会課題への姿勢は明日を担う新たな人材獲得の大きな力となり得る。

言うまでもないが、企業は新たな市場を見つけてこそ成長していける。短期的な利益だけを重視していれば、やがて行き詰まる。元来、課題はビジネスチャンスに直結するはずだ。

社会課題解決関連の市場規模は信じられないほど大きいかもしれない。２０１７年に公表された

『ＳＤＧｓビジネスの可能性とルール形成』報告書」のデータから、オウルズコンサルティンググループは社会課題解決に資するマーケット（ＳＤＧｓビジネス）の市場規模を２４４９兆円と試算している。企業がこの市場に注目するのは当然のことだ。

「ソーシャル」と「ビジネス」が融合する時代に

大きな課題を非効率な方法で解決しようとして行き詰まっていた公共。短期的な利益を優先し、事業化の困難な社会課題から距離を取りがちだった民間企業。こうした状況下で、われわれは解決への新たな道筋を見いだしつつある。

社会課題解決に関して、公共部門の施策（ソーシャル）と民間企業のビジネスは異なるアプローチでなく、重なり合う部分がある。簡単に言えば、両者のよさをいいとこ取りしていくのだ。公共でもあり企業でもあり、ということでソーシャルビジネス（社会事業）と呼ぶアプローチだ。

ソーシャルビジネスのアプローチがなぜ可能なのかを解説する。以前からこうした考え方はあったかもしれないが、現実に公共と民間のいいとこ取りをしようとしてもできなかった。社会の変化、特にテクノロジーの進化がこれを可能にする。

既に指摘してきたように、まず市民の意識が変わり始めた。

損害保険ジャパンが２０２１年８月に発表した「ＳＤＧｓ・社会課題に関する意識調査」によれば、ＳＤＧｓという言葉の認知度は、76・4％。この２年前の調査での31・2％という結果から45ポイント以上高まった。４年前の調査と２年前の調査では認知度が５ポイント程度しか伸びていないことから、関心が急速に高まっている状況がうかがえる。こうした意識の変化は「物質的豊かさから精神的豊かさ」への価値観の変化にもつながっているかもしれない。

以下ではテクノロジーの観点から指摘したい。

1つはスマホのプラットフォーム化だ。スマホの普及によって、デジタルデータを幅広い層から収集できるようになった。スマホのプラットフォーム化に加え、幅広くモノとインターネットをつないでデータの収集、デバイスの管理・操作を可能にするＩｏＴ、自前で調達しなくても遠隔からＩＴリソースを利用できるクラウドなどによって、デジタル化の領域は一気に広がった。ブロックチェーンやメタバースなど、Ｗｅｂ３関連の技術でその領域はさらに広がるだろう。

デジタル化の領域の中で強調したいのがやはりＡＩだ。ＡＩのぐるぐるモデルによって適切なデータを収集できれば、さまざまな施策の効率を劇的に

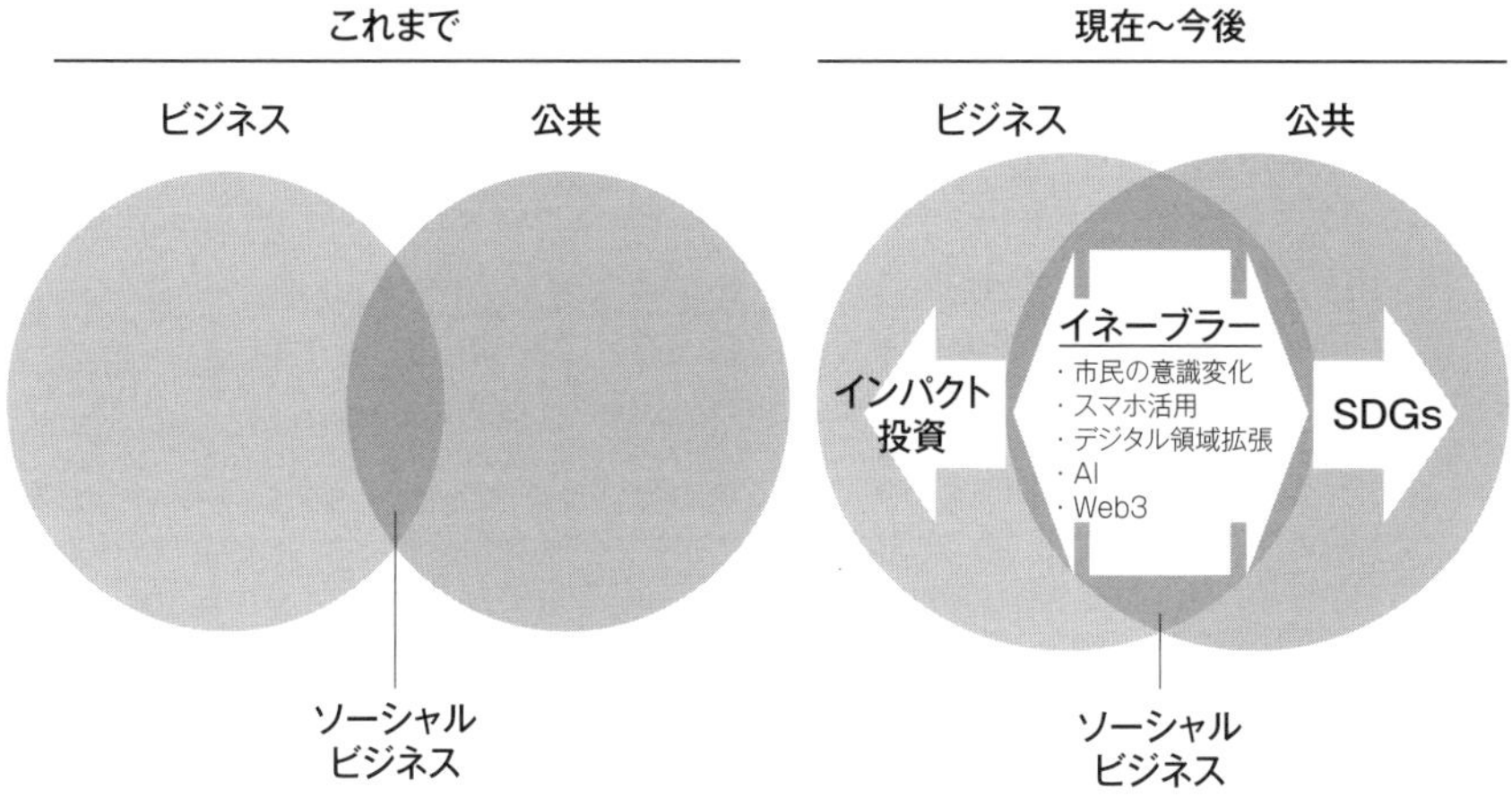

SDGsやインパクト投資などの広がりによって、公共とビジネスの境目がなくなりつつある
（出所:エクサウィザーズ）

向上させることができる。対象者がどれだけ多くても、瞬時にパーソナライズした対応が可能になる。

　これらの要素があいまって、ソーシャルビジネスが実現できるようになった。

一律ではなくAIで役立つ人に役立つ形で給付

　個々のプロジェクトの結果が積み上がり、最終的に社会全体の課題が解決していく。先ほどの10万円給付金の例を使って、ソーシャルビジネスの手法であればどういった形になるのか、説明していこう。

　10万円給付金では、国民全員に同じ額を支給した。政策本来の趣旨を考えれば、本当に困っている人には支給額を増額してもいいだろうし、余裕がある人たちには給付金が貯蓄に回らないように期限付きの電子マネーで支給してもいい。当座の生活資金は十分にあるが将来が不安なので投資したいという人たちには、給付金を投資に向けるような仕組みを設計する。

　ただし前提として、現金ではなく電子マネーや暗号資産などのデジタル形式で給付する必要がある。現金を支給するよりも事務コストを大幅に軽減できる。そのうえ、給付金がどう使われているのかが見える化される。

　見える化されることで打ち手を考えることができる。スマホがプラットフォーム化している今、デジタルの手段を使わない手はない。期限付きの電子マネーにすれば、貯蓄ではなく消費を促すインセンティブとして機能する。電子マネーのアプリに「給付金を投資する」というボタンをつければ、投資を促すインセンティブになる。

　アント・フィナンシャルが、ユーザーの剰余金を投資に回せるサービスをスタートさせたら、あっという間に世界一のＭＭＦに成長した話を思い出してほしい。この事例からも分かるように、アプリのデザインやユーザー体験次第で、施策を後押しできる。

10万円をどう使ったのかというデータを取れるようになれば、次回の給付金支給は国民一人ひとりの課題によりマッチし、社会課題解決につながるものにアップデートできる。

ユーザー一人ひとりの課題に合った最適なサービスを提供し、それを社会課題解決につなげるためのインセンティブをつける。効果があったのかどうかをモニタリングする。これを踏まえて、サービスやインセンティブの設計を改良し、その結果をモニタリングする。それをベースに改良を重ねる。このサイクルをぐるぐると回すことで、よりよいサービスを

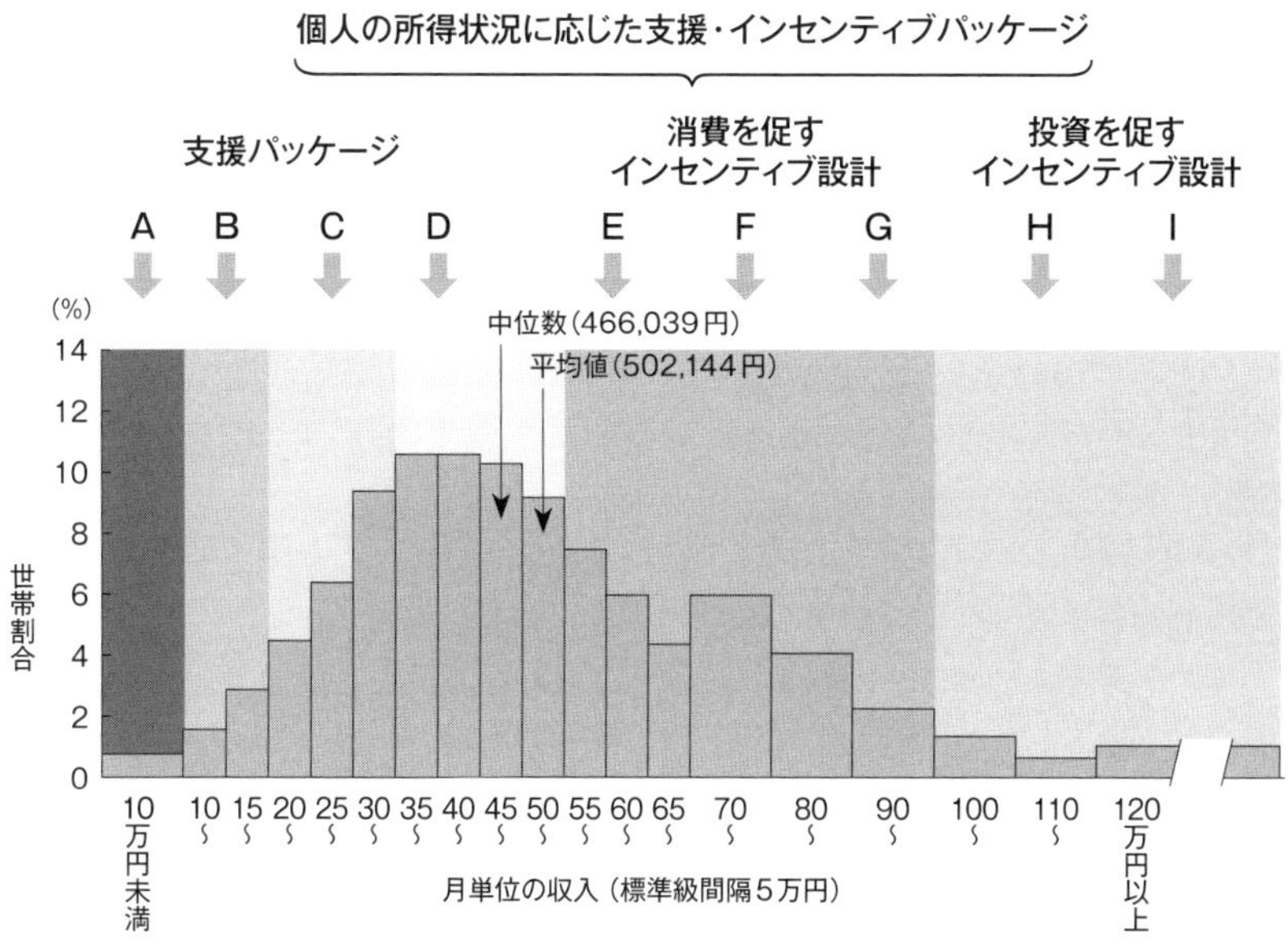

10万円給付問題の解決例。デジタル技術を活用し、個人の状況に応じて異なる支援やインセンティブの設計が行える。個人個人がAIチャットボットと対話し、個別に申し込むことも不可能ではない
（出所:エクサウィザーズ）

提供できるようになる。これがソーシャルビジネスの目指すところだ。

コスト削減、拡張性、リアルタイム性というメリット

こういう話をすると「スマホを持たない社会的弱者を置き去りにする」という反論が出てくるかもしれない。スマホを持たない人たちを放置していいはずがない。

デジタルの得意技にコストの削減がある。給付金の問題で言えば、電子マネーや暗号資産を利用すれば事務コストを大幅に減らせる。浮いたコストを使ってスマホを持たない人たちに現金を支給するための丁寧な対応を考える。

どんな用途にせよデジタル化の直後には必ずと言っていいほど苦情が出る。ファクシミリからメールに切り替えようとすると、「画面だと文字が読みづらい」といった苦情が出た。慣れ親しんだアナログからデジタルへの移行で発生するスイッチングコストが原因だ。

だがデジタルには、コスト削減に加え、拡張性やリアルタイム性といった特性がある。切り替え当初はファクシミリのほうがいいように思えても、使っているうちに、メールなら保管や検索、さらには転送できることも分かってくる。別の文書にコピーして貼り付けることもできる。しばらくして慣れてくればメールの良さに気づく。

日本では今、急速な高齢化が進んでいる。高齢化社会にどう対応するかは日本の抱える大きな社会課題だ。この課題も、ソーシャルビジネスの視点を持ち込むことで解決が近づく。

誰もが当事者になる問題として従前にも挙げた介護を例に取ろう。高齢化した親を自分だけで介護する

のは非常に困難だ。介護士やヘルパーなどの存在で成立していると言っていい。

最近は介護士やヘルパーの派遣サービスを手掛けるケースが増えてきた。各地に小規模な施設があり、周辺地域のニーズに応えている。労働集約的で、デジタルやＡＩのぐるぐるモデルからは遠い世界のように見える。

第２部で詳しく紹介する米オナーテクノロジーは、この領域にＡＩのぐるぐるモデルを導入し、ソーシャルビジネスを成功させている。同社は、スキルやスケジュールをＡＩで管理し、顧客の要望にマッチした介護士を派遣できるようにするサービスを在宅介護事業者向けに提供する。

介護事業者は自分達のコアコンピタンスが丁寧なケアにあると考えている。小規模事業者が多いこともあり、介護士のスケジュール管理業務などは重荷になってきた。

オナーは、自社のプラットフォーム上でエンドユーザーである高齢者と介護士をＡＩでマッチングさせることで自らが介護士を提供するだけでなく、中小の在宅介護事業者の業務をサポートする。自社に加え他の在宅介護事業者をネットワーク化することで利用回数は拡大する。同社のプラットフォームを利用する高齢者と介護士が増えるにつれ、ＡＩのぐるぐるモデルが回転し、マッチングの精度は高まる。

社会課題解決と最終ＫＰＩ

ここで社会課題を解決する個別のサービスと社会全体への効果との関係について、考えたい。

エクサウィザーズでは、介護施設などに導入してもらい、スタッフによる高齢者の方に提供した作業を記録する「ＣａｒｅＷｉｚ ハナスト」というＳａａＳを提供している（第２部で詳しく説明する）。

スタッフがスマートフォンとヘッドセットを使って、「○○さん、朝食、全量摂取完了」というように話すだけで、音声ＡＩが介護に関連する言葉だけを読み取って自動でデータを介護記録に反映できるものだ。これによって、1日およそ40分の作業時間が効率化できると考えられている。平日8時間勤務のスタッフの場合で考えると、1年間で約20日分の業務を効率化できる。

では、こうしたサービスの社会的効果、つまりＫＰＩやＫＧＩ（重要目標達成指標）との関係をどのように解釈していくべきだろうか。図に示したＫＰＩとＫＧＩの関係を見てほしい。

ハナストのようなＳａａＳのサービスはユーザー数が重要指標となっており、そこにユーザー当たりの単価を掛け合わせることで、売り上げを導き出すことができる。このミクロな指標をいかに社会課題解決のマクロな指標に結びつけるのか。ハナストが現場のスタッフや介護施設の入居者に提供する効果が、ミクロとマクロを接続するうえで大きな役割を担う。

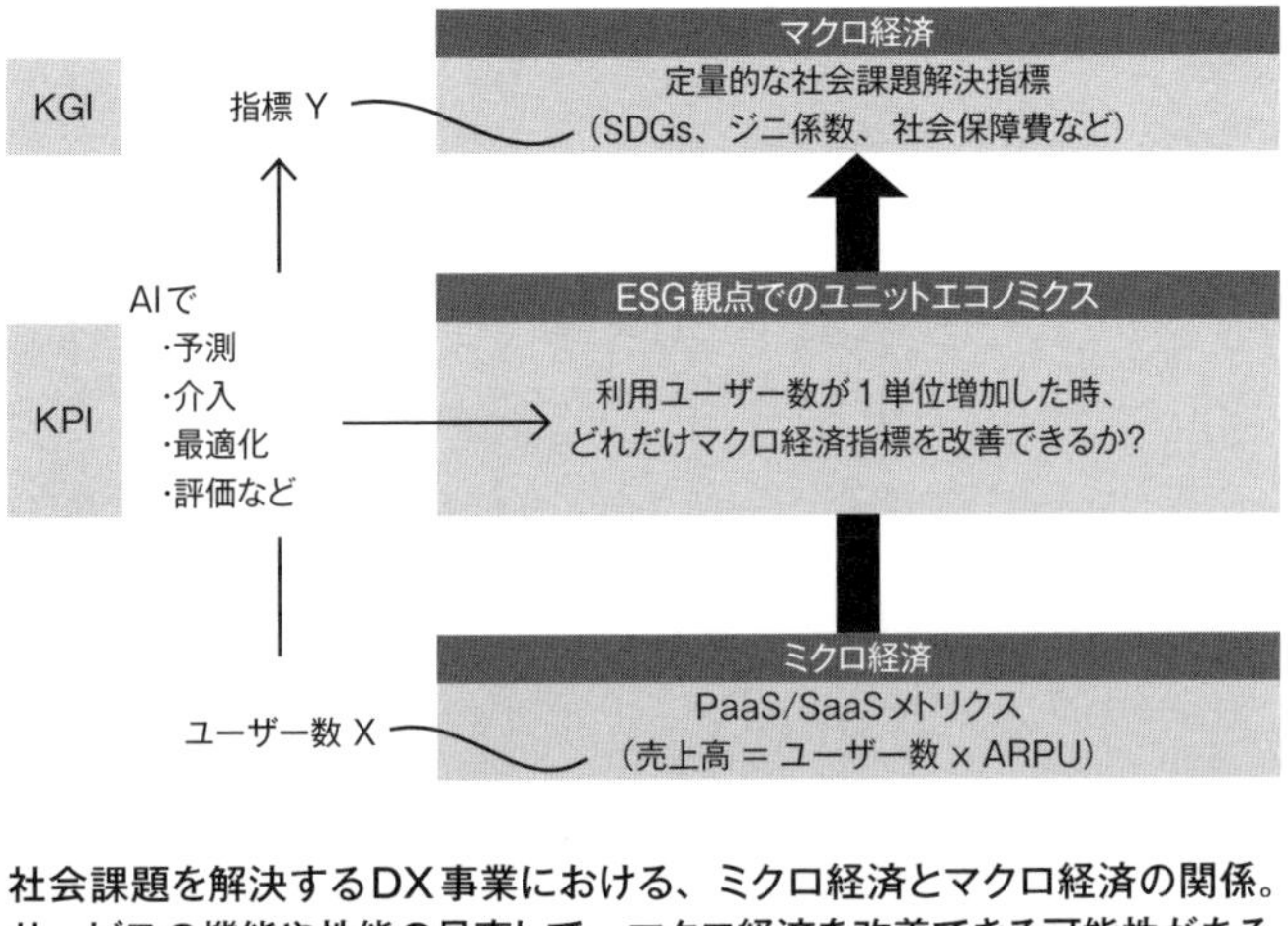

社会課題を解決するDX事業における、ミクロ経済とマクロ経済の関係。サービスの機能や性能の見直しで、マクロ経済を改善できる可能性がある
（出所:エクサウィザーズ）

ハナストの認識率や提供サービスが高度化すると、スタッフの作業が効率化される。前述の通り１日40分、１年間で丸約20日分となる。

これを１人でより多くの入居者を担当するのに振り向ければ、社会保障費の低減に結びつけることができる。これはわかりやすい効果だろう。

一方で、生み出された時間をスタッフによるより細やかな入居者へのケアに振り向けることでもマクロな指標に好影響を与えることができる。ケアによって入居者の症状が解消され、心理的な満足につながり、症状が改善したり悪化を抑えたりすることにつながる可能性がある。これも最終的に社会保障費の抑制を期待できる。

ここで注目すべきがスタッフの目線でのサービスの使いやすさとこれを評価する満足度だ。適切なヘッドセットを使ったり、音声ＡＩのチューニングをしたりすることで、発話した内容を確実に記録できるようになる。さらに、電子カルテサービスと連携すれば、発話した時点で正しい内容が記録として蓄積されるので、スタッフの作業はさらに効率化できる。

音声入力やセンサーの精度向上、入力連携できる電子カルテの開発など、それぞれのプロダクトの新機能や改善が、最終的に社会課題解決のＫＧＩに大きな影響を与え得る。

こうした指標を見える化することで、新たなデバイスやサービスへの投資判断も可能となり、スタッフ、入居者、ＳａａＳ事業者のそれぞれが三方よしという状況が生み出される。

AIのぐるぐるモデルで全体最適かつ個別対応へ

ソーシャルビジネスと既存の公共サービス、民間企業のビジネスとの違い、あるいは共通点はどこにあるのか。「ターゲット」「目的」「サービス開発アプローチ」「運用」という４つの側面から説明する。

まずはターゲットだ。社会課題の解決なのだから、最終的なターゲットは、ソーシャルビジネスでも住民や国民になる。ここは公共と同じだ。ただ課題解決のため、公共サービスのように一律、公平な提供を目指すのではなく、一人ひとりの状況に応じた最適なサービスの提供を目指す。デジタルマーケティングでは、ＡＩを活用した個別の商品レコメンドが一般化しているが、こうした手法を応用する。

次の「目的」も、課題解決につながるベネフィットの提供であることは公共と変わりない。ただ公共によるサービスではあまり実現してこなかった効果の可視化にこだわる。まず投下した金額に見合うベネフィットが出ているのかどうかの見える化だ。給付金のように支給して終わりということはない。

「サービス開発のためのアプローチ」で最も重要なのは資金だ。主に税金を原資とする公的資金に頼るのではなく、企業のように自ら資金を集め、収益化に責任を持ちながら展開する。既にインパクト投資は有望な調達先となっている。これからはＤＡＯとトークンによる新しい形の資金調達が拡大するかもしれない。

最後の「運用」であるプロジェクトの回し方は、ＡＩのぐるぐるモデルを生かすことを考える。絶えずデータを収集して分析し、改善し続けることを前提とした運用だ。

事前に仕様を確定させるのではなく、ＡＩによる分析結果を反映し、迅速かつ柔軟に内容を変える必要がある。ここでは、公共事業や従来の企業情報システムにありがちなウオーターフォール型ではなく、少人数かつフルタイムのチームで新たな機能を次々と開発していくアジャイル型のスタイルが望ましいだろう。

複数のソーシャルビジネスが実現する未来社会

社会課題解決に向けた一つひとつのソーシャルビジネスの効果には限界があるかもしれない。だが複数のソーシャルビジネスが、データを共有し合い、機能を連携し合うことができる。そうした際にＫＰＩやＫＧＩを明確化していくのは重要だ。

Ｗｅｂ３の時代は、社会課題解決という目的があれば、ＳＢＴなどを使って利用者の同意の下で広くデータを使うことが可能になる。

個々のソーシャルビジネスが連携し合って、検証と改善を繰り返す。システム自体が次々と拡大し続け、実証実験を行うプラットフォームのようなものに成長する。最終的には実装されたプロジェクトの集合体が、大きな１つの社会システムになる。この社会システムが、ＡＩのぐるぐるモデルでアップデートし続ける。これがソーシャルビジネスの未来予測であり、予想される未来社会の姿である。

第２部で紹介する社会課題解決プロジェクトの事例は、ビジネスとソーシャルが統合された社会システムの部品機能の原型でもある。これらの部品を社会システムの中にどう組み込んで活用していくのか。その地域や、そこに参加する人々の知恵が欠かせない。

第5章
社会課題解決フレームワーク「BASICs」

Web3とAIのぐるぐるモデルを組み合わせて社会課題を解決させるためには、具体的にどうすればいいのか。ここには必ず考慮しなければならないポイントがある。

われわれは、日本や世界のベストプラクティスから、5つのポイントを導き出し、AIによる社会課題解決を成功に近づける「BASICs」と呼ぶフレームワークを作成した。本章ではそのBASICsについて解説する。

BASICsとは何かを改めて説明しよう。

BASICsは、Behavioral change（行動変容）、Accountability（効果の可視化）、Scale & Continuous improvement（規模の追求と継続的改良）、Income with profit（持続できる経済性）、Cultivate data value（データ価値の創出）の5つの要素の頭文字を取ったものだ。最後のsは課題を解決することによる顧客や社会の成功のSuccessの意味を込めた。

B（Behavioral change）…課題を抱える当事者の行動変容を促進する仕組み

まずBである。社会課題の解決にAIを適用する際には、課題を抱える当事者の行動変容を促進する仕組みを組み込まなければならない。

理想の未来社会を作るのに最も大事なのは意志の力だ。自らの意志を持たず、言われるままに動くだけであれば、ＡＩを使うのではなく、ＡＩに使われる側になりかねない。

ただ意思の力だけで社会は変わらない。意思の力に基づいて行動を変える必要がある。実際には多くの人が何らかの解決困難な社会課題に直面している。自らが課題解決によって便益を得る当事者だということを認知させる。パンデミックの克服やウエルビーイングな過ごし方の当事者であることは容易に理解できるだろう。間接的に影響が及ぶレベルまで含めれば、当事者の数はさらに広がる。超高齢化社会への対応や地球温暖化対策、脱炭素・省資源などを思い浮かべればいいかもしれない。

超高齢化社会への対応を例にとって考えよう。高齢化が急速に進む日本で、親の介護はほとんどがどこかの時点で経験するだろう問題だ。当事者なのだから、人ごとではなく自分ごととして課題解決に取

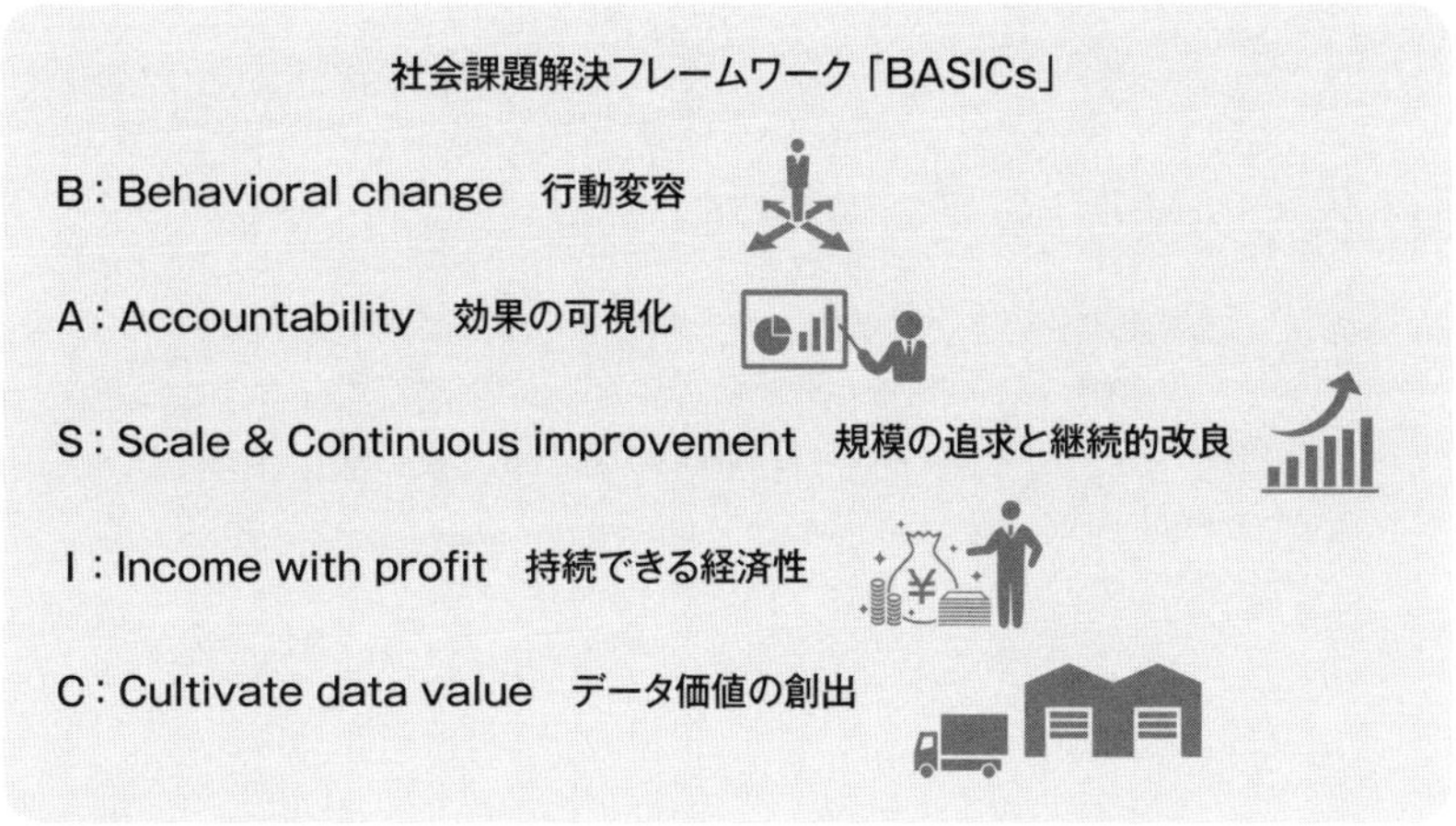

「BASICs」の最後の「s」は課題を解決することによる顧客や社会の成功の「Success」の意味を込めている
（出所:エクサウィザーズ）

り組もうという意思は確実に存在する。

だからこそ最初の一歩を踏み出せるよう、背中を一押しする仕組みを組み込むことが重要だ。「親の介護」といった一般的な課題としてではなく、自分自身が介護に取り組む際の課題を明確にする。

親と同居するために帰郷したいと考えているが就職先が見つからないという人もいれば、認知症の親の徘徊が心配な人もいる。自宅での介護を支援するサービスや制度の利用規定が面倒で困っている人もいる。こういった一人ひとりの課題を正確に認識するのは、人間には無理である。だがＡＩなら解決できる可能性がある。それぞれの課題やニーズに合ったサービスを提案できるからだ。

親の介護で言えば、例えば在宅で仕事ができる就職先の斡旋サービスや、スキル習得のためのオンラインコースもある。国や自治体も介護関連のサービスや制度を提供している。ＡＩマッチングで必要な人に必要な情報やサービスを提供することが可能だ。

行動変容をもたらすインセンティブの設計も

こうしたサービスを受けると同時に、他人や社会のために役立つように行動を変容させていくにはインセンティブの設計が重要になる。介護に割けるリソースは有限だ。有用な情報の提供や地域でのシェアに結び付ける。

自分の介護体験をＷｅｂで公開し、他の人の参考になるようにすればポイントがもらえたり、車で親を介護施設に送り迎えするついでに近所のお年寄りの送迎を担当することで自治体発行の地域通貨をもらえたりというインセンティブ設計もあり得る。

社会をよくしたいという意志と、意志を実行に移すことで得られるメリット。両方をそろえることで、社会課題が解決に向けて動き始める。国民一人ひとりの課題を正確に理解して、それぞれに合ったサービスとインセンティブを与えるという究極のパーソナライゼーションは、人の力では到底実行できない。無理だから、全員に10万円を支給するといった一律の施策を打つことになる。

ＡＩにとって個々の利用者に合ったパーソナライゼーションやレコメンドは得意分野である。自分が抱える課題を解決すると同時に、社会課題解決に貢献する手段まで提供されたら、多くの人は自発的に行動を変えるだろう。

こうしたインセンティブ設計においてＷｅｂ３の技術が有力なツールになり得る。Ｗｅｂ３型の地図を提供するハイブマッパーは、地図作成に協力した人にトークンを提供する。どういう業務で協力すればいくらもらえるのかを決めておけば、スマートコントラクトという自動的に履行される契約プログラムに従ってトークンが支払われる。こうしたインセンティブがあれば、課題解決に向けた行動は加速する。

「社会貢献性が高い企業に就職したい」という就活生が増えているのは、社会をよくしたいという意志の力が日本社会で強まっている証拠でもある。社会課題解決の契機は高まっている。

A（Accountability）…その効果が可視化されること

２番目のポイントはＡだ。説明責任と訳されることが多いが、「ｃｏｕｎｔ（カウント）」という言葉から派生していることからも分かるように、数えることができるというニュアンスがある。社会課題の解決に当たっては、施策の効果を可視化し、測定できるようにしなければならない。

前述の10万円給付金の例だと、どれくらいの数の世帯が10万円で助かったのか、10万円をそのまま貯蓄に回した世帯の数はどの程度あったのか、給付された金額はどう消費されたのか、などの効果を測定する必要がある。

これまでは効果を測定しようとすると、測定のためのコストが無視できないという問題があった。デジタル化が進めば、コストは削減できる。自然とデジタルデータが蓄積され、正確に分析したり検索したりできるようになる。

最初はスマートフォンを使ったアンケート調査ぐらいしかできないかもしれないが、電子マネーやＩｏＴデバイスなどと連携すれば、より正確な効果測定が可能になる。ＡＰＩ（アプリケーション・プログラミング・インターフェース）を利用すれば他の情報と連携することも可能だ。

効果が可視化できるようになれば、何を改善すべきかを判断できる。ＡＩのぐるぐるモデルが動き出し、どんどん改良されるようになる。

金融市場で資金も集めやすくなる。資金が集まれば、よりよいサービスを提供できるようになる。よりよいサービスを提供すれば、より資金が集まる。つまり金融のぐるぐるモデル、一般的に言われる金融レバレッジが起こるわけだ。金がすべてではないが、資金的余力があれば確実に事業規模は拡大できる。

一方で投資家に資金を提供してもらうのだから説明責任が発生する。市民による監視の目が働いているとはいえ、収益責任のない公共による社会課題解決の事業が滞ってきたのは事実だ。

公共事業の中には「箱物行政」と批判されるものがある。箱物行政とは、庁舎、学校、公民館、博物館、テーマパークなどの建設そのものが目的のようになり、施設が有効に活用されないばかりか維持管理費が財政に負担を及ぼす事業のことを指す。社会課題解決に向けた取り組みが箱物行政化するのは絶対に避ける必要がある。

ソーシャルビジネスの社会課題解決プロジェクトは、出資を受ける投資家に対する約束を守らなければならない。Accountabilityは「責任」という意味でもある。

S（Scale & Continuous improvement）…常に改善し広く展開し続ける

小さくてもいいので、まずは自分でできることから社会に貢献する。考え方はすばらしいが、社会課題解決に関連した事業は規模が小さいから利益が上がらず継続できないものが多かった。本気で解決したいのなら、事業を大きくするしかない。これを可能にするのがＡＩのぐるぐるモデルだ。規模が大きくなれば収益を生み、持続可能になる。

３つ目のポイントのＳはScale & Continuous improvement。常に改善し広く展開し続けることを意味する。つまり、広く展開する、拡大することを念頭に置くということだ。このためには常なる改善が必須であり、ここでＡＩのぐるぐるモデルが生きる。

ＡＩのぐるぐるモデルでは、事業の中核にデータ戦略を置く。拡大した姿を想定し、そうなるには何が必要か、どうすべきかを考える。収集したデータを生かしたＡＩによる継続的な改善が実現に向けた架け橋になる。これによって中華鍋カーブのような指数的な改善も可能となる。

例えば、先に紹介したヤマト運輸が導入したＭＬＯｐｓは、継続的なＡＩアルゴリズムの改善を可能にする仕組みである。これまで米テック大手が活用してきたものに日本や民間企業が注目し始めている。預金の複利効果のように効果が加速するというのは既に指摘した。

拡大するために重要なのは、限界費用が圧倒的に低く、広く展開可能なアプローチやプラットフォームの活用だ。限界費用とは経済学用語で、生産量を増加させたときに追加で発生する費用のこと。限界費用が低く、広く展開するプラットフォームに載せることで、ＡＩのぐるぐるモデルがより高速で回転し、中華鍋カーブで急成長を続けることが可能になる。

ただし一般の農工業生産では限界費用が逓増する、つまり追加で生産するにつれ生産効率が落ちる性格を持つ。ここでツールとして重要になるのがソフトウエアである。複製コストの低いソフトウエアは限界費用がほぼゼロだと言われる。以前は広く展開しスケールさせるためのコストが必要だったが、スマホとソフトウエアの活用で状況は変わってくる。逆に言えば、拡大させるためにはスマホやアプリなどでの展開を前提に、優れたサービスをソフトウエアで生み出す必要がある。

この時に有用なのが、前にも触れたアジャイル型での開発だ。少人数のチームがフルタイムで参加して、短期間に各段階のバージョンをリリースする手法である。

比較対象となるウオーターフォール型の開発は、プロジェクト全体を最初にきっちりと決めて計画通りに進める。言葉通り、水が高いところから低いところに落ちていくような進め方だ。場当たり的な印象のあるアジャイル型と比べ、確実に開発を進められると思われるかもしれないが、前提となる要件が頻繁に変わる状況では効力が弱まる。じっくり開発している間に、時代遅れの存在になる可能性がある。その確率は高まっている。

I（Income with profit）…自己持続性が担保される経済性を満たす

４番目のＩは自己持続性が担保される経済性を満たす、になる。

社会貢献はもうからないイメージがあるし、もうけてはいけないようなイメージがある。

こういう社会通念に縛られているので、もうけるのは企業であり、公共分野は社会貢献できればいいという分断された世界観からなかなか抜け出せない。分断された世界観からは、自己犠牲もしくは自己満足の小規模の社会貢献しか生まれず、持続できない。そして社会課題は解決されないまま巨大化している。

社会課題を解決して利益を出してもいい。ＳＤＧｓはSustainable Development Goals、つまり持続可能な開発目標の略である。利益は持続可能性をもたらす。利益が上がるものだからこそ、人件費や設備投資を継続し続けていくことができる。

ビジネスとソーシャルを分断するのではなく、統合すべきなのだ。ソーシャルビジネスもビジネスである。出資者がいる。多く出資してもらうには収益を上げる、つまりもうけるしかない。もうかるから配当を期待して資金が集まり、より大きな事業を手がけることが可能になり、複数年かけて改善しながらより大きな社会課題を解決できるようになる。

利用できるのは、Ｗｅｂ３での価値観の変化、ＤＡＯやＮＦＴ、ＳＢＴのようなトークンとＡＩのぐるぐるモデルだけではない。社会課題解決に役立つ新たなＷｅｂ３関連ツールも次々と登場してくるだろう。そしてビジネスとソーシャルが分断していた時代から、ビジネスとソーシャルが融合する時代に変わり、ソーシャルビジネスがますますもうかる時代に入っていく。

こうした時代変化に気づいている人はまだ少ない。まだ競合がほとんどいないブルーオーシャン状態だ。ソーシャルビジネスに乗り出すなら、いろいろな条件がそろった今こそが、最高のタイミングとも言える。

C（Cultivate data value）…データの価値を創出する

最後のCはデータの価値を創出する、になる。データは単体では価値を持たないものがほとんどだ。多種多様なデータを組み合わせて、初めて価値が出てくる。組み合わせたり、分析したりする複雑な処理が不可欠だが、ここでＡＩの出番となる。

データ間のパターンなど、課題解決につながる価値を見つけ出す。人間の知見では予想もしなかった価値が生まれることがある。

例えば、英ディープマインドは、加齢黄斑変性症という眼の病気の患者に対して失明につながる可能性をＡＩで判定している。網膜の写真のデータセットについて、失明など深刻な状態の特徴との関係性をＡＩが学習。今後6カ月以内に深刻な状態になる可能性をＡＩに予測させたところ、臨床医と同等かそれ以上の結果を出すことができたという。ＡＩは人間には気づかないような細かなパターンを見つけ出せる。

ＡＩがあれば、データを組み合わせて価値を作り出せる可能性が格段に高まる。だからこそ異なる種類のデータを集めることが大事になる。データの中には不正確なものもあるかもしれない。紙に書かれたアナログデータもあるだろう。ＡＩファクトリーの好循環についての説明でも指摘したが、形を整えて、1つのプラットフォームに載せる必要がある。

データを組み合わせて社会課題の解決に近づいた例を挙げよう。空き家対策である。空き家の増加は今や社会問題だ。総務省による２０１８年の「住宅・土地統計調査」によれば、日本全体の空き家率は13・６％で過去最高に達した。

人口減少下にある日本で空き家が増えるのは自然なことだが、放置するわけにはいかない。管理されない空き家が増えると周辺の住環境、さらには治安が悪化するからだ。

この問題を防ぐには、発生時点で空き家を把握するのが重要だが、実は空き家かどうかを判断するのは簡単ではない。誰も住んでいないのが空き家なのだから、「空き家になりました」と住人が申告するのは期待できない。

これまでは、どの地方自治体でも職員や委託した企業の担当者が現地に出向いて調査するしかなかった。空き家のように見えても、たまたま不在の場合もある。調査には一定の期間が必要になるし、調査結果はリアルタイムには出てこない。

第２部で詳述するが、群馬県の前橋市はデータから価値を創出し、ＡＩで解析することで空き屋の把握率を高めた。紙やＰＤＦのアナログデータをデジタル化し、水道局や納税記録などのデータとも統合し、ＡＩで解析。時間と労力をかけずに空き家率を把握できるようにした。

リアルタイム性が高まり、データを基にいろいろな施策を考えられるようになっただけでなく、住民への説明も説得力が増した。アナログのままではあまり使い道のなかったデータをデジタル化することで使い勝手が向上し、価値を創出した好例である。

アマゾンはＡＩ駆動型企業を代表する１社だが、創業者であるジェフ・ベゾス氏が２００２年ころ、社内のエンジニアに通達した「Bezos API Mandate」と言われる文章がある。この中でベゾス氏は、すべてのデータをインターフェース経由で公開しなければならない、例外は認めない、インターフェースは世界のエンジニアに公開する、守らない人間は誰でも解雇する、といったことを通知している。最後が「ではよい１日を」で終わるのは彼なりのジョークかもしれないが、この姿勢がアマゾンのＡＩ利用を支えているのは想像に難くない。

参考文献
＊ディープマインド「Using AI to predict retinal disease progression」、https://www.deepmind.com/blog/using-ai-to-predict-retinal-disease-progression

ブロックチェーンでデータの収集と管理が容易に

いろいろな思惑があって非協力的な人たちや、互いに完全に信用し切れていない人たちのデータを１つのＡＩプラットフォームに集める方法として期待されているのが、Ｗｅｂ３の関連技術だ。

ウォルマート・カナダが、請求書と支払いを自動で管理するシステムをブロックチェーンで開発した。ウォルマートと運送会社の間には、無条件の信頼関係はない。ウォルマートの方が大手だからといって、ウォルマートのシステム上に運送会社のデータを提供するようになれば、データ照合の最終判断はウォルマートがするようになる。

例えば、運送会社の算出した走行距離と、ウォルマート側が算出した走行距離に違いがあれば、ウォルマートのシステムなので同社に有利な判断をするかもしれない。といってすべての請求書を目視で照合するのは相当なコストが発生する。

2022年1月のハーバード・ビジネス・レビュー誌によると、ウォルマートの配送センターと店舗の間の配達回数は年間約50万回にも上る。請求書には、配達の場所、距離、燃料、気温などが記載されているが、同社と約70社の運送会社のデータ形式が異なるため、照合作業の7割が目視だったという。

そこでブロックチェーンをベースにオファーの段階から納品証明、支払いまでを管理するシステムを開発した。ブロックチェーンなので改ざんができない。ウォルマートにとっても運送会社にとっても安心できるシステムになったという。

参考文献
＊ハーバード・ビジネス・レビュー「How Walmart Canada Uses Blockchain to Solve Supply-Chain Challenges」 https://hbr.org/2022/01/how-walmart-canada-uses-blockchain-to-solve-supply-chain-challenges?

BASICsフレームワークとWeb3は相性がいい

BASICsフレームワークについて理解していただいた読者の方はすでに気づいているだろう。Web3と非常に相性がいいのだ。

まずB（Behavioral change）については、ブロックチェーンのトークンなどによる報酬で行動変容を起こすことができる。当事者として動くことで、社会課題の解決も加速する。

効果の可視化であるＢＡＳＩＣｓの２番目のＡ（Accountability）は、ブロックチェーン上で情報がオープンに監視可能な点がまさに当てはまる。情報も分散管理されている。

そして、規模の追求と継続的改良のＳ（Scale & Continuous improvement）については、インターネットを利用して世界中から貢献者を集めることができる点が該当する。

持続できる経済性も重要だ。ＢＡＳＩＣｓの４番目のＩ（Income with profit）はＷｅｂ３においては、Ｂと同様にトークンなどによる報酬を得て、組織やプロジェクトを低コストで運用できるという側面がある。

最後のＣ（Cultivate data value）はデータ価値の創出である。Ｗｅｂ３ではインターネットを介して、さまざまな個人や団体が保有するデータの権利を守りながら組み合わせ、新たな価値を生み出すことが可能となっている。

AIのぐるぐるモデルの可能性と弊害

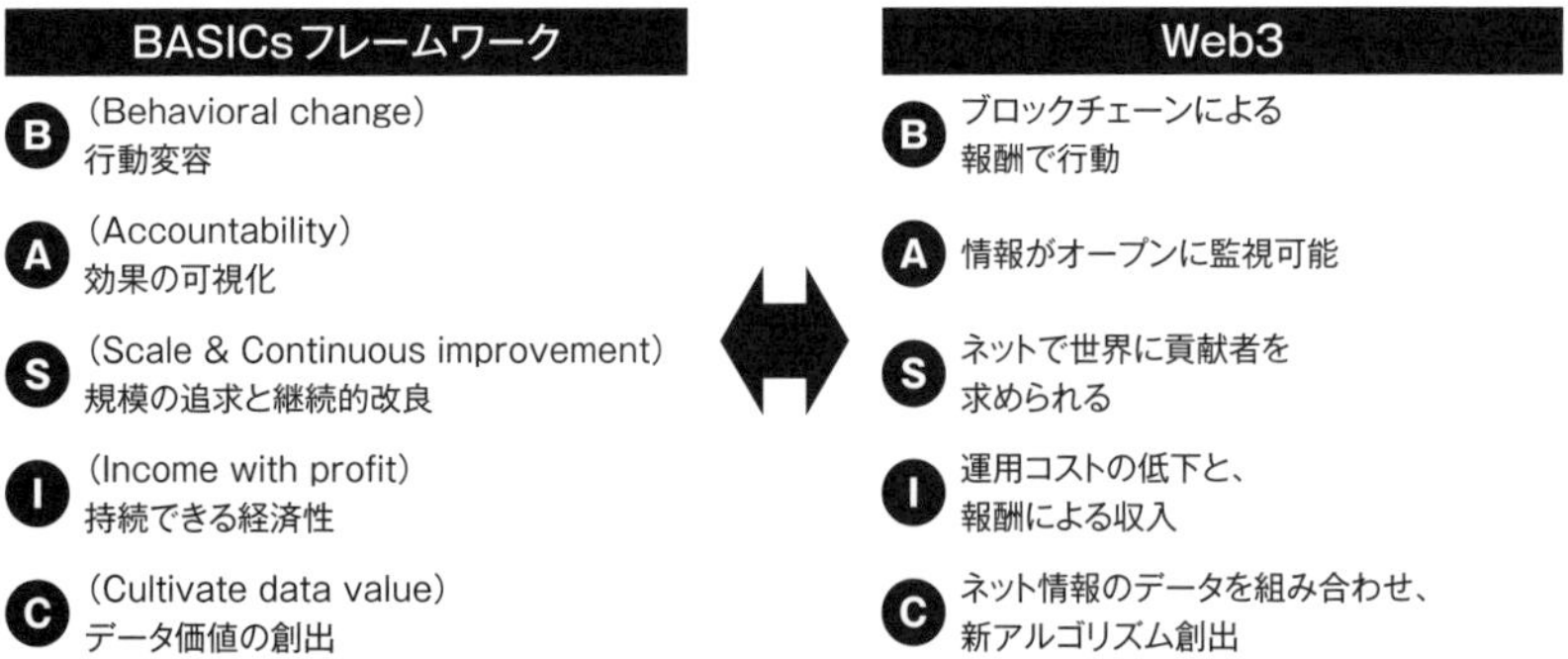

BASICsフレームワークとWeb3は相性がいい
（出所：エクサウィザーズ）

本章の最後で、ＡＩの可能性と弊害について触れたい。

現在のＡＩは画像認識や自然言語処理、音声認識など、特定の領域で高い能力を発揮する。弱いＡＩと言われるものだ。これに対して、より人間に近い汎用的な処理が可能なＡＩを強いＡＩというが、こちらの開発も進んでいる。

ワクチン開発への貢献で取り上げたディープマインドは、広い領域で利用できる人工知能の開発を進める。碁の名人を破ったAlphaGo、タンパク質の構造解明に成功したAlphaFold2などが挙げられる。このほかにもＲＴＳゲーム「スタークラフト２」をプレーするＡＩボット「AlphaStar」や、眼疾患の画像診断システム、急性腎障害の早期発見などを可能にする医療予測システム、サッカー選手とボールの動きを予測するシステムなど、さまざまな分野にＡＩを展開している。ディープマインドは現在、グーグルの親会社である米アルファベットの完全子会社だが、グーグルのデータセンターの省エネにも同社のＡＩが用いられる。

10年前には現在のＡＩの姿は予想できなかった。数年後には現時点では想像もできなかった領域で、ＡＩのぐるぐるモデルがブレークスルーを起こしている可能性は十分にある。

次は弊害だ。何度も書いてきたようにＡＩのぐるぐるモデルは、大量生産という産業革命以降の価値創造の基本を超えるパワフルなものだ。パワフルだからこそ、これまでビジネスになり得ないと見られていた社会課題解決の領域で成果を上げることができる。

この主張にはただし書きがつく。ＡＩのぐるぐるモデルはパワフル過ぎるので、新たな社会課題を生み出す可能性があるということだ。ビッグテックの強すぎる影響力をその現れとみることもできる。

大きくなり過ぎれば、独占禁止法で取り締まればいいと考えるかもしれないが、そう簡単ではない。

第一に、独占禁止法は市場における独占状態そのものを規制する法律ではなく、不正な競争手段による自由競争の阻害を規制する法律である。ビッグテックが公正な競争手段による自由競争の結果として独占状態を得たとしても、ごく一部の例外を除いてこれを規制できない。

第二に、独禁法の究極的な目的の1つには消費者の利益の確保がある。一般的な市場では、競争が減ると企業の競争意欲や創意が損なわれ、品質低下や価格のつり上げなどを招き、取引先やその先にいる消費者の不利益になる。ところがAIのぐるぐるモデルは、ユーザーが増えるほどAIが賢くなって、サービスが向上する。同じ価格でサービスや機能が向上し続ける。ビジネスが独占状態に近づくほど、不利益を被るどころか、消費者にとってメリットが拡大するわけだ。このように今の独禁法が前提とする一般的な競争市場の効果とは異なる側面があるため、独禁法の規制の適用に関しては議論が分かれても不思議ではない。

本書で再三、Web3による非中央集権の重要性について触れたのは、データを個人に戻し、何にどう利用するかを個人が決める社会になれば、こういった弊害をなくせるだろうからだ。

Web3×AIの時代の可能性は大きい。

第2部

AIが10の社会課題を解決

第6章 世界が直面する10の社会課題とは

Ｗｅｂ３への注目の高まりと同時に、関連の領域にヒト、モノ、カネが集まり、技術の進化が加速し始めている。著名な米国のベンチャーキャピタルであるアンドリーセン・ホロウィッツの出したレポート「State of Crypt」によると、Ｗｅｂ３関連の開発件数やＷｅｂ３関連スタートアップへの投資件数が大きく伸びている。

「バブル」ではないかといぶかしむ読者もいるかもしれない。バブルの側面があるのは否定しないが、重要なのは現実にヒト、モノ、カネが流れ込んできていることだ。世界を変えるような大きな動きを可能にするには、大量のリソースがいる。バブル的な状況が可能にする。Ｗｅｂ１・０、Ｗｅｂ２・０の時代を振り返ってもこれは証明されている。今は変革の好機だ。

第４章で、新たなＷｅｂ３の時代、ＡＩを組み合わせることで目指すべきは社会課題の解決だと宣言した。主体的な参加によって多様なデータが使ってほしいところに集まるＷｅｂ３の仕組みとＡＩのぐるぐるモデルによって大量生産モデルの壁を越える。

Ｗｅｂ３の本質は「物質の豊かさよりも心の豊かさ」という価値観の変化にあると記した。この価値観の変化も社会課題の解決を後押しする。

目標1	あらゆる場所で、あらゆる形態の貧困に終止符を打つ
目標2	飢餓をゼロに
目標3	あらゆる年齢のすべての人々の健康的な生活を確保し、福祉を推進する
目標4	すべての人々に包摂的かつ公平で質の高い教育を提供し、生涯学習の機会を促進する
目標5	ジェンダーの平等を達成し、すべての女性と女児のエンパワーメントを図る
目標6	すべての人々に水と衛生へのアクセスを確保する
目標7	手ごろで信頼でき、持続可能かつ近代的なエネルギーへのアクセスを確保する
目標8	すべての人々のための包摂的かつ持続可能な経済成長、雇用およびディーセント・ワークを推進する
目標9	レジリエントなインフラを整備し、持続可能な産業化を推進するとともに、イノベーションの拡大を図る
目標10	国内および国家間の不平等を是正する
目標11	都市を包摂的、安全、レジリエントかつ持続可能にする
目標12	持続可能な消費と生産のパターンを確保する
目標13	気候変動とその影響に立ち向かうため、緊急対策を取る
目標14	海洋と海洋資源を保全し、持続可能な形で利用する
目標15	森林の持続可能な管理、砂漠化への対処、土地劣化の阻止および逆転、ならびに生物多様性損失の阻止を図る
目標16	公正、平和かつ包摂的な社会を推進する
目標17	持続可能な開発に向けてグローバル・パートナーシップを活性化する

国連が定めた17の持続可能な開発目標

SDGs17の目標を参考に社会課題を10に整理

社会課題と一口に言っても、さまざまなものがある。国連は2015年に、17の目標と169のターゲットからなる「持続可能な開発目標」を採択した。SDGsという言葉を聞かれた方も多いだろう。社会課題を解決しながら経済発展を目指す内容で、17の目標の中には「すべての人に健康と福祉を」「働きがいも経済成長も」「気候変動に具体的な対策を」「飢餓をゼロに」といったものが含まれる。

ただSDGsの17の目標は抽象度も高い。17の目標を念頭に置きながら、日本が抱える社会課題解決への道を、「心身とも健康を保ち続ける」「環境変化に対応し持続する」「地域やビジネスを強くする」の3つに分類したうえで、10項目にまとめた。具体的には以下のようになる。

● 心身とも健康を保ち続ける

①超高齢化社会に対応する
②高度医療、パンデミックに立ち向かう
③ウェルビーイングに過ごす
④ワークスタイルの変化に対応する

● 環境変化に対応し持続する

⑤気候変動に対応する

⑥脱炭素、省資源に挑む
⑦食料危機を回避する

●地域やビジネスを強くする

⑧サプライチェーンを守り、ビジネスを継続させる
⑨地方や中小企業を維持、発展させる
⑩持続可能な生産・製造を実現する

各事例はＢＡＳＩＣｓフレームワークに合致

それぞれの事例を読むとお気づきいただけると思うが、第１部で紹介したＢＡＳＩＣｓのフレームワークの複数の要素を、多くが含んでいる。事例は社会課題に対して、ＡＩを活用することで新たな解決策を見いだしているという視点で選んだ。逆説的ではあるが、ＢＡＳＩＣｓフレームワークは社会課題解決の実施や成果に重要なものであることの証左と言えよう。

それぞれ社会課題解決の先進事例として取り上げたが、ＢＡＳＩＣｓの他の要素を取り込むことで、さらに改善が進んだり、根本的解決に進んだりするものもあるだろう。こうした視点でも読んでほしい。現時点でＷｅｂ３を適用した事例はまだ少ないが、本書では課題解決という視点で最新のベストプラクティスをメタバースを含めていくつか取り上げている。同様にそれぞれの事例をＷｅｂ３で解決したらどう

なるのかという点も重要な視点である。

　事例のなかにはＰｏＣ止まりであったり、事業が継続しなかったりするものも出てくるだろう。重要なのはなぜこのような解決法を思いつき、ＰｏＣや事業化に向けて何をクリアしていったのかという点だ。

　ＡＩのぐるぐるモデルで富や人材を強力に集めてきた米テクノロジー大手もここにきて、Ｗｅｂ３への取り組みを始めている。米メディアＣＮＢＣは２０２２年5月、米グーグルがクラウド部門にＷｅｂ３の専門チームを設置し、ブロックチェーンのアプリケーションに取り組むと報じている。メタバースでは21年10月、米フェイスブックが社名をメタ・プラットフォームズ（対外的にはメタ）に変更し、メタバース事業への投資など注力を鮮明にした。

　これらはＷｅｂ３が無視できない潮流であるのと同時に、社会課題解決×Ｗｅｂ３に大きな機会があることの証である。

　Ｗｅｂ３時代に我々が強調したいのは、社会課題の多くは今や解けない問題ではないということだ。ＡＩやＤＸ、Ｗｅｂ３のテクノロジーという武器はそろい始めている。変革に向けては、社会課題を自分ごととらえ、自社や自組織に合った戦略、そして着想と熱意が重要になる。自社や自分の周りのコミュニティーが直面している、解決に取り組むべき課題がないか。こうした視点を交え第２部をお読みいただければ幸いである。

第７章　心身とも健康を保ち続ける

「心身とも健康を保ち続ける」では、①超高齢化社会に対応する、②高度医療、パンデミックに立ち向かう、③ウェルビーイングに過ごす、④ワークスタイルの変化に対応する、の４項目を取り上げる。

最初に掲げた「超高齢化社会に対応する」に異論のある方は少ないだろう。「令和２年版厚生労働白書」によれば１９９０年に12・１％だった我が国の高齢化率は、２０１９年には28・４％に達した。「令和４年版高齢社会白書」は２０３６年には３人に１人に達すると予測している。

さらに同高齢社会白書によると、１９５０年には１人の65歳以上の高齢者に対して12・１人の現役世代（15～64歳）という比率だったのに対して、２０６５年には高齢者１人に対して１・３人の現役世代という比率になる。かつては１人の老人を12人で支えていたのに、今から約40年後にはほぼ１人の現役世代が１人の老人を支えなければならない。

現役世代に大きな負担が生じることは明らかだ。問題は社会保障の領域だけではない。既に都市部に先んじて高齢化の進む地方では、生活インフラの維持が難しくなっている地域もある。

「高度医療、パンデミックに立ち向かう」も喫緊の課題だ。現在でも不治の病は残されている。より高度な医療は今も求められている。残念ながら新型コロナウイルスのような世界レベルの感染症の発生は避けて通れない。直接の病気の脅威は当然のこと、感染拡大を防ぐための社会的対策のコストは膨大なものになる。ワクチンや治療薬の開発など、その影響を最小限に抑える役割が医療には求められる。

産業や企業が成長しても、これを構成する個人一人ひとりの人生が充実していなければ、社会として健全な状態とは言えない。身体的、精神的、社会的、経済的に幸せと感じる状態、ウェルビーイングであるかどうかが重要だ。「ウェルビーイングに過ごす」を忘れてはならない。

最後は「ワークスタイルの変化に対応する」だ。この2年余りで働き方が変わった。リモートワークが広がり、ビデオ会議を使った非対面での働き方がごく普通のものになった。既に日本では政府による働き方改革の掛け声の下、柔軟で生産性の高い働き方への試行が始まっていた。コロナ禍が収束しても以前のような全員が必ずオフィスに集合する働き方に戻ることはないだろう。リモートワークでの生産性を向上させるデジタルツールの質の向上や組織としての一体感の確保などを意識して働き方を設計する必要がある。

特に①超高齢化社会に対応する、②高度医療、パンデミックに立ち向かう、③ウェルビーイングに過ごす、で重要なのは、ＡＩのぐるぐるモデルや消費者向けテクノロジーのフル活用である。医師や看護師、介護スタッフなど医療や介護のリソースは限られている。いかに必要な人に割り当て、現場での効率的な活動を支援するのかが鍵を握る。

薬の開発では各プロセスにおいてそれぞれが得意なＡＩスタートアップとの連携が始まっている。これも自動運転車やコンテンツサービスなどの業界で加速しているレイヤーごとの分業と言える。

④ワークスタイルの変化に対応する、はコロナ禍で加速した新常態にどのように対応していくのか、だ。単にＺｏｏｍのようなビデオ会議システムを利用しミーティングをデジタル化しただけでなく、将来を見

据えて企業や社会を変革する真のＤＸに乗り出すという視点が欠かせない。

①超高齢化社会に対応する

米オナーテクノロジー

ＡＩプラットフォームで介護士と利用者をマッチング

介護の業界では、高齢者の増加と働き手の不足という2つの課題が同時に進行している。AI活用は喫緊の課題となっており、この業界にこそ、AIのぐるぐるモデルそしてBASICsによる効果の創出と継続が求められている。課題の1つ目の「超高齢化社会に対応する」では、AIのぐるぐるモデルの先進地域である米シリコンバレーの在宅介護サービス事業者、米オナーテクノロジー(Honor Technology)の取り組みから紹介する。

２０１４年創業のオナーテクノロジー（本社：米サンフランシスコ）は、ＡＩ主導型の在宅介護サービスを提供する革新的なスタートアップだ。

同社のビジネスモデルは自社の介護ＡＩプラットフォームを活用し、パートナーである独立系の在宅介

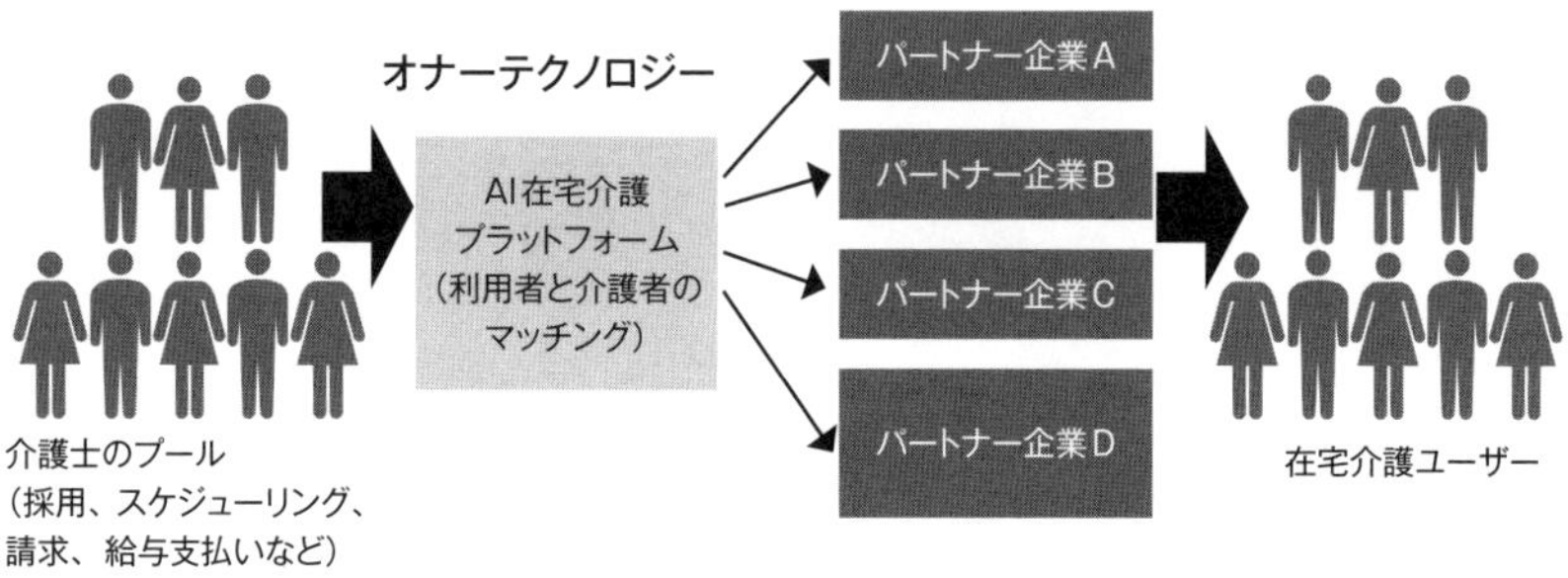

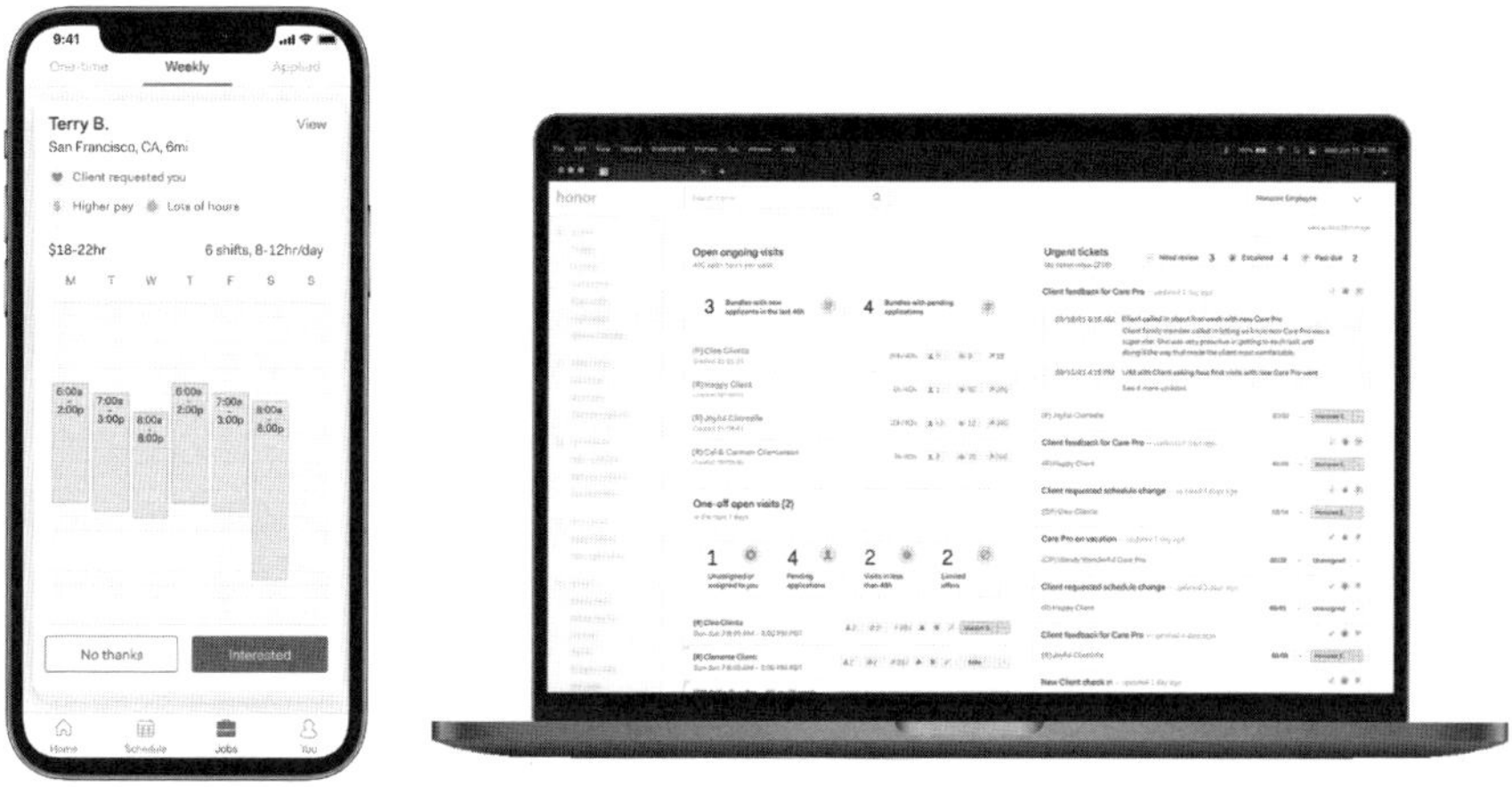

米オナーのAI戦略。質の高い介護を提供するため、介護士、介護サービスを提供するパートナー企業をマッチングするAIプラットフォームを構築した。下は介護士向けに提供しているアプリ(左)と管理用画面
(出所:オナーテクノロジーのホームページ)

護事業者向けに、介護士の紹介・採用、研修、訪問スケジュールや報酬の管理といった支援サービスを提供するものだ。

在宅介護事業者は、自社の利用者（在宅介護サービスの利用者とその家族）に、オナーの訓練を受けた介護士の大規模なプールを活用しながら、パーソナライズした在宅介護サービスを提供することで満足度を高める。

顧客の満足度が高まることでプラットフォームへのニーズが高まり、顧客を求める在宅介護事業者そして介護士が集まり、収集したデータでサービスの質を高めたり、新たなサービスを開発したりできるわけだ。まさに介護業界のＡＩのぐるぐるモデルと言える。

独自アルゴリズムで高精度なマッチング

従来の介護士の派遣サービスは、介護士と利用者のミスマッチが大きな課題とされてきた。現場で起こっている介護士による問題行動の把握も課題だった。

在宅介護サービスに対する利用者のニーズはさまざまだ。例えばサンフランシスコ在住の日本人であれば、近郊の日本語を話せる介護士を利用したいと考えることが多いだろう。

オナーは、介護士に関するさまざまな属性データ（言語、人種、趣味嗜好、サービス提供地域など）を基に、独自開発したＡＩアルゴリズムを用いて、利用者と介護士との精度の高い人材マッチング、つまりパーソナライズを実現する。

介護士向けのアプリには、仕事のシフトだけでなく、利用者の情報やその家で何をするべきかのチェックリストを表示する。マッチングの精度を高めることで、利用者だけでなく、介護士も働きやすく評価を高めやすくなる。

介護士がどのようなサービスを提供したのか、満足度はどうか、利用者からの賞賛や苦情といったパフォーマンスに関する情報も収集している。正当な評価やサービスの改善に活用したり、訪問後に介護士のアプリにフィードバックや賞賛を表示したりすることで、介護士のモチベーション向上に生かす。

オナーの取り組みはＢＡＳＩＣｓフレームワークの要素をほとんど含むが、なかでもぐるぐるモデルを利用したＢの行動変容に取り組んでいるわけだ。

最初から大きな絵を描き成長していく

ＡＩはデータがなければただの箱だ。データが増えて初めて賢くなっていく。

オナーの成功の最大の理由は、全米の独立系の在宅介護事業者が持つ介護士と利用家族に関するデータを一手に集めることを目指し、実際に持っていることだ。ＡＩのぐるぐるモデルが働くので、オナーが持つ人材マッチングの精度を競合他社が超えるのは、時間がたてばたつほど困難になる。

データを入手するためにオナーは、在宅介護事業者が不得意とするデジタル領域を提供するという手段を取った。ここがオナーのＡＩ戦略の優れたところだ。

オナーは介護サービスの会社であるが、多くのエンジニアを擁する。データサイエンティスト、機械学習エンジニア、アプリケーションエンジニア、ＵＸエンジニアなどが在籍し、募集もしている。エンジニアと介護制度のプロフェッショナル、市場やパートナー開発の担当者が連携してサービスを構築し、オペレーションを行っている。

多くの在宅介護事業者は、自分達の強みが丁寧なケアにあると考えていて、介護者の予定管理などの事務作業はできれば誰かに任せたいところである。この困りごとをオナーが解決してくれるというので、在宅介護事業者は自ら同社のプラットフォームを利用しようとする。

在宅介護事業者が気づいていないのは、21世紀のビジネスモデルが画一的な大量生産型から、ＡＩのぐるぐるモデルによるパーソナライズに変わったということだ。

多くの在宅介護事業者はＡＩプラットフォームへの投資など考えもせず、雑務をオナーに任せただけだと思っているかもしれない。しかし実は任せたはずの雑務の処理が介護業界で新たなビジネスを生み出すエンジンになっている。

オナーは、今後も成長を続け、消費者向けインターネットにおけるグーグルのように、在宅介護事業者に高い影響力を持つ可能性がある。２０２１年には個人向け在宅ケア大手の米ホームインステッドを買収した。同社では米国を含む14カ国にある１２００拠点で、９万人の介護士がサービス提供に従事していた。

「自分の持っているデータでＡＩをどう活用するのか」ではなく、「ＡＩを活用するためにどうやってデータを集めるのか」。

ＡＩをスケールアップさせるためには、会社の枠を越え、業界の枠を越える必要がある。まさにＢＡＳＩＣｓフレームワークのＳ（規模の拡大の可能性）である。スモールビギニングの戦略ではなく、最初から大きな絵を描くことが重要だ。

参考文献
＊日経ＢＰ総合研究所「在宅介護で最大企業が誕生、米Honor Technology社」、https://project.nikkeibp.co.jp/behealth/atcl/news/world/00070/
＊Home Health Care News「Honor to Buy Home Instead, Creating $2 Billion Home Care Services Company」、https://homehealthcarenews.com/2021/08/honor-to-aquire-home-instead-creating-2-billion-home-care-services-company/
＊THE BRIDGE「訪問介護市場をディスラプトするHonor——アルゴリズムを武器に変革を起こす「スマート介護」とは」、https://thebridge.jp/2017/12/honor-an-innovation-of-care-business

台湾スマート・エージング・テック

高齢者特化のAI支援サービス、服薬状況からリスク警告

高齢化社会への対応はアジアでも急務だ。２０１８年創業の台湾大学発ベンチャーであるスマート・エージング・テック（智齢科技）はITやAI技術を活用したサービスを用意し、高齢者の介護事業者を支える。主に高齢者介護の事業所に向け、AIプラットフォームで収集したデータを基に高齢者支援のサービスを次々と投入している。

台湾の台北に本社を置くスマート・エージング・テックは高齢者介護サービスを提供する事業者を対象に、ＡＩ技術を活用したサービスで支援する。２０１８年設立のスタートアップ企業で、２０１９年から高齢者介護支援プラットフォーム「Ｊｕｂｏ」を運営している。

「ナレッジグラフ」「機械学習」「コンピュータビジョン」「自然言語処理」を活用

スマート・エージング・テックは、台湾大学で教授としてアンチエージングを研究していた康仕仲氏が台湾大学発ベンチャーとして創業した。前節で取り上げたオナーは訪問介護向けだが、スマート・エージング・テックは高齢者介護事業をターゲットとしているのが特徴だ。

スマート・エージング・テックは、同社が提供しているJuboのバックグラウンドにある技術要素として「ナレッジグラフ」「機械学習」「コンピュータビジョン（画像認識）」「自然言語処理」の４つを挙げている。得られた各種の情報を接続して体系化するナ

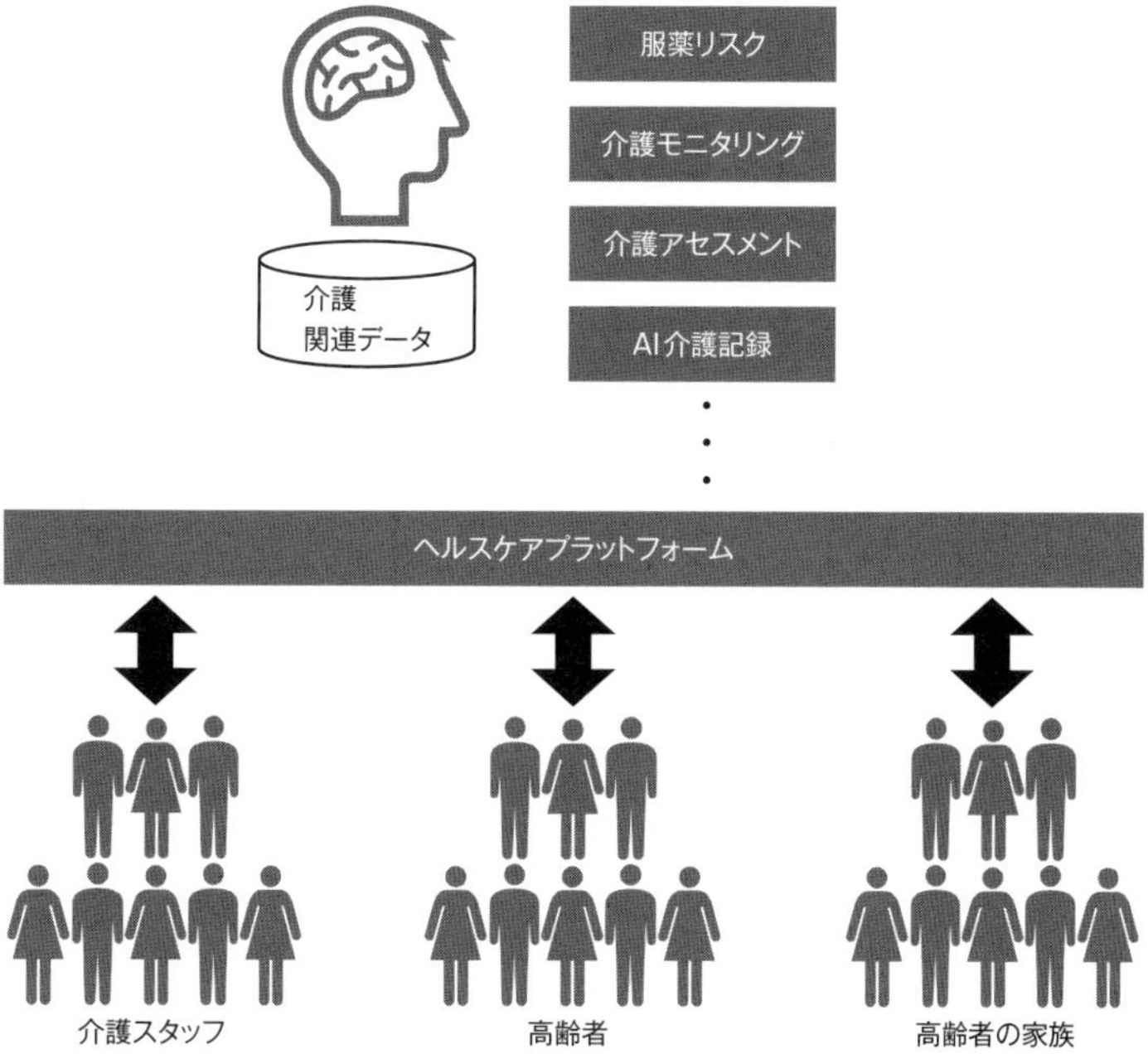

スマート・エージング・テックのAI戦略。プラットフォームに参加する各関係者の情報を集約して分析し、それぞれの関係者を支援するようにAIを活用する
（出所：スマート・エージング・テックのホームページを参考にエクサウィザーズ作成）

レッジグラフではデータから新たな知見を見いだし、画像を認識するＡＩであるコンピュータビジョンでは傷の診断を支援するなどしている。

こうした先端技術で介護の世界を変えようとしている。ＣＥＯの康氏は創業の動機を問われ、「研究を商業価値のあるサービスへと転換しています」と答える（日経ビジネス　１分でわかる「起業家たち」のリンカク、２０２０年６月）。

サービスの特徴は、利用者である高齢者と介護するスタッフの両方を支援する機能を提供することだ。医療施設内では、移動型の小型カートにスマホやタブレットを装着して利用できる。

ＡＩがバイタルデータを監視し警告

スマート・エージング・テックは多種多様なデータを集めて、精度を向上させたり、新しいサービスを開発したりしている。代表的な機能は、患者の健康状態をＡＩがモニタリングする「介護モニタリング」だ。脈拍などのバイタルデータを基にＡＩが個人ごとのアラートを発出する。介護士の稼働を効率化したうえで、異常値の見逃しを回避できるとしている。患者のケアプラン作成にＡＩを応用する「介護アセスメント」、介護情報の記録にＡＩを使う「ナーシングノートアシスタント」なども提供する。

注目を集めているのが、高齢者の服薬のパターンからＡＩがリスク判断する機能だ。高齢者それぞれの服薬状況を確認し、誤った服薬のリスクをＡＩを使って特定する。リスクがある場合は、結果を介護者や薬剤師にリアルタイムで警告できる。ＡＩによって大量の服薬データから安全か、危険があるかを数秒で判断できるという。介護者や薬剤師が薬の名前や用量を読み取って自分の知識や薬の文書を参照し、副作用を確認するという手作業に比べて大幅に効率化できる。

スマート・エージング・テックや本書で紹介したオナーのように世界ではＡＩをフルに活用した社会課題解決が本格化しようとしている。

社会の高齢化は日本国内にとどまらない問題だからだ。国連が２０１９年７月に公表した「世界人口推計２０１９年版」によると、２０１９年時点で世界人口の11人に１人（９％）が65歳以上だが２０５０年までに６人に１人（16％）へと増える見込みだ。高齢者の生活をどのように支えるかが、これからの大きな社会課題だ。

参考文献

＊日経ビジネス電子版　1分でわかる「起業家たち」のリンカク「［台湾編］Smart Ageing Tech康氏／高齢者の生活を豊かにしたい」、https://business.nikkei.com/atcl/seminar/19/00073/060200050/

エクサウィザーズ

高齢者の歩行動画をＡＩが解析、転倒リスクの可視化で行動変容

ＡＩの得意な画像解析を用いれば、高齢者のＱｏＬ（生活の質）向上に生かすこともできる。エクサウィザーズのＡＩ歩行評価アプリ「ＣａｒｅＷｉｚ トルト（以下トルト）」は、歩行の動画をＡＩで評価することで、転倒し寝たきりになるようなケースを減らし、生活の質を底上げしたうえで、最終的には社会保障費の抑

制につなげる狙いがある。

高齢になると筋肉の衰えなどから歩行がおぼつかなくなり転倒リスクが高まる。骨折から寝たきりになってしまうことも少なくない。トルトはスマホやタブレットから高齢者の歩行動画を撮影・評価して、歩行状態をアセスメント。歩行補助具を利用してもらうなどあらかじめ対処するための指針を示す。具体的には、「速度」「ふらつき」「リズム」「左右差」の４つの指標で歩行を解析する。この際にＡＩ画像解析による体の骨格抽出の技術を活用する。

結果は図のようにレポート形式で提供される。利用者と担当するケアマネジャーや医師などがこれを見ながら対応を検討できる。

「小きざみな歩き方になっています。余裕をもって歩けるように歩幅を意識してみましょう」といったアドバイスを提示する。結果やアドバイスの内容をまとめたレポートを遠隔地にいる家族に送ることもできる。

アドバイスは介護のプロフェッショナルである理学療法士の知見を反映したもので、判断も多面的なものになっている。

見える化で高齢者の意識を変える

トルトはＢＡＳＩＣｓフレームワークをすべて満たすが、特にＢ（行動変容）、Ａ（効果の可視化）、Ｓ（スケールと継続的な改善）を実現するものでもある。

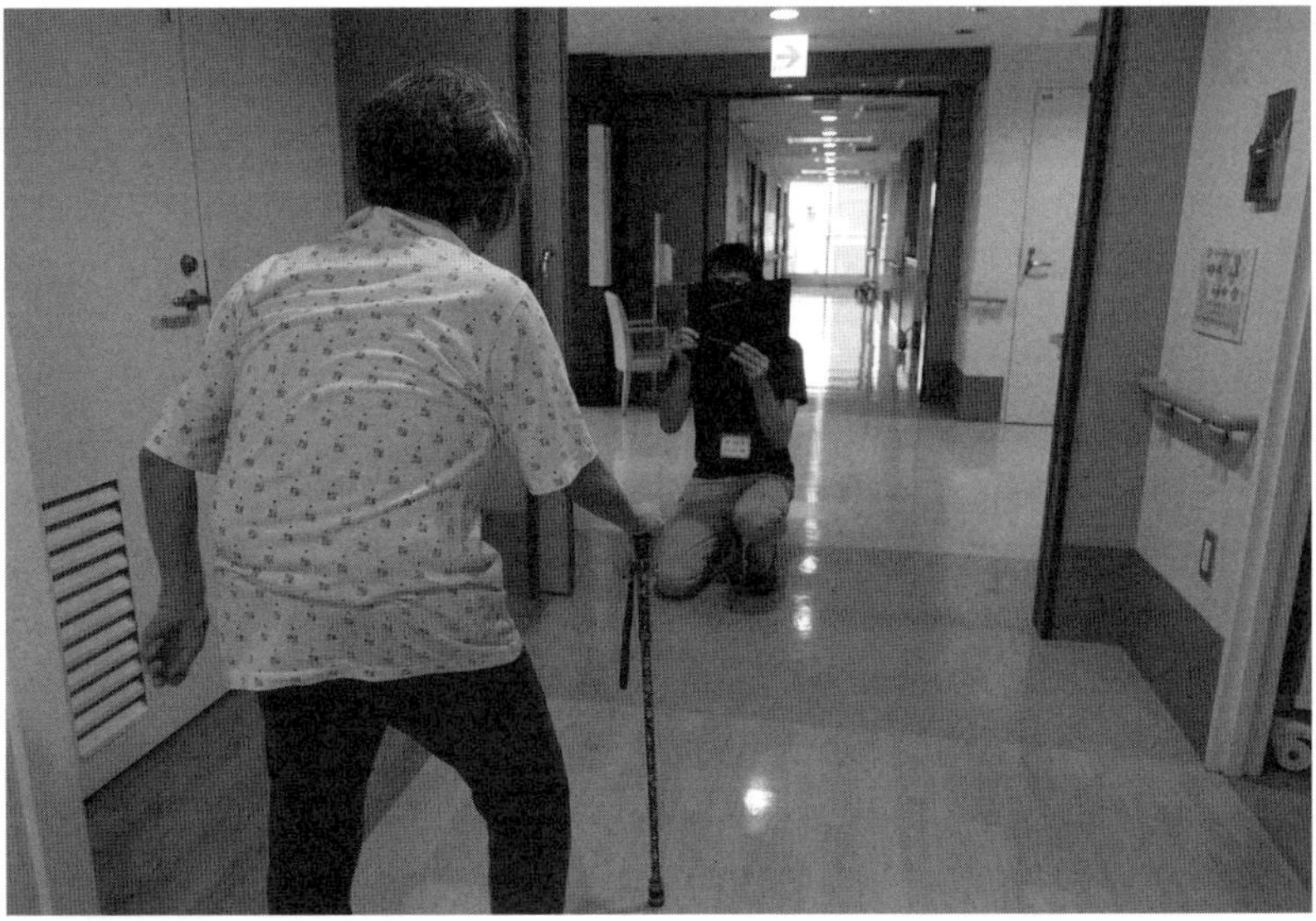

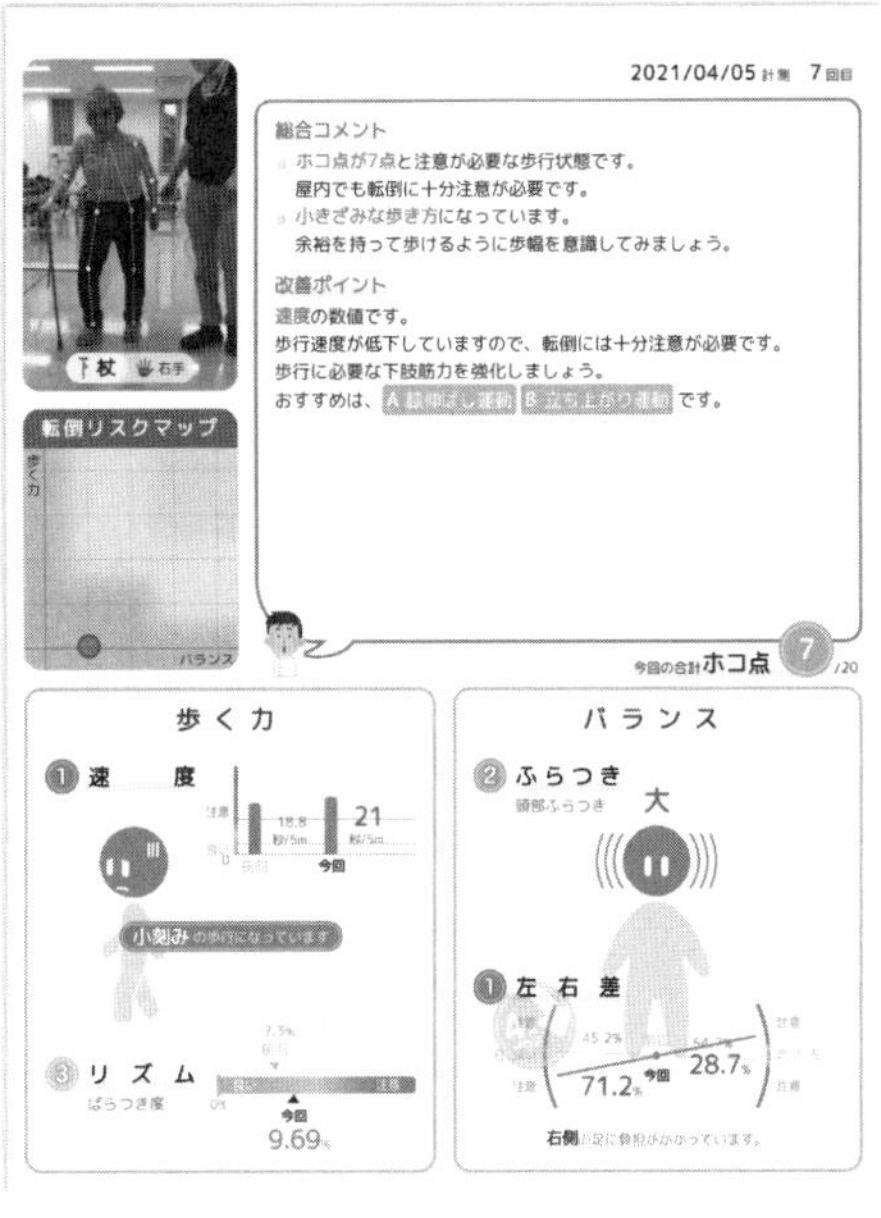

エクサウィザーズのAI歩行判定サービス「CareWiz トルト」。画像を認識するAIによって骨格を抽出し、歩行状態を評価する

現実にはリスクがあるにもかかわらず、自分はまだ歩行補助具は必要ないと思っている高齢者は意外と多い。客観的数値を示すことで、リスクを認識して真剣に検討してくれるようになる。関係するスタッフの間でも、それぞれの高齢者の客観的状況を共有できるようになる。

高齢者の転倒や骨折のリスクが下がり、長く自力で歩行できるようになればＱｏＬが上がる。高齢者にとってもトルトを使うインセンティブとなる。

手持ちのスマホやタブレットがあれば、容易に導入・利用できるので、施設や自治体などで導入して、規模をスケールさせやすい。定期的に利用してもらうことで、リハビリとその結果による継続的な改善にも結びつけることが可能となる。

介護施設によっては理学療法士が在籍し、歩行能力を判定しているが、数十人の入居者を評価するのには時間と手間がかかる。こうしたツールがあれば、スタッフの誰でも利用できる。高齢者の家族に撮影してもらえれば、訪問しなくてもリモートで対処可能になる。

健康寿命延長の「ぐるぐるモデル」に

今後は、多様なデータを統合して価値化するＢＡＳＩＣｓのＣの観点でも、ＡＩによる支援は重要になる。

それぞれの高齢者のプロファイルや活動情報などと掛け合わせて分析することで、どのような生活習慣がＱｏＬを引き上げるために必要なのかが分かる。取り組みを1年、2年と続ければ「ぐるぐるモデル」でリスク回避の確率を上げていけるだろう。

介護の世界でも、ＡＩ活用のＳａａＳのサービスを高度化することが、最終ＫＰＩである国や自治体における社会保障費の削減にもつながっていく。

実際、神奈川県藤沢市ではトルトを採用して市内の介護サービス事業所で活用し、市民の生活の質の向上やコストの最適化に乗り出している。

エクサウィザーズ

介護の現場の音声ＡＩ入力が、年20日分の余裕を生み出す

介護現場では1人のスタッフがより多くの入居者を担当することが求められるようになっている。ＡＩによる現場の支援に期待が集まる。その一例として、エクサウィザーズの介護記録ＡＩアプリ「ＣａｒｅＷｉｚ ハナスト」がある。

ハナストはその名称の通り、スタッフがヘッドセットやインカムを通して〝話すと〟、内容をＡＩが認識して作業内容を登録するものだ。２０２１年に提供が始まって以来、約１００カ所の介護施設が導入した。

介護現場では、食事や排泄、服薬、申し送りなどスタッフの作業を記録している。介護報酬を請求するには実績の記録が必要であり、所定の項目を報告する必要がある。これがスタッフの負荷になっており、

実態として業務が終了した後に入力するケースも少なくないという。

従来はスタッフのステーションに戻って、紙に記入したり、パソコンで介護記録システムに打ち込んだりする必要があったが、ハナストを利用すれば不要になる。

「○○さん、朝食、全量摂取完了」というようにヘッドセットに話すだけで、スマホに搭載したＡＩアプリが介護に関連する言葉だけを読み取って、介護記録に自動でデータを反映する。作業と作業の合間に歩きながら入力することも可能だ。

消費者向けイノベーションを介護現場に

アップルのＳｉｒｉやグーグルの音声入力アシスタントを利用したことのある方も多いだろうが、ハナストはこうしたコンシューマー向けのイノベーションを介護の

エクサウィザーズの「CareWiz ハナスト」は、音声AIを利用してスタッフの記録や申し送りなどの作業を効率化する

世界に持ち込んだ。音声が聞き取りづらくなりがちなノイズの大きな現場でも、入力されるであろう文言をＡＩで予測しながら精度を高めている。日本語を母国語としない外国の方の発話も聞き取れるように設計している。

こうした作業の効率化で、われわれの試算では１日あたり８時間の業務の場合、40分の時間を生み出せる。40分とはいえ侮れない。１年間平日勤務したとして１万時間弱。１日８時間勤務で約20日分もの業務を効率化できる。コロナ禍の中、非接触で入力・記録できるというメリットも付け加えたい。

ハナストは介護現場におけるスタッフや入居者の状況を見える化（ＢＡＳＩＣｓフレームワークのＡ）し、これらのデータを統合して分析することで打ち手の改善や新たな機能の開発に結びつけることができるようになる（同Ｃ）。

データが日々蓄積されていくので、各スタッフのさらなる効率化、介護施設や運営法人全体の最適化などにも道が開かれる。スケールし、継続的に改善できるようになる（同Ｓ）。

このサイクルが回ることで、１人のスタッフでより多くの入居者を担当できることになり、施設、ひいてはスタッフの適切な収入に結びつく（同Ｉ）。ふるまいを変えるＢについても、入力時間がなくなることで、その分スタッフと利用者のコミュニケーションが増加し、質が向上することも見込まれる。つまりＢＡＳＩＣｓフレームワークをフルに活用しているといえる。

②高度医療、パンデミックに立ち向かう

英ディープマインド、香港インシリコメディシン

圧倒的なＡＩの力で研究者の「勘と試行錯誤」を打破

韓国の碁の名人に勝ったＡＩ「AlphaGo」の開発により一躍有名になった英ディープマインド。実は人類に対する同社の最大の功績は、タンパク質の構造予測に成功したことだと言われている。ＡＩに思い切って投資し、いろいろなデータを学習させるほど、大きな結果を生み出すことができる。

グローバル時代の今、新型コロナウイルスは一気に感染が拡大し、世界経済や社会生活をまひさせた。最大のゲームチェンジャーであるワクチンをもっと早く開発できていれば感染の拡大を抑えることができた。だが実は新型コロナに対するワクチンの開発は歴史的に見て類がないほど早いものだ。髄膜炎菌のワクチン開発には約１００年もかかっている。

ディープマインドはＡＩをフルに活用して、生物学の50年来の悲願とまで言われるこの偉業を達成し、ワクチン開発に貢献したと言われている。

第１部でも触れたが、ワクチン開発は主として４つのフェーズから成る。

①ウイルスのタンパク質の配列を調べる、②配列をベースに３Ｄモデル化、③３Ｄモデルのターゲッ

ト部分を特定、④ウイルスの動きを止める分子を生成する――である。

特に②の３Ｄモデル化が最も大変で、今までは研究者の勘と試行錯誤に頼るしかなく、これまでの手法では何年もかかる大変な作業だった。

ディープマインドが開発したＡＩ「AlphaFold2」は、圧倒的なコンピューティングパワーで、試行錯誤を高速に繰り返して結果を学習。わずか数時間で３Ｄモデルを自動で特定することに成功し、世界中の研究者を驚かせた。

AlphaFold2は新型コロナのタンパク質の構造予測にも成功し、アフリカ睡眠病、シャーガス病、リーシュマニア症など熱帯病のタンパク質構造の解明に活用されるという。新型コロナウイルス感染症の治療薬を始め、数多くの創薬にAlphaFold2が活用されるようになる可能性は高い。

膨大な過去論文をＡＩが読み込み新たな価値に

４つのフェーズのうち、③のターゲット特定と④の分子生成に関しては、香港のインシリコメディシンのＡＩが活躍している。
③と④に関しては、何年も研究開発が続けられており、膨大な数の論文が既に存在する。ただあまりに多くの種類のタンパク質や分子に関する論文が発表されているので、すべての論文に１人の人間が目を通すことは無理で、ましてや細かなデータまで記憶するのは不可能だ。
自然言語処理技術の急速な進化を受け、インシリコは、膨大な論文の山の中から必要なデータをＡＩで見つけ出し、シミュレーターソフトの中で模擬実験を実施し、ワクチンになりそうな分子を可能性の高い

順番でリストアップしていった。

あとは研究者が、リストの分子候補から得たインサイトを基に上から順に実験していく。実際の実験も、研究者が手順を設定しておけば、あとは実験室のロボットとＡＩが24時間休むことなく繰り返せる。

限られた人数の研究者しか読んでいなかった論文という過去のデータを使って、ＡＩが新たな価値を創出している。

ディープマインドやインシリコのＡＩはまさにぐるぐるモデルをフルに活用したものであり、ＢＡＳＩＣｓフレームワークでは主に、継続的改善のＳ、複数データの統合的な活用のＣに沿ったものと言える。

活用範囲が増えれば収益的な貢献も

ディープマインドが開発を目指しているのは、広い領域に適用できるＡＩである。第１部で紹介したようにあらゆる分野に次々と展開してきている。

グーグルが世界中に展開するデータセンターの省エネ

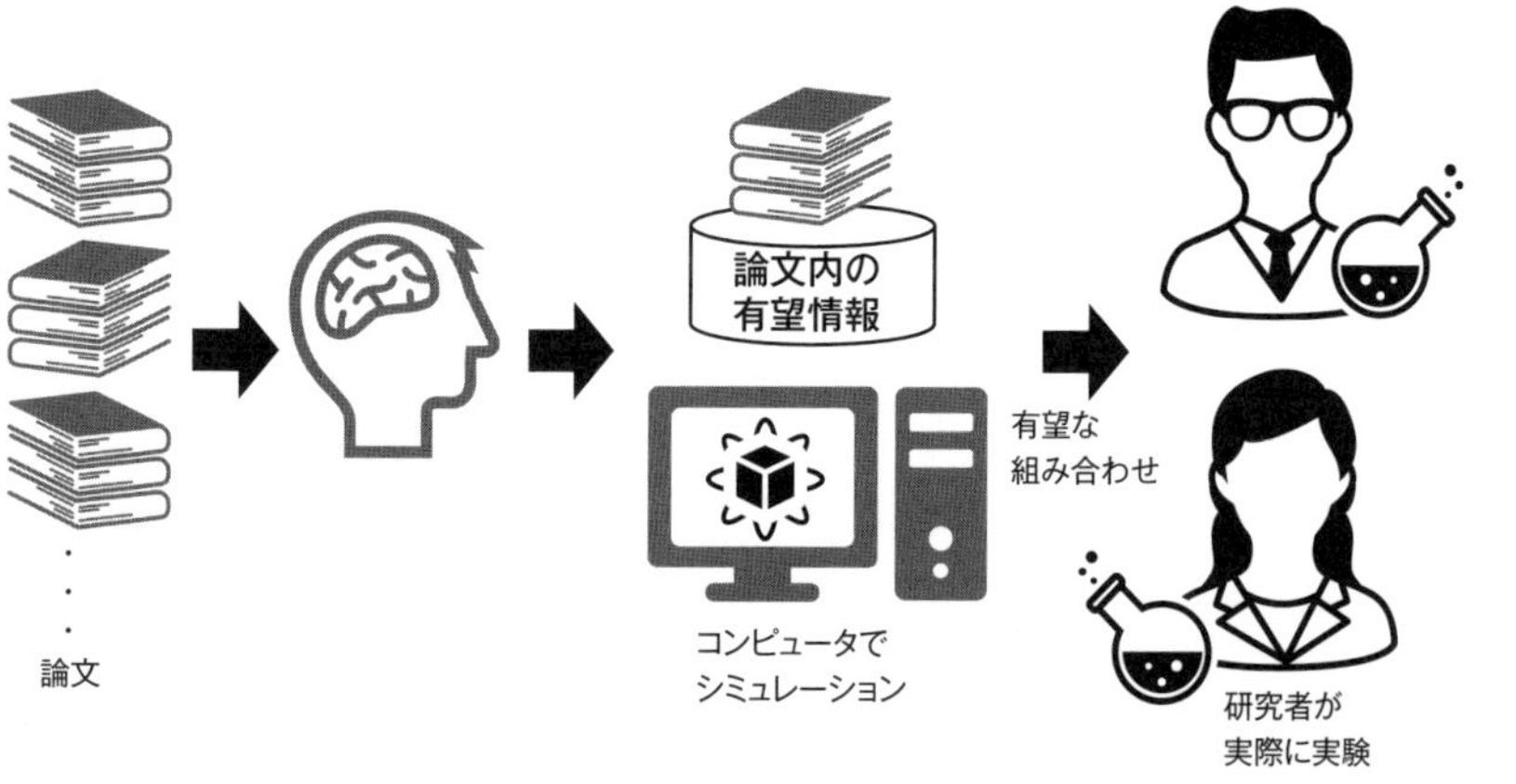

香港インシリコメディシンは、AIの自然言語処理技術を活用する。AIが論文を探索し、ターゲット特定と分子生成を支援した
（出所:エクサウィザーズ）

の仕組みにもディープマインドのＡＩが利用されており、相当な額の経費削減に既に貢献しているという。こうしてＡＩは活用範囲を広げ、データが増えれば増えるほど賢くなる。領域を拡大していくことで、ＡＩの提供側も十分な収益を上げながら、社会課題も解決していくことが可能となる。

英エクセンシア、世界の製薬各社

製薬業界は水平分業によるＡＩ活用が必須の時代に

グーグルの傘下に入って創薬を加速させたディープマインド。一方で、製薬会社自身もＡＩスタートアップとの連携で、新薬創出という社会課題解決に取り組んでいる。創薬の難易度が上がっている中、ＡＩを活用するための新たな連携が求められている。

製薬業界では医薬品の候補となる有力な化合物をいかにして迅速に成功の確度高く見いだすのか、各社がしのぎを削る。各社ともビッグデータをＡＩで処理するノウハウを持つスタートアップと組んで、スピードアップに取り組む。

その１社が英スタートアップのエクセンシア（Exsientia）である。英国のダンディー大学の教授であるアンドリュー・ホプキンス氏が、長年研究してきたＡＩによるドラックデザイン（医薬品設計）技術を基に設立した。

創薬プロセスを精密工学ととらえてデータの取得、機械学習、分析を行うＡＩ創薬プラットフォーム「Centaur Chemist」を開発している。ＡＩが膨大なデータの収集・分析を通じて関連性や傾向などのサジェスチョンを提供し、創薬化学者はＡＩのサジェスチョンを生かしてプロジェクトの方向性や目標を見定める。創薬研究に対する深い知見のあるメンバーが立ち上げた会社であり、ＡＩを使うことを前提にゼロベースでプロセスを構築し、最適化していることも特筆すべきだろう。ＡＩのアシストによって製薬のＡＩぐるぐるモデルを加速していると言

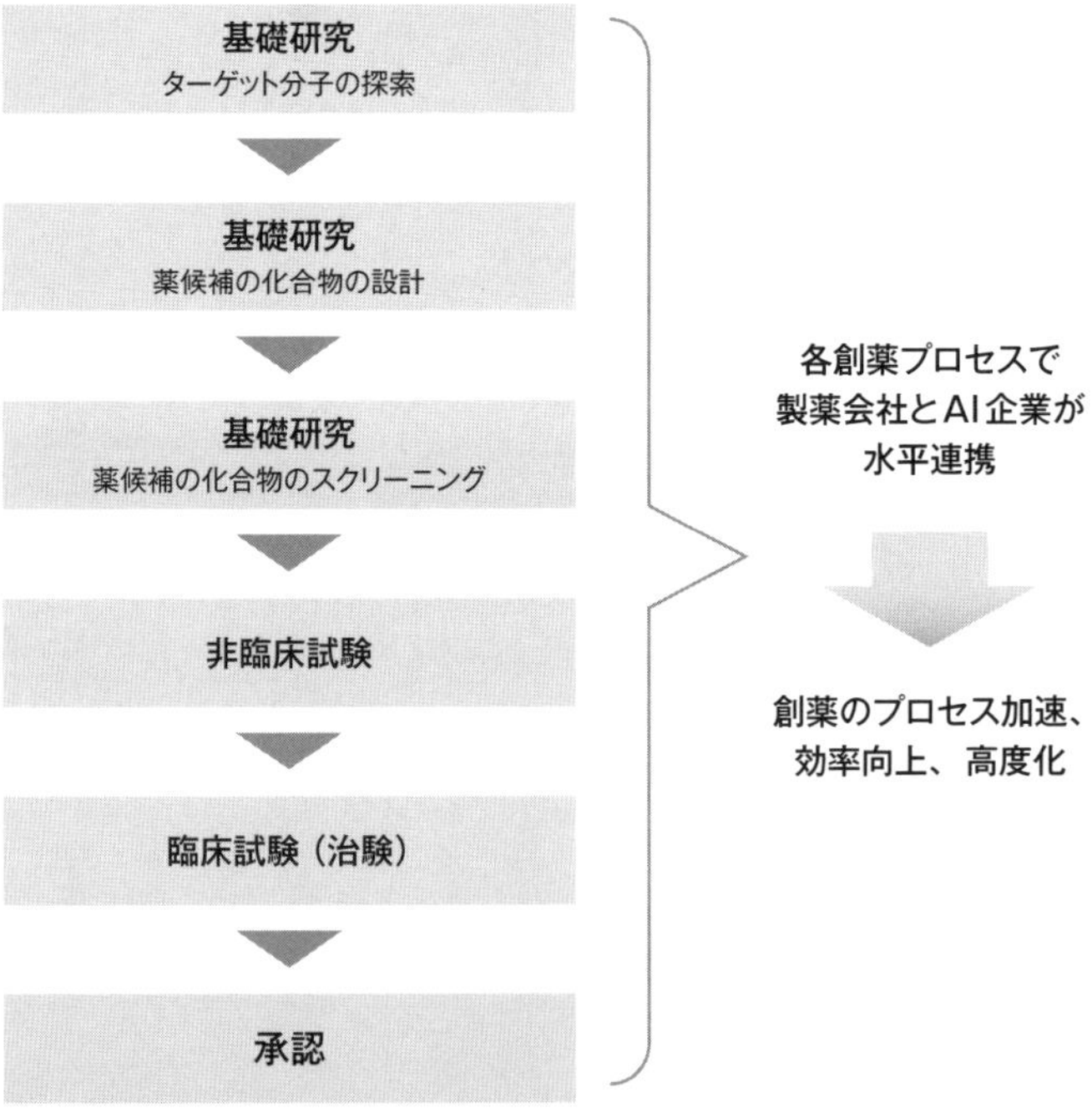

創薬の全体や各プロセスにおいて、AIスタートアップなどとの連携による水平分業が始まっている

（出所:日経クロステック「AI創薬が『当たり前』になる日が近づく、分業化する新たな製薬業界の姿」を参考にエクサウィザーズ作成）

えよう。

ＡＩ活用が水平分業型ビジネスモデルを後押し

創薬は、ターゲット探索、化合物設計、化合物のスクリーニング、非臨床試験、臨床試験、承認というプロセスを踏む。従来、製薬業界は創薬の研究から販売までを製薬会社が単独で行う垂直統合型のビジネスモデルが主流だった。

大手の製薬企業は自社でＡＩ技術者を育成し、ＡＩを活用した創薬にも力を入れている。しかし多岐にわたる創薬プロセスのすべてを自社によるＡＩで加速するのは現実的ではない。デジタル技術の進化とともに、創薬プロセスを製薬会社１社で完結させるのではなく、独自の強みを持つＡＩ企業などと全体、あるいは特定のプロセスで連携する水平分業型のビジネスモデルが重視されるようになってきた。

製薬会社は創薬の各プロセスでＡＩ企業とタッグを組むことで新薬創出の速度と確度を高めていく、水平分業型ビジネスモデルへの転換を迫られている。このニーズに応えるように相次いで登場しているのがエクセンシアのような、創薬のさまざまなプロセスをＡＩで支援するスタートアップだ。同社はＡＩで設計した低分子化合物を臨床試験にまで進め世界で注目を集める。さらに業界平均で４年半を要するとされる化合物の探索を、１年未満で完了させるなどしている。

２０２０年以降、エクセンシアは日本の大手製薬会社などとの協働を相次いで発表した。大日本住友製薬、現・住友ファーマ）、米ブリストル マイヤーズ スクイブ、仏サノフィなどの製薬企業や、ビル＆メリンダ・ゲイツ財団などと提携し、創薬アイデアの創出、創薬ターゲットの評価、ＡＩ設計、プロジェクト管理、個別化医療、臨床など、広範にわたる新薬開発プロジェクトを展開し、25を超える新薬開発パイプラインを持つ。

製薬会社との共同研究以外にも同社独自のパイプラインを持ち、ある段階まで進めた後に外部のパートナーと共同開発を進めるといったビジネスも展開する。

連合学習で、製薬各社が知見を共有する

Ｗｅｂ３の時代に、医療データによる社会課題解決はどのように進んでいくのか。１つの解となりそうなのが、フェデレーテッドラーニング（連合学習）と呼ぶ手法の活用だ。

連合学習はユーザー側の端末などにあるデータを送信することなく、学習が可能な手法だ。データを他社に提供することなく互いのデータを使ったＡＩモデルを作成できる。端末側でＡＩモデルを作成し、センター側のＡＩモデルにパラメーターだけを送ることで実現している。

連合学習の特徴を利用して、企業連合で重要なデータ活用を促進しようとする動きが出ている。虎の子である重要データは各企業が保持したまま、センター側でそれらのデータを活用したＡＩモデルを構築するといった取り組みだ。

アストラゼネカ、アステラス製薬、ジョンソン＆ジョンソン、バイエル、ヤンセンファーマ、ノバルティスなど世界的に有名な製薬企業や米大手半導体メーカーの米エヌビディアが参画する「ＭＥＬＬＯＤＤＹ」というプロジェクトが２０１９年から進行する。

製薬会社は新薬の種となる特性や組み合わせの情報を記録したライブラリーであるデータベースを所有

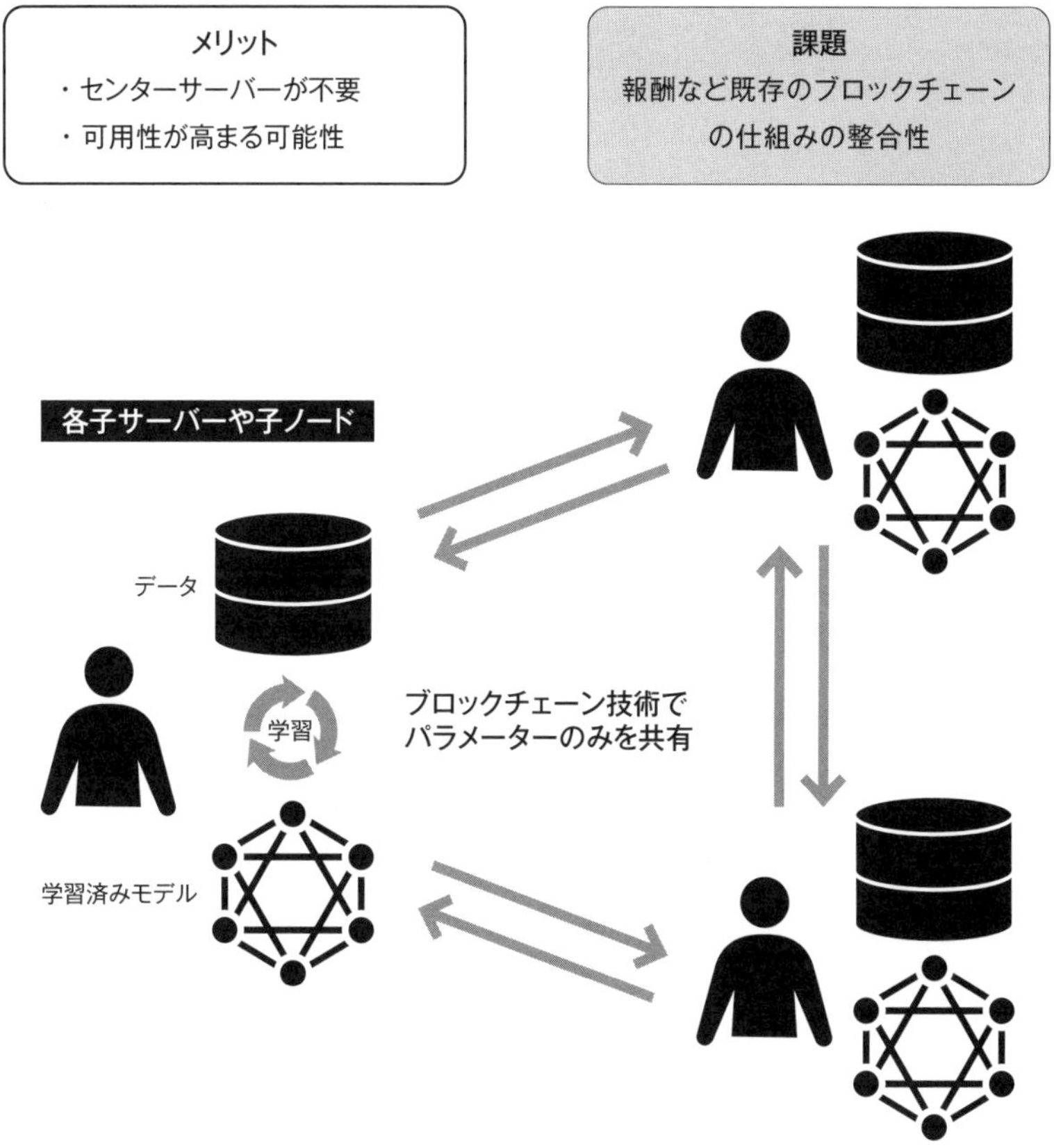

ブロックチェーンの仕組みを利用して、データを公開せずAIモデルのみを共同開発する例。
モデルの間ではパラメーターのみをやりとりする
（出所:エクサウィザーズ）

しており、そこから新たな薬効成分を示す低分子を探索する。しかし年々有望な低分子探索の難易度は上がっており、新薬の創出が難しくなっている。

MELLODDYプロジェクトでは、各社のデータを持ち寄って、連合学習を活用し有効な組み合わせを予測するＡＩモデルを構築。データを互いに開示することなく、各社がこれまで得てきた知見を共有しようという取り組みだ。各製薬会社は構築したＡＩモデルを、自社のプロジェクトに合うように微調整しながら予測に活用する。

どこがＷｅｂ３に関連するのか。MELLODDYはブロックチェーンを利用して台帳を管理することも視野に入れたプロジェクトだ。センター側のサーバーを用意することなく、自律分散的に運用をすることも可能となる。連合学習×Ｗｅｂ３で社会課題を解決するもので次世代を予感させるプロジェクトと言える。

参考文献
＊Business Wire「エクセンシア、大日本住友製薬との協業からAIにより創製した2つ目の分子が第1相臨床試験に入ると発表」、https://www.businesswire.com/news/home/20210517005458/ja/
＊日経クロステック「AI創薬が「当たり前」になる日が近づく、分業化する新たな製薬業界の姿」、https://xtech.nikkei.com/atcl/nxt/column/18/01699/062800002/
＊日経クロステック「プライバシー保護の切り札　『連合学習』が普及期に」、https://xtech.nikkei.com/atcl/nxt/mag/nc/18/051600292/061300002/

英バビロンヘルス

チャットボットによるＡＩ診断、ひっ迫解消と医療の個別化を実現

ＡＩは人間の仕事を奪うのではなく、協働していくもの。こうした役割分担が機能しているドメインの一つがＡＩによる医療診断サービスだ。英スタートアップのバビロンヘルスは、患者をスクリーニングして医療の資源効率化を図るチャットボットのサービスを先進国と発展途上国の両方で展開する。

バビロンヘルスが提供しているのは、医療コンシェルジュのようなチャットボットのサービスである。チャットボットに搭載するＡＩの開発には80人以上の博士、応用科学者、機械学習エンジニアが従事しているという。特徴は、リアルの医療従事者も連携し5段階に分けてサービスを提供することで、医療リソースの有効活用を図るところだ。体調が悪く医療機関を利用しようとしている人の立場を想定してサービスを解説する。

ＡＩチャットボットが患者を振り分け

利用者はまずバビロンもしくは提携するサービス会社のスマホアプリで「デジタルセルフケア」を使い、症状や健康状態についてチャットボットとやり取りする。2段階目は、やり取りの結果を考慮しながら、人間が連携してライブチャットや電話・ビデオなどで医療機関の受診前の段階で個別サポートを提供する。

これで解決できない場合に第３段階に進む。医師をはじめとする専門家がオンラインで診断する。それでも解決できない場合に第４段階の対面、最終第５段階の複雑な高度医療の紹介へとエスカレーションする。まさに専門家とＡＩの協働によるデジタルサービスだ。

　ステップを踏んで患者をスクリーニングすることで、重篤な状況でない患者がいきなり地域の救急センターを訪れるといった病状と医療のミスマッチを減らす。ＡＩと医師など専門家の連携によって患者個別に応じた適切なアドバイスが可能になる。限りある医療リソースが効

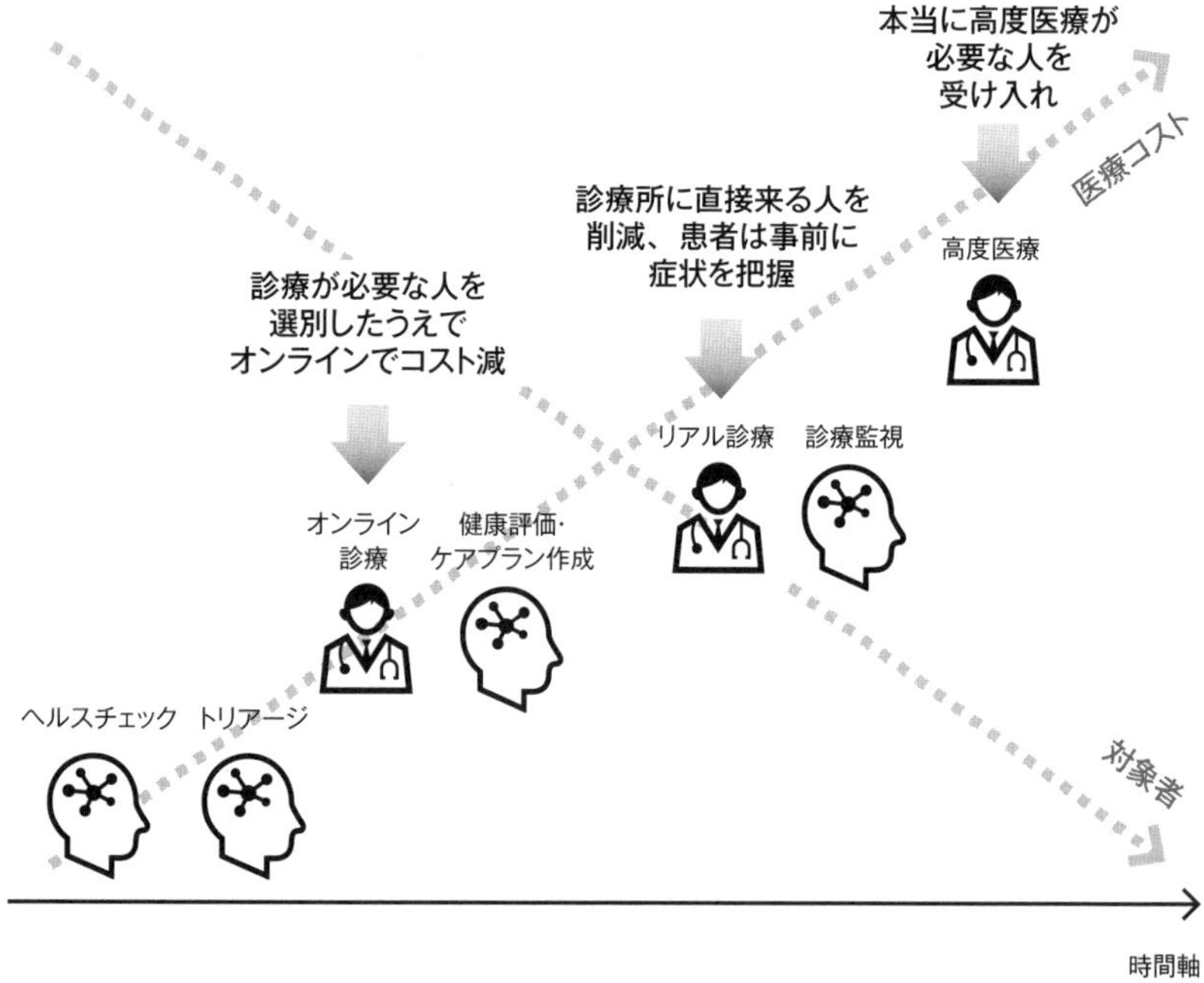

バビロンヘルスはAIを活用し段階的なスクリーニングを実施。医療リソースを必要な人に提供する
（出所：同社資料を基にエクサウィザーズ作成）

率的に利用できる。

富裕層から貧困層まで幅広く支援

バビロンのサービスはＡＩチャットボットを利用することで、先進国から発展途上国、富裕層から貧困層まで幅広く提供できるのが特徴だ。２０１３年に英国で開始し、17年にはアフリカのルワンダ、さらに18年にカナダなど８カ国へと一気にスケールした。20年には満を持して米国市場にも参入。合計で会員は２４００万人まで拡大した。

注目すべきはルワンダだ。政府がバビロンのサービスを導入し、約２割の国民が登録している。チャットボットは毎日２５００～３０００件もの利用があるという。

利用者が専用の電話番号にかけてＡＩ診断を受けることで、地域の限られた医療リソースの圧迫を回避している。必要な患者には薬を配送する。診療所まで出向いて、結果として診察の必要がなかったという無駄骨を利用者も折らなくても済む。

バビロンがルワンダで成功した背景には、米非営利団体のビル＆メリンダ・ゲイツ財団の存在もある。ルワンダに進出していたバビロンを、同財団が支援して国の保険制度との整合性の確保など継続的な運用に向けてアドバイスした。

ＢＡＳＩＣｓフレームワークをフル活用

バビロンのＡＩチャットボットは、患者と医者のやり取りなどの履歴データを学習し、継続的に精度を向上させているほか、ビッグデータの学習やアルゴリズムの見直しで常に改善している。研修医が受ける試験で合格するレベルに達しているという。

ＡＩチャットボットは全世界で受け入れられるようになり、バビロンの収益は急拡大している。２０２１年度の売上高は前年比４倍の３億２３００万ドル、２０２２年度はさらに約３倍の９億～10億ドルまで伸長する見通しだ。

同社の事例はＢＡＳＩＣｓフレームワークで言えばＳ、つまり規模の追求と継続的改良が機能している典型だ。サービスを支えるバックエンドのシステムはサーバーの増設によってより多くのユーザーに対応できるようなスケーラビリティーを設計思想に組み込んでいるので、世界中でユーザーを増やせる。ユーザーが増えれば増えるほどＡＩはどんどん賢くなる。さらに世界中にユーザーが増え、ビジネス規模が拡大する。

症状の軽重にかかわらずまずは近くの診療所や病院に行くという行動（Ｂ）を変えることにもつながっていく。

バビロンはＳ、つまり規模の追求を当初から考えていたので、ＢＡＳＩＣｓフレームワークのＩ、つまり収益を生み持続させる、自己持続性が担保される経済性を満たすことが可能になった。ＡＩのぐるぐるモデルの時代には、社会課題の領域は最も成長の可能性の高い領域になる。

③ウェルビーイングに過ごす

SOMPOひまわり生命保険

生保各社が契約者の行動を変容させる保険・アプリ

生命保険は契約者が加入後に病気やけがをするまで、疎遠になることが多かった。現在では、アプリを通じて働きかけることで、より健康に留意するよう契約者の行動を変えることを目指した動きが始まっている。ＢＡＳＩＣｓフレームワークのうち特にＡで行動を可視化して、Ｂの行動変容を実現する取り組みであり、ウェルビーイングにつながる。単なる善意からの行動ではなく生命保険会社から見れば保険金や給付金などの支払いを減らすという目的がある。

糖尿病患者の行動変容に

アプリを通じた働きかけに積極的な生保として、ＳＯＭＰＯホールディングス傘下のＳＯＭＰＯひまわり生命保険がある。

取り組みの１つが糖尿病患者という特定の契約者の行動変容だ。糖尿病の方の医療保険「ブルー」の契約者にスマホで情報を送ってもらうことで、健康の改善を目指す。同保険は２０１９年末から提供を始めた。いくつかの質問に答えることで、糖尿病の患者であっても加入できるのが特徴だ。契約者が指定さ

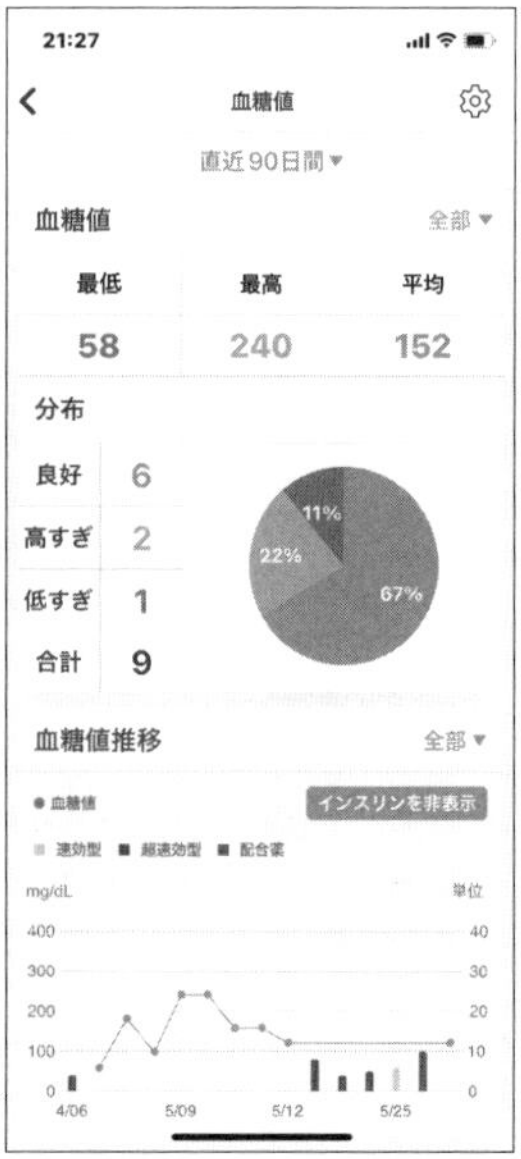

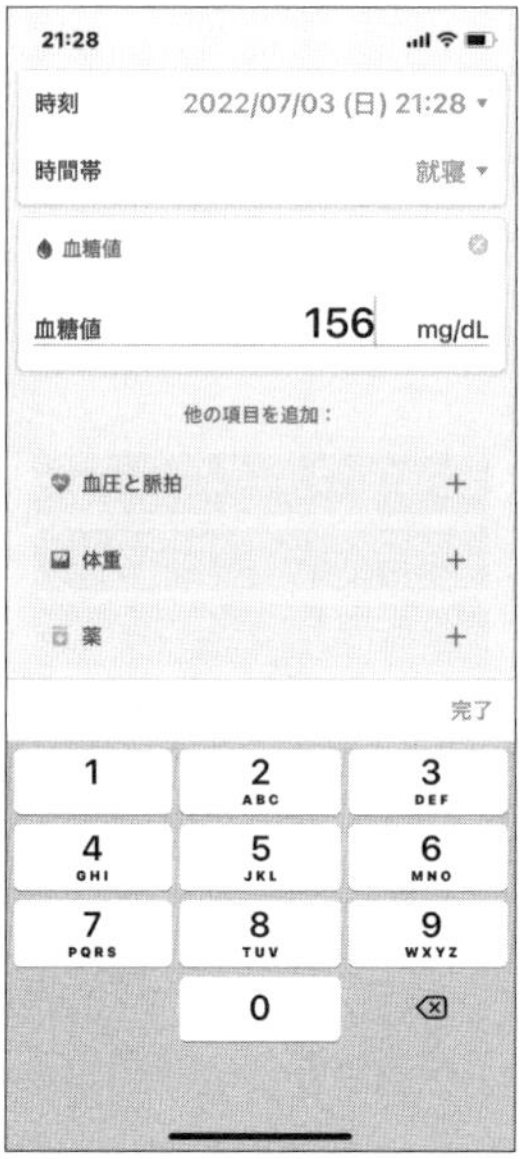

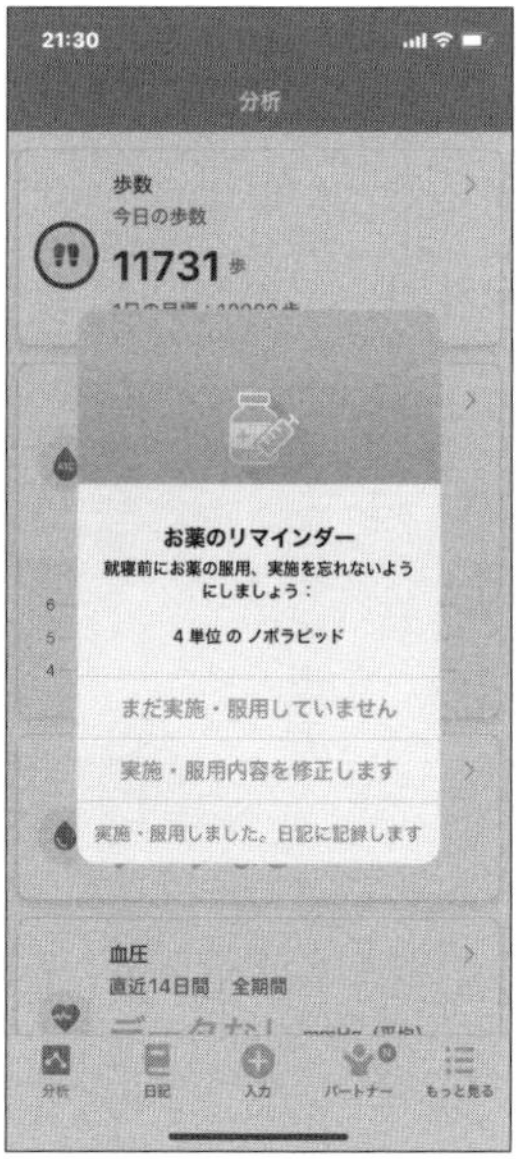

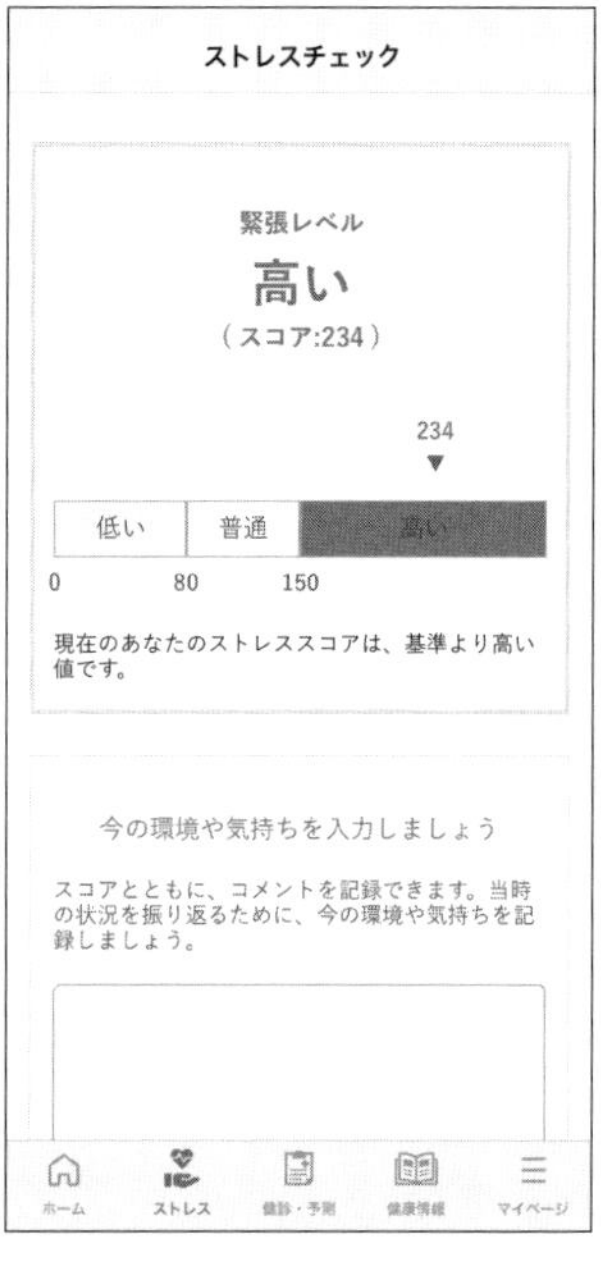

糖尿病患者向けの医療保険「ブルー」の契約者が利用するアプリ画面。「シンクヘルス」と呼ぶアプリにパートナーとして参加することで提供している。下はLinkx 健康トライのスマホアプリでストレス度合を計測しているところ
（提供:SOMPOひまわり生命保険）

れたアプリから血糖値、食事、運動、血圧、体重、薬剤などの情報を送信することで、健康改善に向けたアドバイスを得ることができる。

行動を変えるインセンティブもある。血糖値に関連するＨｂＡ１ｃ値が一定の条件を満たせば１カ月分の保険料を還付。保険期間満了の５年後、一定の条件であれば通常の医療保険へと移行する仕組みを提供している。

認知症やストレスをアプリで把握

ＳＯＭＰＯひまわり生命保険は認知症やストレスについては、欧米のスタートアップ企業との連携で、アプリを活用した支援サービスを提供する。利用者が現状を把握できるようにしてより早期の対応を目指す。

認知機能に関しては米ヘルスケアスタートアップのニューロトラックと提携して取り組む。「ニューロトラック脳ケア」としてアプリを提供し、スマホ画面に表示した図形のパターンを覚えているかどうかをテストする。３～５分程度で、スマホのカメラで視線などを撮影し、この結果も加味して判定する認知テストを行う。食生活や睡眠、社会的つながりなどの生活習慣も２分程度でテストして、解析結果を表示する。３カ月ごとなど定期的にこれら認知テストを実施して状態を把握し、生活習慣テストによって改善策を提示する。

ＳＯＭＰＯひまわり生命保険は、認知症保険への関心を高めたり、同保険契約者の行動変容による健康管理に利用させたりしたい考えだ。

ストレスチェックのためのアプリ「Ｌｉｎｋｘ 健康トライ（リンククロス 健康トライ）」はイスラエルのヘルスケアスタートアップのbinah.aiと提携して開発した。

リンククロス 健康トライの1機能として、スマホアプリで顔を撮影した画像から心拍数を推測し、この情報を基にストレスのレベルを推定する。利用者自身がどんな時にストレスレベルが高いかを認識できる。健康診断の結果を読み込んで注意すべき点を判定し、利用者の状態に合わせた健康の維持・改善のためにいい活動を提案する。健康にいい行動をポイントとして記録でき、全国でのランクを確認したり、ポイントに応じた〝メダル〟をもらったりできる。

参考文献
＊ＳＯＭＰＯひまわり生命保険 プレスリリース、同社資料

フィンランドのオーラヘルス

体温・脈拍に眠りの情報を加味し、翌日頑張れるかを判定

フィンランドのオーラヘルスは、個人が体温や脈拍、体の動きを把握できる指輪型のヘルスケアデバイスを開発する。体温や脈拍、活動に加え、眠りのデータを掛け合わせることで総合的な体調指数を提供。これらを基に行動変容を促し、ウェルビーイングの実現へとつなげる。

オーラヘルスが提供しているのは「オーラリング」と呼ぶスマートリングである。指輪型で、体温、加速度、赤外線などのセンサー、そしてバッテリーを搭載している。センサーの接点部分がリングの内側で指に密着するので、脈拍や体温などを正確に把握できる。多くのスマートウオッチは毎日充電が必要だが、ディスプレーを備えないオーラリングはバッテリーが5日程度持続する。

小さなリングではあるが、個人とグループの健康意識や行動を変える潜在力がある。まさにBASICsフレームワークの

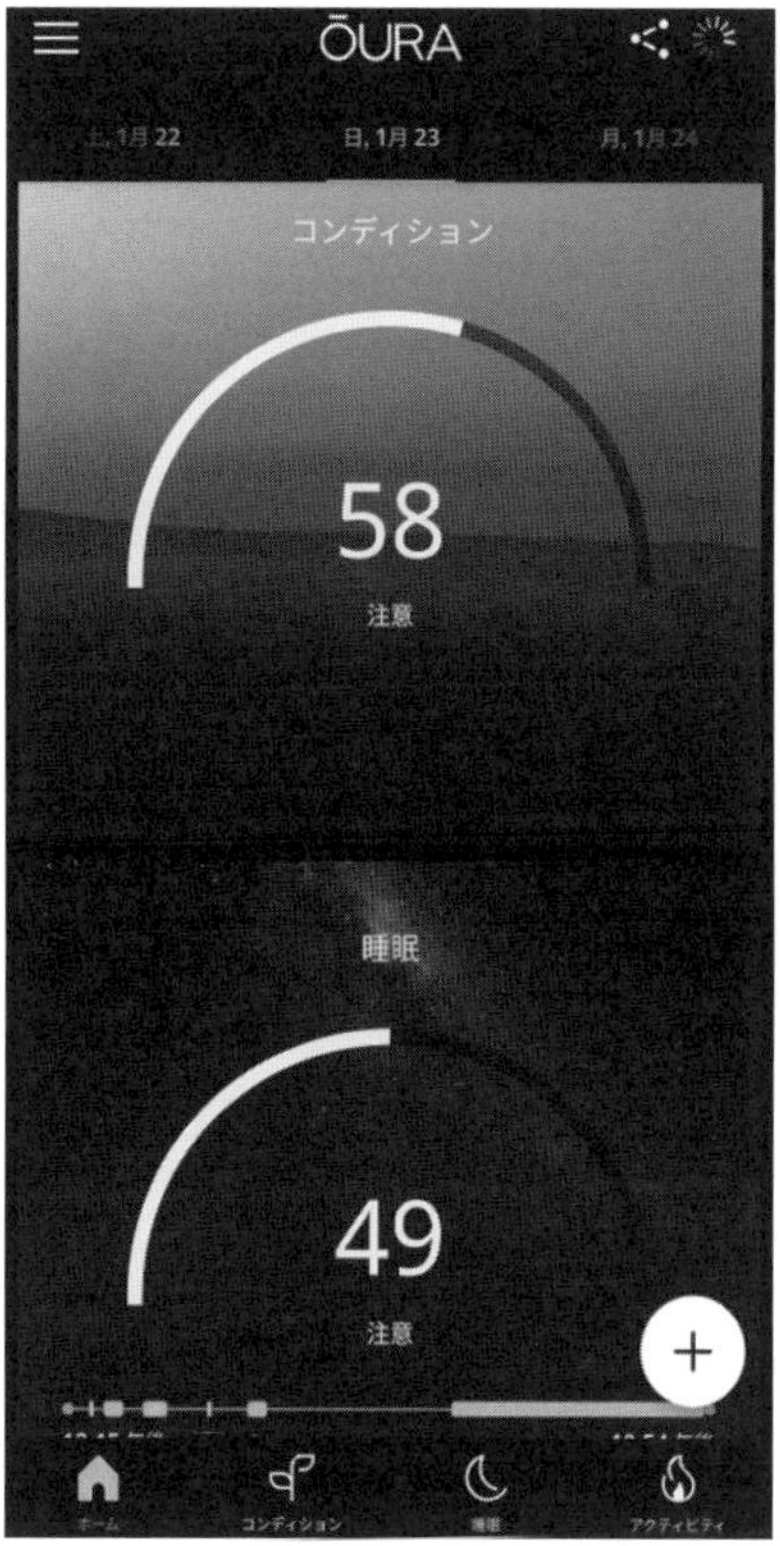

オーラリング。指輪型のデバイスで体温や脈拍、動きを正確に把握できるという。左はスマホアプリの画面で、その日頑張れるかを総合的に判定している

行動を変えるＢと効果の可視化のＡ、そして複数センサーのデータを統合するＣに注力したプロダクトサービスである。。

オーラは北欧から米国に本拠を移して米国市場に本格参入した。既に１００万個以上を販売しているとみられ、２０２１年には１００億円以上の資金調達に成功した。

背景にあるのが、デザインとユーザビリティーの良さだ。シルバーやゴールドなど複数のカラーを用意しただけでなく、リングと指のサイズをフィットさせるため、購入後にはまずダミーのサイジング用キットをユーザーに送付。そしてユーザーが各サイズのダミーを装着して確認した後、オーラのＷｅｂサイトで希望するサイズを入力して本物のリングを入手する。

睡眠を加味した健康状態を可視化

オーラリングの最大の特徴が睡眠状況を加味した健康状態の可視化だ。

常に装着できるので、就寝時の身体の動きや脈拍を分析することで、実際に何時に寝て起きたのか、深い眠りか、浅い眠りか、脳が活動している状態のレム睡眠かなどを可視化できる。スマートウオッチは寝る際に外すのが一般的だが、常に装着するリング型なので就寝時の動きも習得し分析できるわけだ。

睡眠時の状態に心拍や体温の変動などを加味して「コンディション」という総合指数で評価する。アプリを見れば「コンディション」と睡眠の良しあしがすぐに分かる。

体表温が通常の範囲外に急激に変化している場合はなんらかの病気の可能性がある。実際に新型コロナウイルス感染症への罹患を検知できたという報告もある。

夜間の安静時に心拍数が安定しない場合に警告する回復指数もある。数値が悪いと体調の回復に悪影響を与え、次の日に落ち着かない状態になることがあるという。

利用者はアプリ上で、コンディション、睡眠の２つの主要指標を見ながら、自分の状態を判断できるようになる。「なんとなく体調が悪い」といった定性的なものではなく、「今日はコンディションが60を切っているから、運動をやめておこう」と定量的に判断できるようになる。

データを統合してグループの判断に

最近ではオーラリングで取得したデータを、グループで利用する動きが広まる。オーラリングは許諾したユーザーからＡＰＩを利用してデータを取得できるようになっているが、プロスポーツチームが相次いで導入しているという。

個別の選手の体調の突発的な変化とチーム全体のコンディション把握の側面から活用が進む。コロナ禍では体温変化の管理が重要だが、オーラリングがあれば24時間３６５日把握できるようになる。

全米バスケットボール協会（ＮＢＡ）は加盟チームの選手やスタッフへ配布。２０００以上のデバイスを納入したという。コート上や就寝時も含めたリアルタイムの健康管理に活用しているとみられる。メジャーリーグやＦ１のレーシングチーム、２０２１年夏の東京オリンピックに参加したサーフィンの米国チームなども利用したという。

リングのセンサーから得られる個人のバイタル情報と、体調や疾病というビッグデータが蓄積され、体調と病気の相関関係が見いだされていく。今後は、バイタル情報をリングやスマホのアプリに蓄積し、病院に行った際に提出したり、遠隔診療の際に提出したりすることで、より正確な診断やアドバイスを得られるといったことが珍しくなくなるはずだ。将来は、病気になるのを未然に防いだり、病気になった際には蓄積したバイタル情報を基に適切な対処が可能になったりするかもしれない。

プライバシーに配慮するため、スマホ側で特定目的のためのAIモデルを構築し、インターネットを通じた第三者とはパラメーターだけをやり取りするといった手法も現実化している。Web3の時代にはオーラリングで取得した生体データを蓄積し、所望のプロジェクトに情報を提供するといったことが可能になると考えられる。

米ベターアップ、米ウォルマート

コーチ選定をAIで最適化、ウォルマートは介護者サポート

米国で企業研修や人材育成のやり方を変えようとしている企業がある。ベターアップ（BetterUp）はAIを導入することで、個別に最適なコーチやコーチング内容を適切なコストでそれぞれの人に提供する。米ウォルマートとは介護に従事する人を支援するコーチングサービスを開発し横展開する。

個人の能力を向上させ、キャリアに必要な知識を身に付けさせる企業研修や人材育成の方法にはさまざまな取り組みがあり、日本ではまだあまりなじみがない方法にパーソナルコーチングがある。集合研修や

セミナー、少人数でのワークショップとは異なり、コーチと１対１の対話を通し、個人の具体的な事情を踏まえてそれぞれの能力を引き出そうというものだ。

市場調査会社の米マーケットデータによると、米国のパーソナルコーチング市場は２０１８年の推計で10億ドル（約１１４８億円）規模。この市場を変えようとしているのが２０１３年創業のスタートアップである米ベターアップだ。サンフランシスコに本社を置く同社は２０２１年3月、英国のヘンリー王子が、新設の「最高インパクト責任者」に就任したことで話題となったが、革新の本質はＡＩの活用にある。モバイルアプリを通じて企業の従業員や個人にコーチングやメンタルヘルス面の支援サービスを提供する。

AIで最適なコーチ選定や学習コンテンツを決める

これまでのパーソナルコーチングにはいくつかの問題点があった。

まずコーチの選定やコーチング内容をコーチングされる側の個別のニーズを満たすよう調整するのが難しい。人手がかかるし、満足度を上げるためにはデータベースを探索するなどの手間がかかる。パーソナルコーチングのサービスを利用する場合に、カスタマイズしようとするとコストがかかる。最後が効果の可視化だ。どのような状況であれば改善したと考えるのかの基準の設定が難しい。

こうした課題を解決するため、ベターアップは利用者とコーチのマッチング、最適なコースや学習コンテンツの選定にＡＩを活用する。サービスの質を高めるのと同時に、コストを下げて利用者を増やす。利用者が増えれば、経験を積んださまざまなバックグラウンドのコーチングスタッフも集まる。実際に同社には世界70カ国以上、46言語で約３０００人のネットワークが存在する。

利用者が増えることで新たな価値も提供できる。これまでにサービスを提供してきた過程で、人材が成長する要因と考えられるさまざまなデータを収集。これらのデータを基に従業員のスキルを社内で比較したり、同業他社と比較したりできるようにした。利用する企業は次に何に取り組めばいいのかが判断しやすい。

ウォルマートは介護者の支援で提携

ウォルマートがベターアップの協力を受け、２０２２年３月に家庭などで介護に取り組む利用者を支援する「BetterUp for Caregivers」を発表した。ベターアップのＡＩプラットフォームを利用して、「個人

米ウォルマートがベターアップと提供する「BetterUp for Caregivers」。
コーチと利用者をマッチングして介護の悩みを解消する
（出所:ベターアップのプレスリリース）

コーチ」「オンラインプログラム」「個別評価」「健康トラッキング」「ライブのグループプログラム」「ゲーム・クイズ」などのサービスを利用できる。

米国では、全国民の５人に１人に当たる約５３００万人が親などを介護したり支援したりしているとみられるという。こうした介護者の多くは外部からのサポートを受けておらず、介護のストレスから３分の１は自らの健康を害しているという事実もあるとされる。

ベターアップによると精神面の健康状態が低い状態で始めた利用者は、このサービスによって、生活満足度が83％、ストレス管理が90％、レジリエンス（回復力）が１４９％向上することを確認しているという。

ウォルマートは自社の健康サービスサイトで同サービスを販売しており、１週間当たり約30ドルで利用できる。

これらベターアップのサービスはプラットフォームを運用することで、サービス提供者と利用者をマッチングしてる。ＢＡＳＩＣｓフレームワークで言うとＳのスケールと継続的改善に特に注力しているものだ。

参考文献
＊ベターアップ プレスリリース「Walmart and BetterUp Launch Platform To Support Mental Fitness for Millions of Caregivers」、https://www.betterup.com/press/walmart-and-betterup-launch-platform-to-support-mental-fitness-for-millions-of-caregivers

④ワークスタイルの変化に対応する

米ズーム、米メタ、米ｅｘｐワールドなど

ワークスタイル変化は生き方変化、ＡＩ秘書が相棒、バーチャル勤務も

コロナ禍でテレワークが一気に普及し、ミーティングなどコミュニケーションのＤＸが進んだ。Ｗｅｂ3の時代になれば、仮想空間のメタバース上でのコラボレーションや生活、そして勤務も現実のものとなる。新時代のワークスタイルを同僚や秘書として支えるのがＡＩである。

多くの企業でテレワークを組み込んだものにワークスタイルが変わった。世界には完全リモートワークの企業が存在する。１兆２０００億円で上場した米GitLabがそうだ。同社が公開しているリモートワークの宣言を紹介する。将来のワークスタイルを考えるヒントになるはずだ。

① 中央の拠点からよりも、世界中から採用して世界中で働く
② 決まった時間に働くよりもフレキシブルな労働時間
③ 口頭での説明よりも、知識は書きとめ記録する
④ ＯＪＴよりも書きとめられたプロセスで

⑤必要があるときにアクセスするよりも、情報は公開してシェア
⑥トップダウンで文書を管理するよりも、誰でも編集できるように開放する
⑦同期のコミュニケーションよりも非同期のコミュニケーション
⑧投入した時間よりも仕事の成果
⑨非公式なコミュニケーションチャネルよりも、公式のコミュニケーションチャネル

AI秘書がさまざまな仕事を代替

ワークスタイルの変化を後押ししたのが、米ズーム・コミュニケーションズの「Ｚｏｏｍ」に代表されるビデオ会議サービスだ。相手にリンクをメールで送付するだけで、すぐにミーティングを始めることができる手軽さから、日本を含めて世界で一気に利用が広まった。通勤時間の節約、遠隔地の同僚や取引先と即時につながることができるなど、これまで出社や対面が基本だった日本のワークスタイルも変わった。

コロナ禍で利用が広がる中でビデオ会議サービスも進化する。データによるミーティングの可視化が進んだ。

Ｚｏｏｍのミーティングを分析するサービス「Chorus.ai」は、ＡＩを活用し顧客とのミーティングで一人ひとりの参加者を識別する。どの担当者がどの程度の割合で発言したのかを分析できる。相手のキーパーソンが誰であるのかを判断するのに活用できるという。

ミーティングと営業成績のデータを掛け合わせて分析することで、優れた営業の行動などこれまで暗黙知とされてきたものが言語化される。分析結果を基に、商談のミーティング中にＡＩ秘書が使用すべきキー

ワードをレコメンドするといったことも可能になるだろう。

オンラインミーティングでの商談の支援だけではない。ＡＩの高度化によって、煩雑な作業を肩代わりしてくれる「ＡＩ秘書」の普及が見込まれる。

ＡＩ秘書の活躍の場としては、世界の取引先を相手にしたビデオ会議のスケジュール調整、同時通訳、文字起こし、内容の要約、レポート作成などが想定される。既にテック大手やスタートアップがこれらのサービスの提供でしのぎを削り始めた。

企業内ではそれぞれの従業員がどのようなノウハウや知識、人脈を持っているのかをＡＩ秘書が把握。他の従業員のＡＩ秘書とネゴシエーションするようなことも可能になる。業務を高度化するためには、ＡＩ秘書がデータから学習する必要がある。プライバシー性の高いデータを提供するのに慎重な企業や個人も少なくない。ビッグデータを保有している一部の大手テクノロジー企業がサービスの精度向上では優位に立つだろう。

メタバースに普及の兆し、AI秘書に活躍の場

ビジネスパーソンのワークスタイルに大きな変化をもたらしそうなのがメタバース、つまり仮想空間サービスだ。Ｆａｃｅｂｏｏｋを運営するメタが本腰を入れており、オフィス空間での利用を提案している。

メタバースの拡大でＡＩ秘書の役割はさらに高まるだろう。仮想空間には基本的に本人を模したアバターが登場する。音声認識の精度が上がれば、声もその人をまねることができ、見分けがつかなくなる。

メタのオフィスメタバース「HorizonWorkrooms」
（出所:メタ·プラットフォームズのYouTube「HorizonWorkrooms-リモートコラボレーションの再考」）

ヴァーベラのオフィスメタバース「Team Suites」で提供している公共空間
（下、出所:ヴァーベラのYouTube「Virbelaを使ってみよう」）

本人が参加しなくても、ＡＩ秘書に〝参加〟を肩代わりしてもらいやすくなる。重要なデシジョンの時だけ、ＡＩ秘書から連絡して本人が参加する、といった時代が訪れるかもしれない。

コロナ禍では連続したオンライン会議による「Ｚｏｏｍ疲れ」のような精神的な疲労がクローズアップされた。一方で、オフィスでのちょっとした非公式の会話による情報交換の場がなくなった。現時点でのメタバースでのコミュニケーションが万能なわけではない。現実世界のよさをどう反映するかが求められることもあるだろう。

メタバースで先行する米ｅｘｐワールド・ホールディングスという会社が１つの解を示している。同社はリアルな物件を扱う米大手不動産会社ｅｘｐリアルティの親会社だが、米カリフォルニア州南部サンディエゴに本拠を置くスタートアップ企業のヴァーベラ（Virbela）を買収し、この分野に参入した。

ヴァーベラのメタバースの特徴はオフィスだけでなく、公共空間やイベントスペースなどを仮想空間内に用意していることだ。バーチャル空間内にはさまざまな企業の契約者のアバターが闊歩しており、交流が可能だ。ビデオ会議で失われたオフィス内や休憩時間での情報交換の再現を目指す。使用言語が異なっても、前述のようなＡＩ翻訳サービスが普及すれば違和感なく交流できる。こういった時代が目の前に来ている。

メタバースが、リアルの現場で動くロボットとの組み合わせで新たなワークスタイルを生み出す可能性も秘める。体が不自由であったり、子育てや介護で家を出られない人が、メタバース内の物流センターで荷物を仕分けたり、スーパーで商品を陳列したりすると、ネットの向こう側に命令が伝わりロボットが作業を実現するわけだ。

こうしたプロセスを経てワークスタイルが変化するうちに、やり取りがすべてオンラインで完結するＷｅｂ３の世界が現実に近づく。

エクサウィザーズ

多拠点ワーケーションをしない理由がない

テレワークの普及によって、場所に制約されないワークスタイルが現実のものとして定着しつつある。ここで注目したいのが、ワーケーションだ。ワークとバケーションを組み合わせた造語であるこの言葉は、自宅ではなくリゾート地などの旅行先でのテレワークを指す。

心身をリフレッシュしながら働く手段としてワーケーションは広まりつつある。ワーケーションのメリットは場所の移動だけではない。山梨大学が２０２１年５月に発表したワーケーションに関する調査が参考になる。調査から浮かび上がったのは積極的に現地で交流し、ネットワークを広げている人が多いことだ。仕事中心は22・1％でおよそ8割が仕事以外の活動をしていることになる。なかでも21・3％が「業務外は、積極的に遊びや観光・地域での交流を行う」と回答している。

今後、ＡＩ秘書のようなエージェントが普及すればさらにワーケーションが実施しやすくなる可能性がある。

多拠点ワーケーションで突破

最近ではさらに進んだ多拠点ワーケーションで生産性を上げる例も出ている。実践例を１つ紹介したい。エクサウィザーズのＡＩサービス開発のプロダクト・マネージャーとして働いている佐々木レイ氏のケースだ。佐々木氏は２０２１年夏から、北海道から沖縄、離島を含めた多拠点ワーケーションを実施している。

以前から自由にリモート勤務できる環境だったが、同氏は「仕事で煮詰まったとき、在宅だと同じルーティンばかりで、突破口が見つからなかった。社会の変化、組織のカルチャー、個人の状況などから論理的に思考するとワーケーションしない理由がなかった」と振り返る。

長野県・白馬村でのワーケーション風景
（出所：佐々木レイ氏のInstagram）

月10日間程度のワーケーション生活からスタート。「こうした生活を半年ほど続けていると、家に帰るのが面倒なうえ仕事もはかどるので、多拠点ワーケーションを本格化させた」（佐々木氏）

佐々木氏はＡＩに関連して脳科学のブレインテックにも取り組んでいる。脳科学の面から見ても好影響があるようで、「多拠点ワーケーションは日常と異なる経験なので脳が刺激を受け、新たなアイデアや企画が生まれる。朝散歩するだけで異なる体験だ」（同氏）と説明する。

首都圏など都市部で働く社員が地方に滞在することで、関係する人口が増えて地方の活性化につながる。例えば、佐々木氏が宮古島に滞在していた際には、島に貢献しようとビーチのクリーン活動に参加したり、宿のオーナーからの依頼で中学生向けにＡＩの特別授業を開催したりするなどしていた。異なる土地の人々が交わることで化学反応が起こり得る。

参考文献

＊「全社員フルリモートで1兆２０００億円で上場したGitLabに学ぶリモートワークの心得」、https://qiita.com/taqro/items/4ed3f29b004634e2f1fe
＊「ヤッカヤッカコリビング企画『教えて先生！』ＡＩ・人工知能編」、https://miyakojimacity.jp/?p=852

第８章 環境変化に対応し持続する

「環境変化に対応し持続する」では、⑤気候変動に対応する、⑥脱炭素、省資源に挑む、⑦食料危機を回避するの③項目を取り上げる。

異常な熱波、集中豪雨、激しい寒波。10年ほど前には経験したことがなかったような異常気象が頻発し始めた。気候変動は人の暮らしにとどまらず、さまざまな産業に多大な影響を与える。「気候変動に対応する」のはわれわれの責務だ。気候変動の主要因ともいわれる温室効果ガス、まずはCO_2の推移に目を配る必要がある。

しかし温室効果ガスの排出量を２０３０年度に13年度比46％削減するという日本政府の目標達成には、乗り越えるべき壁がいくつも存在する。エネルギー消費の効率化、カーボンオフセットの活用などの策が提案されているが、実効性が問われる。カーボンクレジットの二重計上の問題も指摘されている。ＮＦＴを活用すれば排出権の帰属が唯一無二であることの証明にも道が開ける。Ｗｅｂ３の出番である。

地球の資源には限りがある。サステナブルでなければいつか社会は破たんする。しかも食料をはじめとした物価高、エネルギー価格の高騰などは、資源輸入国である日本のアキレス腱といってもいい。「脱炭素・省資源に挑む」「食料危機を回避する」も喫緊の課題だ。地球に限界がある以上、より効率的な生産・消費を推し進めるしかない。

地球環境を把握するために役立つのが衛星からの映像だ。ＩＴの進化に伴い、近年はより高解像度でリアルタイムに近いデータの入手も容易になった。

ここで力を発揮するのがＡＩの眼であるコンピュータビジョンである。環境の変化や悪化が一目瞭然になり、客観的なデータとして把握できる。人々の行動を変える原動力にもなるだろう。

⑦の「食料危機を回避する」は、人口が急増する中、これまでと同じように天然の資源を使い続けて食料を確保するのが困難になっている現実が背景にある。

常識にとらわれていては解決するのは難しい。不可能だと思っていたことも、ＡＩによるけた外れの試行錯誤の能力によって解けることがある。日本、そして世界のチャレンジャーがＡＩそしてＷｅｂ３という武器を手に食の分野でも成果を出し始めている。

⑤気候変動に対応する

米グーグル

ほぼリアルタイムで気候変動の影響を可視化

米グーグルはＡＩを利用して地球の表面がどのように変化しているのかを可視化するサービスを公開した。気候変動による影響がどの程度あるのかをより具体的なイメージを持って知ることができる。地球温暖化による、洪水、火災などの影響を可視化することで、人々の意識を変えたり、環境ソリューションの開発を後押ししたりする狙いがある。

２０２２年６月にグーグルはダイナミックワールド（Dynamic World）と呼ぶプロジェクトを始めた。現在では、衛星画像とＡＩ画像認識を利用し、地表の状態がどういったものであるかを１０ｍ四方の単位で自動認識する。

ダイナミックワールドは、解像度が高く更新頻度も高いとされる欧州の宇宙機関の人工衛星群であるCopernicus Sentinel 2のデータを利用する。同衛星群からのデータを読み込んだうえで、グーグルのＡＩが表面の状況を判定する。グーグルの地球地図サービス「グーグルアース」のエンジンも利用して、週単位や月単位での変化を可視化し、判断に利用する。具体的には、木、作物、市街地、水生植物、裸地、雪や氷、低木、低灌木、水、草地といった種類を判定する。

森林火災の前後の変化を見える化

米カリフォルニア州では温暖化の影響と見られる森林火災が頻発している。図を見れば、2021年8月14日に発生した森林火災の結果、地表面が木から低灌木つまり低い木のエリアになってしまったことが一目で分かる。裸地も増えている。

ほかにも都市開発がどの程度進んだのか、火山灰がどのような被害をどの程度のエリアにもたらしたのかといったことがＡＩで可視化できる。

平均気温の変化や異常気象で地球温暖化が進展していると多くの人が感じている。しかし実際に自分たちのエリアにどのような影響をもたらしているのかを容易かつリアルタイムに把握するのは難しい。

ダイナミックワールドのような取り組みが存在

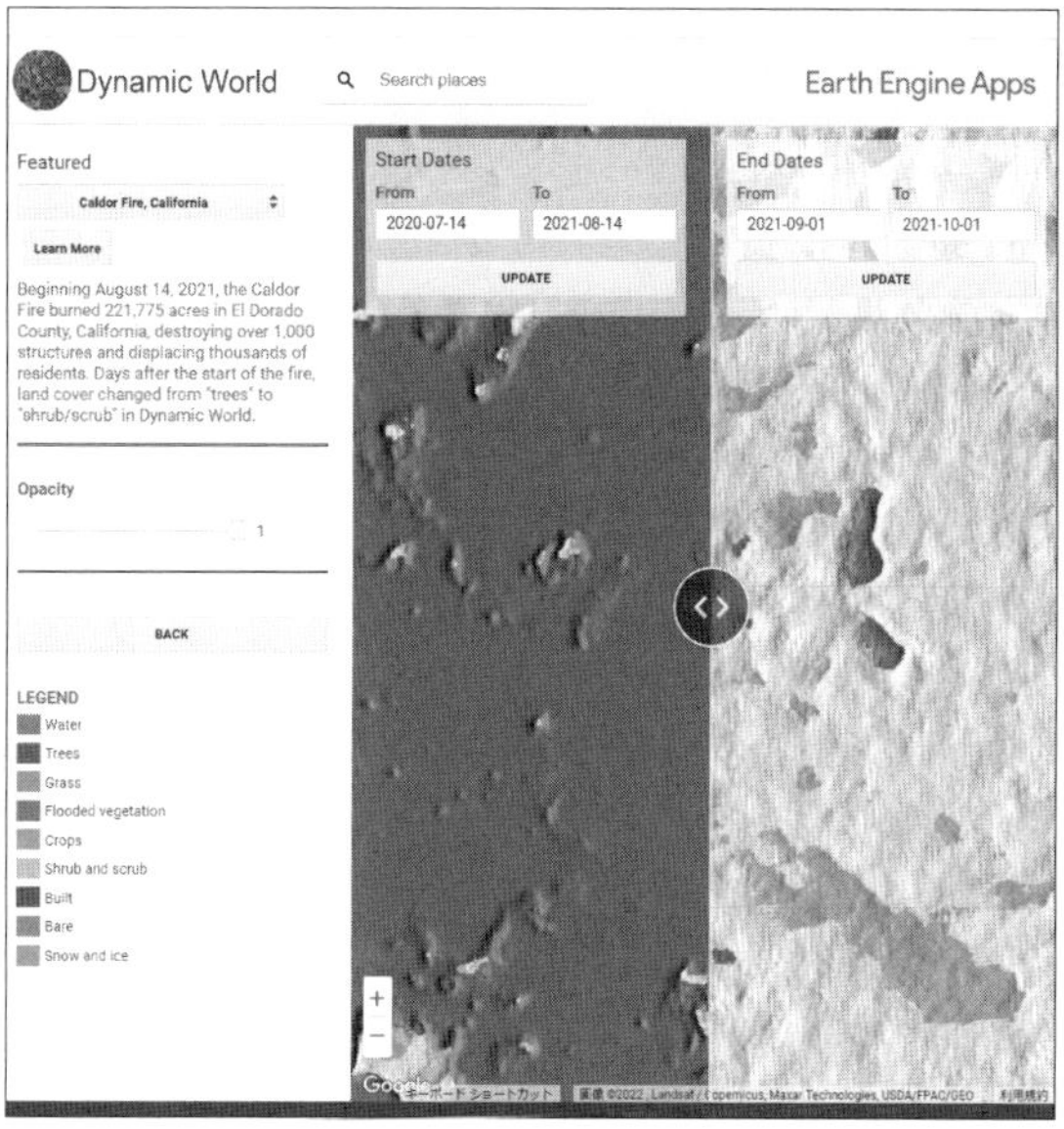

グーグルのプロジェクトダイナミックワールドによる特定エリアの地表可視化。AIとビッグデータを活用することで、気象変動の与える影響の詳細な可視化を実現している
（出所:米グーグルのDynamic Worldのサイト）

することで、世界中から温暖化を解決する知恵を集めたり、CO_2の排出権のクレジットの対象のエリアとなっている場所が緑地のまま保たれているのかを確かめたりできるようになる。データを基にした社会課題解決に直結する可視化プラットフォームといえるだろう。

ダイナミックワールドは画像認識ＡＩと各種衛星データの統合によって、状態の可視化を実現した。ファクトとなる画像の状態を時系列で比較することが、地球温暖化に対処しようという行動変容につながる。グーグルは、ダイナミックワールドが農業や土地利用計画、環境保護など、さまざまな社会課題解決に利用されることを期待しているという。

取り組みとしてＢＡＳＩＣｓフレームワークのほぼすべての要素を利用しているが、効果の可視化のＡと行動変容のＢの活用が肝と言える。

日本気象協会、ソフトバンク

店舗の来客者数を気象と人流データからＡＩが予測

ソフトバンクと日本気象協会は小売・飲食業界向けに需要予測サービスを共同で開発し、ソフトバンクが2022年1月にサービスの提供を開始した。両者が保有する人の動きと気象のビッグデータを共同開発のＡＩアルゴリズムで解析する。店舗ごとの来店者数を予測できるという。気候変動が深刻化するなか、気象データの積極活用で新たな商機を探る。

小売業や飲食業ではさまざまな方法で需要を予測しようとする。どの商品やメニューがどれだけ売れるか、どれくらいの在庫を用意しておけばよいのか、店舗を運営する人員をどれくらい手配するかなどを決めるために不可欠な情報だからだ。利益を最大化するために、店舗を運営するさまざまな資源を最適配置する。その意思決定に需要予測が使われる。

ソフトバンクと日本気象協会が開発した需要予測サービス「サキミル」が予測の対象とするのは小売店や飲食店への来客者数。両者が持っているビッグデータから需要予測サービスという価値を創造しようとする。

AIアルゴリズムは両者で共同開発

「サキミル」は主に3種類のデータを使う。

1つはソフトバンクの人流統計データだ。ソフトバンクの携帯電話基地局から得られる数千万台の端末の位置情報データを基に日本の総人口と等しい約1・2億人の動きを推計する。店舗周辺の商圏エリアの人流把握が可能で、過去の来店実績だけに頼らない予測が可能になるという。新型コロナウイルスの

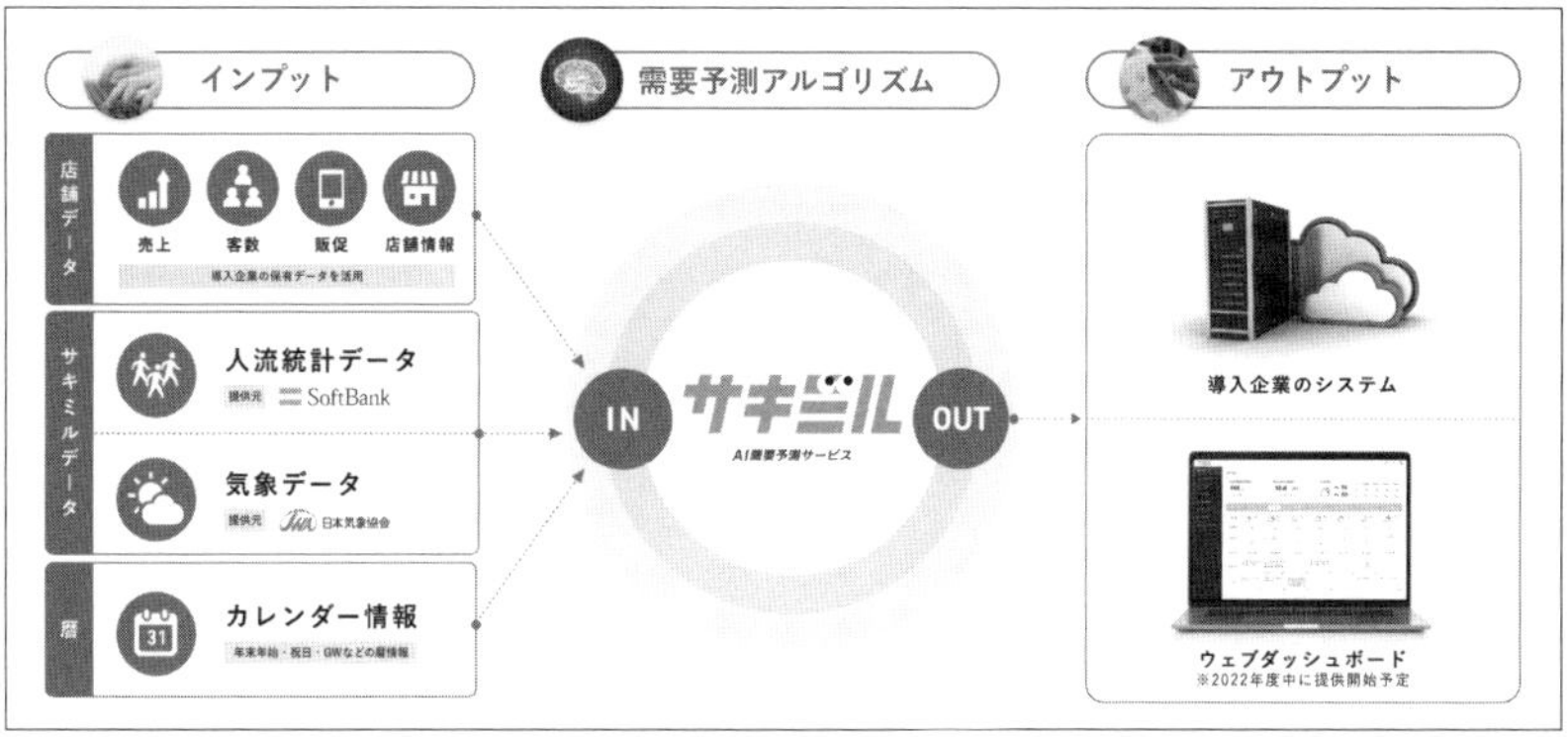

サキミルは気象と人流のデータから店舗データ、カレンダーを考慮して来店人数を予測する
（出所:日本気象協会、ソフトバンクのプレスリリース）

感染拡大などのような突発的事態で短期間に人流が変化した場合も、最新のデータを基に予測できる。人流統計データは、個人のプライバシーに最大限配慮し、個人を特定されないように匿名化および推計処理、統計加工している。個人を容易に特定できる可能性がある少人数のデータも含まない。

２つ目は、日本気象協会が保有する気温や日射量、風速、降水、降雪、湿度、天気などの気象データ。

３つ目は導入企業が保有する店舗ごとの売り上げや来店客数などだ。

これらのデータを分析するＡＩアルゴリズムは、ソフトバンクのデータサイエンティストと日本気象協会の気象分析データサイエンティストが共同で開発した。個別店舗の来客者数について14日間分を１日ごとに予測する。予測された来店客数に応じて商品の発注数や勤務シフトなどを調整できるので、フードロスの削減や人員配置の最適化が可能になる。キャンペーンやイベントの企画、クーポンの配信など販促施策の検討にも使える。

需要予測やシフト作成など追加予定

「サキミル」では、サービス開発の過程で事前検証を行った。検証の場は、中部地方を中心にスーパーやドラッグストアなどを展開するバローホールディングスの店舗だ。バローホールディングスは以前からさまざまな需要予測に取り組んでおり、気象データが活用できないかと検討していたという。検証は２０２１年３月にグループの中部薬品が運営するドラッグストア10店舗で実施した。実際の来店者数に対して「サキミル」の予測来店者数の誤差は平均７％だったという。現在のサキミルは導入企業のシステムに連携して利用する。当初は「来店客数予測」の機能を提供する。今後は小売・飲食業で必要とされている商品の需要予測機能、在庫発注やシフト作成、販促連携などの機能を追加する計画だ。

気象ビッグデータの価値を社会に還元

日本気象協会は、自らが収集した気象ビッグデータの価値を社会に還元したいと考えてきた。全産業の３分の１は気象リスクにさらされており、気象ビッグデータによる将来予測を活用できればリスクを低減できる。情報を継続して提供するために、２０１７年に需要予測事業を立ち上げた。ただ、これまではＡＩモデルを個別ケースに合わせて調整するため高額になり、大手企業に利用がかたよっていたという。

気象は需要変動の一要因にすぎず、コロナ禍の影響で従来のモデルでは需要の予測が難しくなっている。そこでソフトバンクの人流データとシステム化技術、営業力と日本気象協会の気象データやモデル構築技術、コンサルティング技術などを組み合わせ、多くの企業に利用してもらうことを想定してサキミルを開発した。

導入も始まっている。事前検証を行ったバローホールディングスは、グループ企業がそれぞれ運営する合計約１２００の店舗に順次導入する予定だ。チョコレートや関連商品の製造、販売などを手掛けるゴディバジャパンは同社が運営する約３００店舗を対象に、導入に向けた検討を進める。

本事例はＢＡＳＩＣｓフレームワークの多くの要素を活用しているが、特にＣの複数データによる価値化が鍵を握っていると言える。日本気象協会 事業本部 社会・防災事業部専任主任技師の中野俊夫氏は「日本気象協会として保有している気象ビッグデータを社会に還元したい思いがある。今回のようなサービスで活用することで、企業そして個人への還元が加速し、さらに我々もどのような気象データが必要なのかを知ることができる」と語る。

⑥脱炭素、省資源に挑む

米パチャマ

ＡＩでCO_2量を予測、カーボン市場を透明化

米パチャマ（Pachama）は不透明性が指摘されるカーボンオフセットの市場を信頼できるものへと変えようとしている。ＩＴを持ち込み、ＡＩとリモートセンシングを活用して、森林による炭素回収状況を監視し透明性を確保。森林再生や森林保全に向かう資金を動かし、気候変動の解決に挑む。

「私たちは、森林再生や森林保全プロジェクトをサポートすることでネットゼロやカーボンニュートラルを達成しようとしている企業を支援するテクノロジープラットフォームです」。パチャマの共同創業者の１人でＣＥＯを務めるディエゴ・サエズ－ギル氏は、世界経済フォーラムがＹｏｕＴｕｂｅチャンネルで２０２１年11月に公開した動画「Pachama: How AI is helping reforestation」の中で会社の役割をこう説明する。

２０１８年設立で米サンフランシスコに本社を置く同社は、環境への負荷を削減したり抑制したりする技術を提供するクリーンテック分野のスタートアップだ。

ネットゼロやカーボンニュートラルを達成するための仕組みがカーボンオフセット。日常生活や経済活

動ではCO_2などの温室効果ガスの排出を避けることができない。どうしても排出されてしまう温室効果ガスもある。このような場合、排出量に見合った温室効果ガスの削減活動に投資することなどによって温室効果ガスの排出を埋め合わせるという考え方だ。投資はカーボンクレジットという形で金額が付き、取引される。

衛星画像などから炭素回収状況をＡＩで推定

カーボンオフセットの方法の１つに、森林の再生・保全プロジェクトへの投資がある。森林再生と森林保全は温室効果ガスを減らす確実で安価な方法と考えられてきた。ただ、このようなプロジェクトへの投資は仲介業者が中心になって進むことが多く、プロジェクトの効果が過大に計算されたり、販売済みのプロジェクトの権利が再度販売されたりするといった問題が指摘されている。

これをＩＴで解決したのがパチャマだ。パチャ

パチャマによる排出炭素量の推定を説明するページ。実際の画面では地図上のエリアが色分けされている
（出所:パチャマのホームページ）

マは、衛星画像や森林に置いた計測機器ネットワーク、レーザー光を利用したＬｉＤＡＲ画像、その他のリモートセンシングデータを利用し、森林の状態を継続的に監視する。収集したデータを基にＡＩで森林の特性を見極め、炭素回収状況を推定する。ＢＡＳＩＣｓフレームワークのほとんどを活用した取り組みと言えるが、なかでもＣに相当する複数データからの価値化がブレークスルーを生んでいる。

クレジットの８割は森林保護プロジェクトに

同社は独自に監視する森林プロジェクトをピックアップして投資を募る。カーボンオフセットを実現するために企業は、パチャマが炭素回収状況を監視している森林プロジェクトの中からこれはと判断したもののカーボンクレジットを購入する。

パチャマが扱うプロジェクトは監視の仕組みによって透明性を担保しているので、カーボンクレジットの購入者は投資が効果を挙げているかどうかを継続して検証できる。

同社が販売したカーボンクレジットは、80％が森林プロジェクト開発者に送られ、20％が同社の売り上げとなる。プロジェクト開発者はこの資金を利用して、パトロールや森林の保全、コミュニティーの保護などに取り組み、残りを森林保護に同意している土地所有者に渡す。パチャマはリモートセンシングのデータ取得、研究開発、会社組織の運営に売り上げを充てる。

パチャマのホームページには監視している森林プロジェクトがアメリカの森林地帯やアマゾン川の熱帯雨林地域を中心に19カ所掲載されている。森林の面積は96万４０００ヘクタールに及ぶ。

自動計算用のＡＰＩを提供

透明性の担保のため、パチャマはＩＴを活用した顧客への情報やサービスの提供を積極的に進める。具体的にはデータを外部に提供するためのインターフェースとなるＡＰＩを用意。カーボンクレジットの購入者がこのＡＰＩを使うと、購入者の情報システムから過去のカーボンクレジット購入履歴にアクセスしたり、自社の製品やサービスから発生するカーボンクレジットを自動的に計算したりできる。手動で自社の排出量を追跡し、カーボンクレジットを算出する必要がなくなる。

米ノリ

Ｗｅｂ3でCO_2取引を透明化、暗号資産をフル活用

カーボンオフセットに関しては排出権のクレジットが実態よりも多く提供されているという問題も指摘される。この分野でいち早く、Ｗｅｂ3を活用し排出権クレジットの見える化とインセンティブ設計に取り組んだスタートアップが注目されている。

パチャマとは異なるアプローチ、Ｗｅｂ3の発想でカーボンオフセットを巡るクレジットの不透明さの抜本的解消に挑むのが、米国のスタートアップのノリ（Ｎｏｒｉ）である。同社は、CO_2を吸収する畑

を管理・維持する農家とクレジットを購入する企業を結びつけるマーケットプレースを運営するプラットフォーマーと、クレジットの真正性を証明する認証機関の２つの顔を持つ。

ノリの提供するマーケットプレースの特徴はブロックチェーンを利用して、誰がその畑のクレジットを購入したのかが一目瞭然なことだ。クレジットは「ＮＲＴ（Nori Carbon Removal Tonne）」と呼ぶトークンで発行しており、ブロックチェーンの技術で管理している。対象のＮＲＴは企業がクレジットを購入した時点で消滅する。このようにブロックチェーンで管理することで唯一無二のクレジットとなり透明性が担保される。ノリはこのＮＲＴ取引の15％の手数料を収入とする。

ＮＲＴの１単位はCO_2を10年間で１トン除去するのに相当する。これをＮＦＴの仕組

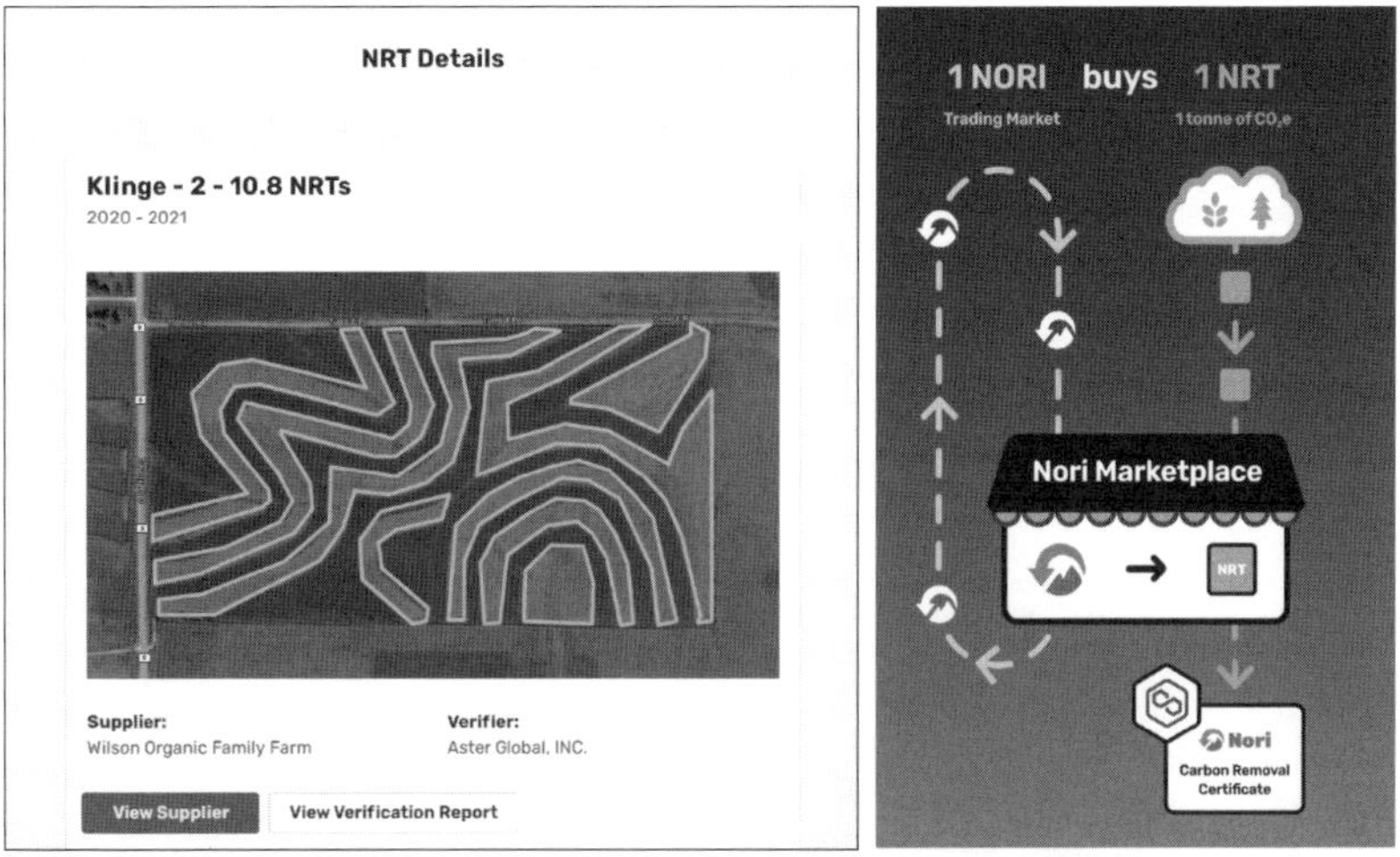

畑のどのエリアを誰が保有し、どの程度クレジットを発行しているのかが見える化されている（左）。クレジットを「NRT」で発行し、農家らは暗号資産の「NORI」と交換することで、ドルに変換することもできる
（出所：ノリのホームページ）

みを利用して発行しており、原本であることを担保する。ブロックチェーン上に各農家によるCO_2除去への毎年の畑への取り組みが書きこまれる。ブロックチェーンだから改ざんは実質的に不可能だ。数年が経過したら畑が開発されて消滅したにもかかわらず、クレジットの購入者が実態を把握できないといった事態を回避する狙いだ。

クレジットの価格も市場価値で決まる

独自のプラットフォームによって、ノリはクレジットがいつ誰に販売されたのか、その農地が持続しているのかを正しく記録し透明化する。

さらにNRTはノリが発行する「NORI」と呼ぶ暗号資産で売買できる。1NRTは1NORIで購入できる。企業はNORIをマーケットでドルを支払って購入し、NORIを受け取った農家はマーケットで売却することでドルの収入を得ることができる。

NORIはビットコインのようにデジタル通貨として流通するが、CO_2のクレジットへの需要が高まれば価格が上昇する。需要が高まると判断して、すぐにドルに変換せずに保有していれば、より多くの利益を農家が得られることになる。

ノリは、Web3の時代に社会課題の解決とビジネスが両立する可能性を示している。そしてBASICsフレームワークをフルに活用しており、効果の可視化のAを実現することで、Iの持続できる経済性を実現したものだ。

参考文献
＊日本経済新聞２０２１年12月13日付け「張りぼての脱炭素取引　CO_2削減量クレジット過大発行」
＊Ｑｕａｒｔｚメールマガジン「Ｓｔａｒｔｕｐ：透明化のグリーンテック」（２０２２年5月30日配信）

米テスラ

エネルギーに軸足、CO_2削減と電力持続の課題解決に

米国ではエネルギーに関して、CO_2削減の要請だけでなく、１年に数回は停電に遭遇する脆弱な電力インフラという課題が横たわる。世界の自動車会社で時価総額１位に躍り出た米テスラは、電気自動車（ＥＶ）をベースに、この課題の解決に乗り出した。

テスラはＥＶに特化した自動車メーカーとして注目を集めてきた。スポーツカーからセダン、ＳＵＶへとラインアップを広げ、米国で人気のピックアップトラックも発売する。ＥＶ生産にとどまらない脱炭素時代を見据えた取り組みが評価され、２０２２年７月末時点の株式時価総額は１００兆円を超えており、トヨタ自動車の２倍以上で自動車メーカー１位になる。

脱炭素の時代に向け、テスラが現在投資しているのが、エネルギー関連のテクノロジーと生産設備。ＥＶメーカーにとどまらないエネルギー会社としての性格を強めている。子会社のテスラエナジーは住宅用ソーラーパネルなどの設計・施工を手掛ける。

「Tesla：Electric Cars, Solar & Clean Energy」

テスラのサイトでは、この言葉が目に飛び込んでくる。EV4車種の次には「Solar Roof」「Solar Panels」、そして蓄電池と電力商材が並ぶ。家庭向けのソーラールーフやパネル、蓄電池を用意しており、EVと同じくスマホアプリで電力の状況を確認できる。

ソーラーシステムの購入者は昼間のうちにソーラールーフやソーラーパネルから蓄電池に電気を貯め、停電した際にも貯めておいた電気を住宅に給電できる。電力インフラが脆弱なため、高級住宅街でも1年に数回は停電が起こる米国ではニーズの高い機能だ。ハリケーンの被害を受けやすく、より停電が頻繁に起こる中西部ではなおさらだ。

カリフォルニア州の一部では仮想発電所の実験を始めている。仮想発電所とは、実際に発電所を作るのではなく、電力を消費する企業や家庭などの需要家が持つ蓄電池やEV、太陽光発電設備などから電力を調達してITで制御し、あたかも発電所があるように電力を供給する仕組みのことだ。テスラの据え置き型の大型蓄電池の購入者を対象にしており、カリフォルニ

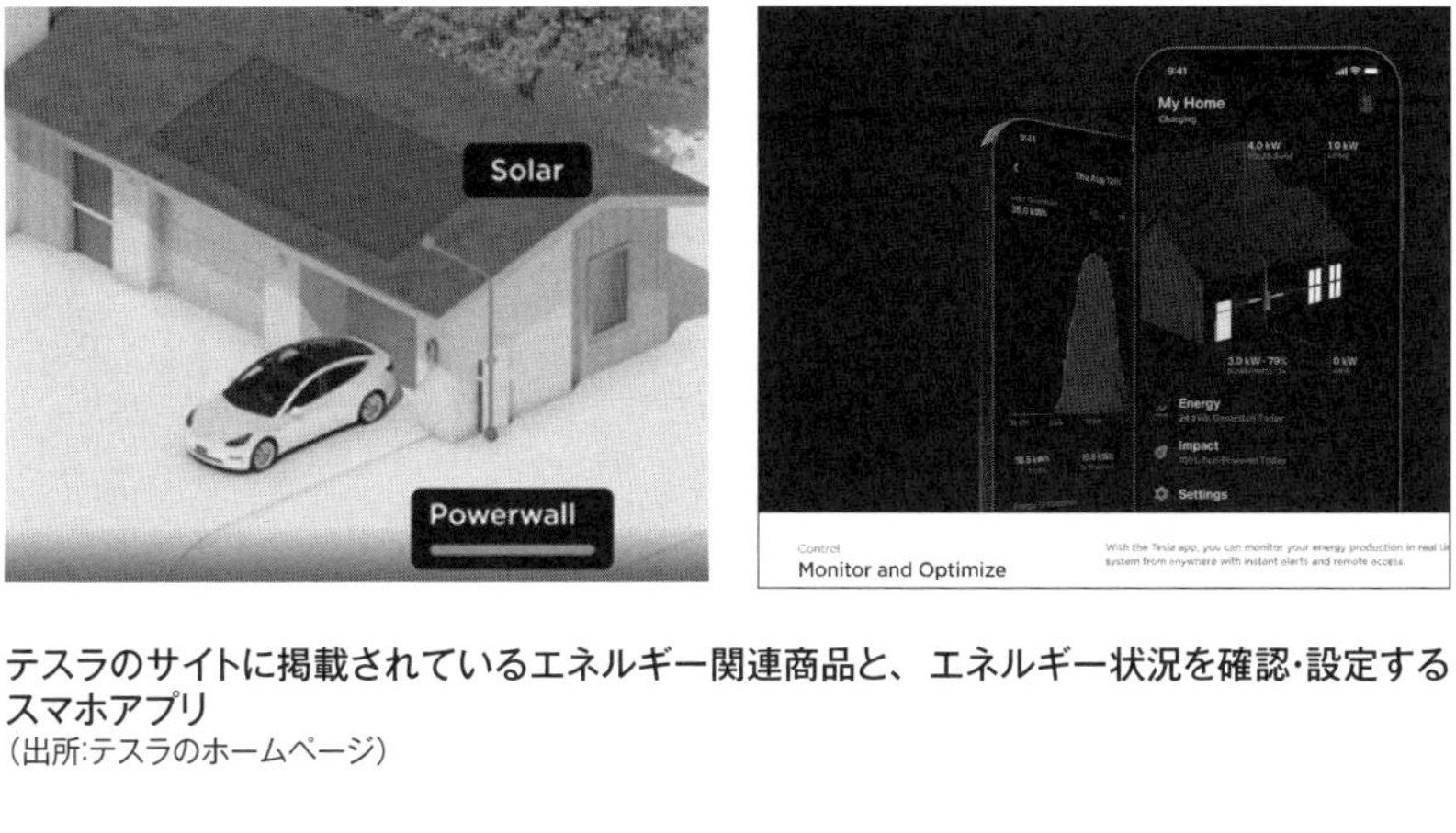

テスラのサイトに掲載されているエネルギー関連商品と、エネルギー状況を確認・設定するスマホアプリ
(出所:テスラのホームページ)

ア州の電力会社の発電量が足りない場合などに自動的に給電する。

家庭で余剰となっている予備電力が対象で、スマホアプリから仮想発電所に参加できる。提供した電力に応じてクレジットとして報酬を得ることも可能だ。

顧客とのＷｉｎ－Ｗｉｎでデータを活用

本業であるＥＶも脱炭素を推進する。ＥＶは化石燃料車に比べて環境負荷を減らせる可能性が高いと言われてきたが、なかなか普及してこなかった。テスラはこの壁を破った企業でもある。

ユニークなデザイン、機械式のメーターではなく巨大なタッチパネルを使ったユーザーインターフェースなども評価されたのだろうが、将来的な自動運転まで見据えた運転支援システムも利用者の心をとらえた。毎月１回、スマホのようにソフトウエアをアップデートすることでＥＶの機能を改善するスタイルもこれまでの自動車にはなかったものだ。

多くのテスラオーナーが走行データを提供することに抵抗感を持たない。利用者からの走行データを収集することでテスラは運転支援システムの機能を次々と強化しているからだ。提供される走行データが増えれば、さらに運転支援システムの利便性が向上し、自動運転に近づく。まさにＡＩのぐるぐるモデルの自動車版である。

テスラのビジネスは、ＢＡＳＩＣｓモデルのほとんどが関係する。運転支援システムの進化を実現させているのは、Ｓ（規模の追求と継続的改良）とＣ（データ価値の創出）にほかならない。

同社のイーロン・マスクＣＥＯは、将来の完全自動運転を公言している。現実化した際には、テスラの

ＥＶを持ち主が利用していない空き時間に貸し出せるようにするとぶち上げた。「ロボタクシー」と呼んでおり、ウーバーのようなライドシェアサービスを実現する。アプリから呼び出せるようになり、持ち主は１年間で最大３万ドル稼ぐことも可能だとしている。

参考文献
＊日経クロストレンド「テスラが完全自動運転タクシー、友人同士のシェア機能も」
＊日経クロステック「米住宅太陽光・蓄電池の市場動向、『LG』『テスラ』が2強に」

⑦食料危機を回避する

プランテックス

5倍の生産性を実現し、スケールが容易な次世代植物工場

植物の育成には大量の水や肥料が必要となり、急増する地球の人口分の食料をまかなうのが限界を迎えようとしている。この課題を新発想の植物工場とAIの活用で解消しようとしているのが、スタートアップのプランテックスである。一般的な植物工場と異なり、個別に密閉した栽培装置で、温度や水、湿度、栄養素などを緻密に管理することで、より多く早く収穫したり、機能性の高い食物を生産したりできるようにした。大手企業とも提携し、食料危機という社会課題の解決に挑む。

「さまざまな工場の跡地などにも設置でき、面積当たりの収量もレタスであれば他の植物工場の約5倍まで引き上げることができる。仮に東京ディズニーランド程度の面積があれば、日本の全国民が食べる量のレタスを生産できる」プランテックスの山田眞次郎会長はこう胸を張る。同社の植物工場の試験ラインは東京都心の銀座にほど近い京橋にある。一見、普通の雑居ビルに足を踏み入れると、そこには半導体のクリーンルームのような光景が広がる。装置や収穫作業を見学できる大きな一枚ガラスの上には、生産ラインの環境をモニタリングしている様子がモニターに映し出されている。まさに次世代の植物工場であり

「我々はプラントとファクトリーを合わせて、〝プラントリー〟と呼んでいる。これは農学と工学の融合だ」（山田会長）

一般的な植物工場との違いは、自然界とは異なるベストの環境を探求し、それを実現することだ。

プランテックスは植物工場に関する300本あまりの論文を読破し、植物工場内で起きる事象を数式でひもといていった。そこから見いだしたのが、「光」「CO_2」「湿度」「イオン濃度」「風量」など20種類の重要な環境条件である。どのタイミングでどの環境条件をどのように設定すべきか。膨大な組み合わせの中から最適な組み合わせの探索が始まった。

こうした条件をコントロールするのは至難の技だ。と言うのも、一般的な植物工場では環境制御のムラが大きく出てしまう。広い栽培室を制御しようとしても、ある工場では場所によっ

東京・京橋にあるプランテックスの研究開発拠点。植物の育成にとって重要な環境条件をコントロールできる装置を開発した。写真は山田眞次郎会長

て気温に5度程度もの差が生じていた。これではベストの条件を見いだすのも難しいし、それを再現することもできない。

そこでプランテックスが開発したのが、植物生産用の密閉した装置である。それぞれの環境条件について緻密な条件設定が可能となり、装置内の各所に設置されたセンサーで常時確認することもできる。さらには、光合成速度など、植物の反応そのものも計測している。これはＢＡＳＩＣｓフレームワークのＡの効果の可視化に結び付くものをクリアにしたと言える。

20種類の環境条件の設定値、そしてこれをいつどう適用するのかの組み合わせは無数にある。気の遠くなるような各要素の組み合わせを、機械学習を活用して最適化する試みも行っている。どのパラメーターのどの設定が成長や栄養素など、狙った最終成果の特性に効いているのか。狙った特性を実現するにはどのパラメーター同士の関連が高いのか。これらを機械学習によって見いだすことも可能となる。

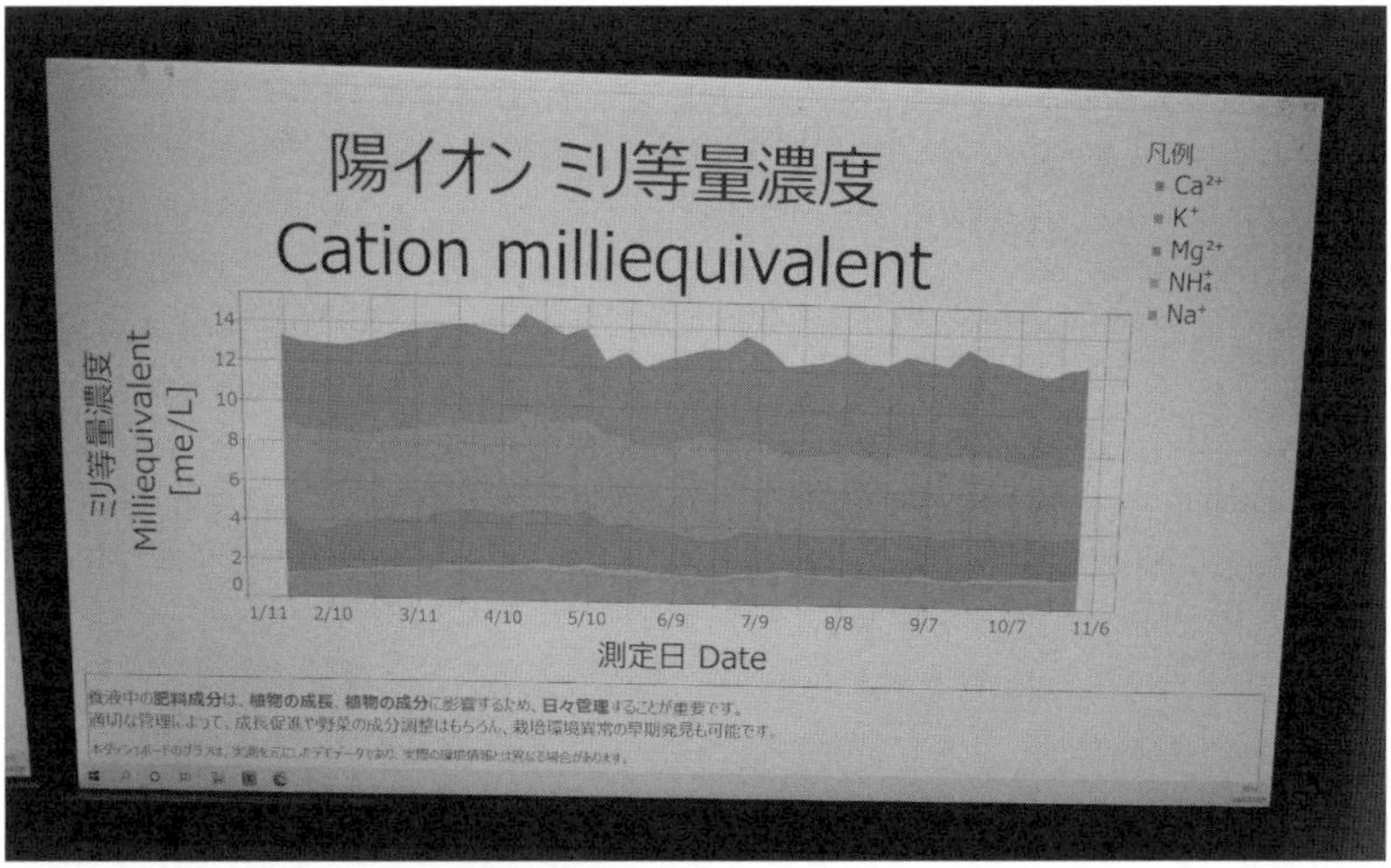

プランテックスの装置内の環境条件のディスプレーの例

山田会長は「植物には味や栄養素、匂いなど、さまざまな特性があり、それらが育てる条件によって大きく変えられることがわかってきた。植物の品種も無数にあり、まだまだ探求することは膨大である。探索が進むことで、効率よく持続可能な食料供給を可能とするのと同時に、従来よりもさらにおいしく健康的な食を提供することができると考えている。それらを両立できることが、植物工場の最大の魅力だ」と語る。

量と質の両方でスケールするプラントリー

プランテックスのプラントリーの最大のメリットの1つがBASICsフレームワークのSに含まれる「スケール」だ。

20種類の環境条件を最適化した環境によって、信じられないような生産性が実現できる。例えば、レタスであれば面積当たりの生産性を他の植物工場の約5倍まで高めることが可能という。さらに環境制御を規格化したことで、大規模な工場向けにより装置を大型化しても、装置を水平方向や垂直方向にどのように配置するかを考えるだけで、リニアに収量を増やしていける。

スーパーに工場から〝とりたて〟を納入・販売

プランテックスの技術は実験室の域にとどまるものではなく、既にビジネス展開も大規模に始まっている。2022年6月には大型工場が稼働し始めた。マルエツなどを傘下に持つイオングループのユナイテッド・スーパーマーケット・ホールディングスが、茨城県土浦市に植物工場「ザ・テラベース土浦」を、プランテックスの装置によって実現した。

レタス1個あたりで通常よりも12リットルの節水にもつながる。「消費者の反応は好評。高付加価値の商品として受け入れられている。スーパーの物流拠点にある植物工場からすぐに野菜を納入できるので配送の環境負荷も軽減できる。〝とりたて〟の概念が変わるだろう」(山田会長)

今後、ビジネスとして拡大していくため、こうした装置とシステムの外販を強化していく考えだ。プランテックスはシステムとして装置や設置・運用のノウハウを販売していく役割を担う。作物ごとに異なる〝レシピ〟の販売や、運営の支援で収入を得ていく考えだ。農機具大手のクボタからは出資を受け、海外での連携を検討している。

産業革命以降、人類の数が増え続け、食料の確保のために大量の水が必要となっている。その増加は、通常の工場で使われる工業用水の増加をはるかに超えている。山田会長は「プランテックスの植物工場では、水は基本的にリサイクルしている。我々の取り組みは、世界が抱える食料問題に起因する水不足の課題を解決できる可能性がある」と説明する。

課題もある。最大は電力だ。水はリサイクルできるが、装置内で植物の光合成に必要な光を供給するための電力が必要だ。山田会長は「電力生産性は年々高まっている。余剰電力を利用するなど、さまざまな解決策があるのではないか」と見る。

小麦の一大産地であるウクライナへのロシアの侵攻で、日本は食料の安全保障を見直す必要性に迫られている。食料の国内自給率の引き上げに向け、プランテックスの取り組みは1つの大きな解となる可能性がある。

米インポッシブル・フーズ、米マクドナルド、米ビヨンド・ミート、スイスのフィルメニッヒ

米国の消費者に受け入れられた代替肉、AIによる風味工夫も

食の領域でもサステナビリティーを考慮した挑戦が続く。通常の肉よりも環境負荷が低く効率的な生産が可能な、大豆などの植物を原料とした代替肉が普及し始めた。AIで原材料や香辛料を配合し、肉の味に近づけようとする試みも始まっている。AIなどのテクノロジーによる食の進化で消費者行動が根本的に変わろうとしている。

米インポッシブル・フーズはハンバーガーなどに使われるパテなどの材料を、植物由来の代替肉で実現するフードテックに特化したスタートアップ企業だ。大豆を原料とする主成分に、鉄分などを含むヘムという物質を混ぜることで肉らしさを引き出す。材料、味覚、栄養などの分野に一流の研究者が取り組んでおり、シリコンバレー中心地にある本社オフィスはさながらバイオテクノロジーの研究所のようだ。

米国では、バーガーキングなどの大手外食チェーンがインポッシブルの代替肉を採用したメニューを提供している。マクドナルドはインポッシブルと競合する米ビヨンド・ミートの代替肉を採用して試験販売に取り組んだ。

米国では代替肉がごく普通の存在になりつつある。大手スーパーでも一般客がパッケージ詰めされた代替肉を購入できるようになってきた。

米国の大型スーパーでは、代替肉が普通に販売されている。オーツ麦など植物性の原料を利用した「OAT MILK」は、通常の牛乳と同程度の販売スペースを確保しているケースもある（米カリフォルニア州の大型スーパー）

供給の変化を受け、米国の消費者意識も変わる

２０２２年１月28日の時事通信社の報道によると、マクドナルドでは代替肉を採用したハンバーガーが予想以上の人気を得ている。代替肉のハンバーガーが１店舗あたり１日平均で約70個販売され想定の３倍の売れ行きだという。

家畜の肉は、育てるために膨大な水や牧草などの飼料が必要だが、代替肉では大幅に抑えられる。インポッシブルによると代替肉を利用することで同じ量の肉を牛から得る場合に比べ、１頭当たりバスタブ半分の水と75平方メートル分の牧草地を節約できるという。

代替はさまざまな分野に広がる。牛乳では、オーツ麦、アーモンドなど植物性の原料を利用した製品が一般的になりつつある。米国のスーパーではオーツ麦を利用した「OAT MILK」などの代替牛乳が、通常の牛乳と同程度の販売スペースを確保しているケースも出てきている。

AIで所望の味に近づける

気になるのは味だ。ＡＩを活用して代替肉の味をより本物に近づけようという企業も現れた。香料素材の開発・販売の大手、スイスのフィルメニッヒがそうである。

どのような材料や香料を使えば通常の肉の持つ味や香りを代替できるのか、数千ものパラメーターを分析し、肉の脂肪の感触や煮込んだ時の味、少し焼いた時の味などの再現に成功したという。

テクノロジーやＡＩを活用し、より環境負荷の低い原料で、肉と同様の味や食感を実現しようとする動

きは加速するだろう。日本の大手食品会社も取り組んでいるというが、細胞を培養して人工的に肉を作ろうというアプローチも登場している。

都市など消費地の近くで生産できれば、運送にかかる燃料などのエネルギーを節約できる。サプライチェーンの面からも環境負荷を減らせる。

米ブライトシード

AIで健康にいい化合物を探索、「種の殻から健康物質」

地球には、食物に含まれる未知の成分がいくらでもある。既知の食物に頼ることなく人間に有効な新たな成分が見つかれば、食料危機は遠のく。米スタートアップのブライトシードは健康への影響や相互作用をAIで予測し、人にとって有用な植物由来化合物を迅速に発見する。

ブライトシードは健康に貢献したり、環境に配慮したりできる新たな植物資源の特定を目指す。独自に開発したビッグデータプラットフォームAIの「Forager」を利用すれば、従来の手法に比べ100倍の速さでの予測が可能だとしている。

対象とするのは、生理活性物質と呼ぶ、植物に含まれている低分子化合物だ。生理活性物質は人の健康にさまざまな影響を及ぼすものであり、多くの食品・飲料、医薬品、栄養補助食品などに含まれる。例えば、ウコンのクルクミン、お茶のカフェイン、アスピリンの有効成分といったものがそうだ。一部の抗がん剤にも含まれる。

ブライトシードは４年間で１２０万種類以上の植物化合物のマッピングに成功したとしている。２０２２年３月には、麻の種の外殻から健康に役立つ２種類の強力な化合物を発見したと発表した。１つはマウスの肝臓とヒトの細胞から脂肪を除去する能力を示したという。

現時点で生理活性物質は全体の１％未満、約10万種しか知られていないという。残りの成分を解き明かしていけば大きな可能性が開ける。

「新しい健康ソリューションの驚くべき可能性は、しばしば予想外の場所で発見されることがある。例えば、種皮や外皮が人間の健康のための金鉱であることに気づかず捨ててしまっている」（ブライトシードの共同創業者兼ＣＯＯであるソフィア・エリゾンド氏）。

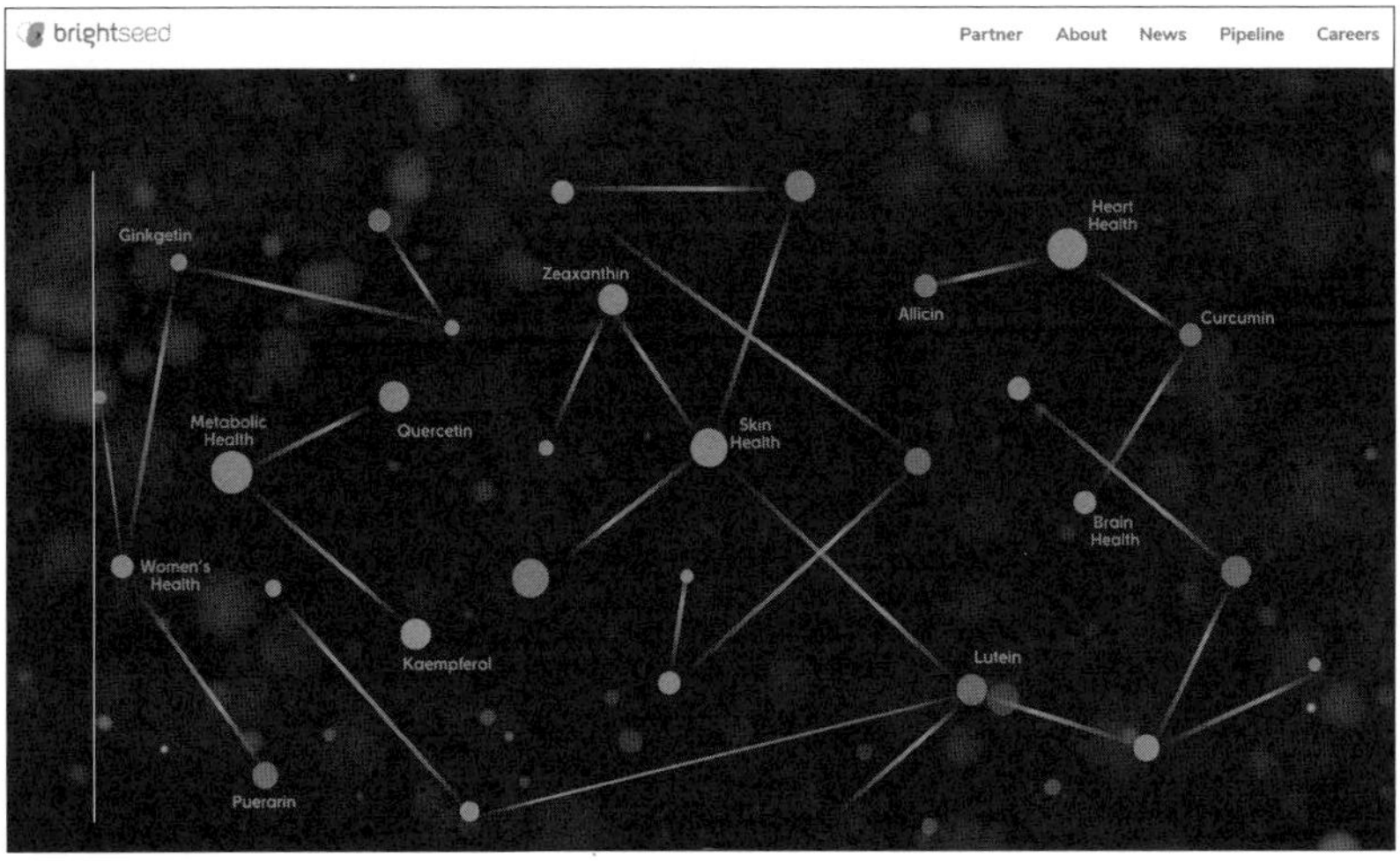

さまざまな植物の成分が、人間の健康に関係している
（出所:ブライトシードのホームページ）

同社は２０２５年までに植物界に存在する約１０００万種の生理活性物質のすべてで健康との関連を明らかにし、食品、健康などの業界に対して提供する考えだ。最終的には人類全体への貢献まで意識している。

ブライトシードの取り組みはＢＡＳＩＣｓフレームワークにおける、常に改善し広く展開し続けるＳに該当する。人間に頼らず、特定データを集積したプラットフォームとＡＩによって、多種多様の物質の組み合わせを迅速に探ることで、新たな可能性を導き出した。

ブライトシードの予測には大手企業も注目する。大手飲料会社の仏ダノンが同社と提携している。

第9章 地域やビジネスを強くする

「地域やビジネスを強くする」は、⑧サプライチェーンを守り、ビジネスを継続させる、⑨地方や中小企業を維持、発展させる、⑩持続可能な生産・製造を実現するの3項目である。

経済活動の継続で社会は持続している。企業がモノを作れなくなり、サービスを提供できなくなれば、人々の生活は破たんする。自給自足で今の社会規模、生活水準を維持するのは不可能だ。

持続可能で質の高いモノづくりは生産設備だけでは実現しない。形式知化されていない人のノウハウがあってこそ成り立つ。少子高齢化が進む中で、暗黙知の継承も問題になっている。「持続可能な生産・製造を実現する」重要性に気づくべきだ。

暗黙知をさまざまな側面から観測して形式知に変えるのは、ＡＩが得意とする分野の1つである。今や映像、音声、センサーなどマルチモーダルのデータから、ＡＩが統合的に処理してノウハウを見いだせるようになっている。

これまで現場を支えてきたベテランが社内にいるのはあと数年かもしれない。いまこそ、ＡＩを活用して技術の伝承に乗り出すときである。

生産できただけで問題は解決しない。必要な時に必要な場所に届かなければ存在しないのと同じだ。逆に不必要な商品を不必要な場所に届けるためにコストをかけてはならない。

普段は意識しないかもしれないが、コロナ禍のロックダウンによってモノ不足は起こった。サプライチェーンの重要性を再認識させる経験だった。「サプライチェーンを守り、ビジネスを継続させる」のも、社会にとって不可欠だ。サプライチェーン上で発生するCO_2への対処も必要で、最適化が急務となっている。サプライチェーンには、配送状況のほか、在庫、売り上げや利益などさまざまなデータが関係している。ここで始まっているのが、ＡＩのぐるぐるモデルのサプライチェーンへの横展開だ。新たなチャレンジの効果が見え始めている。

社会課題は人口が集中する都市部や、収益面で日本をけん引する大企業だけの問題ではない。関わる人間の数、サプライチェーンの維持を考えれば、むしろ地方や中小企業の活力こそが意味を持つ。東京、大阪、名古屋圏と残る地方の人口はほぼ等しい。従業者の総数で見れば全体の7割は中小企業に勤めている。「地方や中小企業を維持、発展させる」ことで、社会全体でバランスの取れた成長が可能になる。

地方や中小企業がＡＩやＤＸ、そしてＷｅｂ3を活用して、競争力を底上げしていく時が来ている。テクノロジーを導入するために必要なコストは減り、クラウドサービスの普及で環境構築のハードルも下がっている。

分散型のデジタル組織であるＤＡＯは、有志が自治体や地域のネットワークに参加するのに格好の仕組みである。トークンのように参加のモチベーションを醸成する舞台装置もそろい始めた。Ｗｅｂ3によって地域振興の形が抜本的に変わるかもしれない。

⑧サプライチェーンを守り、ビジネスを継続させる

ヤマト運輸

MLOpsで3カ月先の日別の業務量を精緻に予測

コロナ禍を契機にECが拡大し、日本の配送を支える物流業界が対応を迫られている。物流大手のヤマト運輸は、コロナ前からEC拡大を見据えAIを活用した業務量予測を進めている。国内の大手企業では珍しい「MLOps(Machine Learning Operations、エムエルオプス)」と呼ぶ新しい手法を活用して、業務量予測の精度を継続的に引き上げる取り組みを始めている。

第1部でも触れたように、AIのぐるぐるモデルの実装の典型例として紹介したMLOpsを、日本の一般企業では物流大手のヤマト運輸が導入し、2021年から実運用を始めている。エクサウィザーズが導入と運用を支援する。

ヤマト運輸は、現在データ・ドリブン経営を推進している。ヤマトホールディングスは2020年1月、経営構造改革プラン「YAMATO NEXT100」を発表した。その中で「宅急便のデジタルトランスフォーメーション（DX）」や「データ・ドリブン経営への転換」など、データに基づいた経営の推進を明確に打ち出している。

ヤマト運輸は、年間約22億7600万個（2021年度）の荷物を取り扱う。全国に約3500カ所ある宅急便の集配を行う各営業所の3カ月先の業務量を、1日ごとに予測することで、営業所のスタッフや車両など、経営リソースの最適配置と、コスト適正化を図ることが目的である。

ヤマト運輸でDX戦略を担当する執行役員の中林紀彦氏は、「目指したのは機械学習モデルの運用高速化と担当者の作業負荷低減だ。毎月運用する機械学習モデルは複数あり、その作業は多岐にわたる。作業負荷の高い状態が続いていたため、機械学習モデルの効率的な開発に、MLOpsの環境を構築することは自然な流れだった。全体としては、予測システムに関係する工数を3分の1以下に抑えることができ、事業部門からのさまざまな要請などに応えられるようになった」と語る。

ヤマト運輸の物流拠点（提供：ヤマト運輸）

予測に対して実績が「下振れ」と「上振れ」では対応が異なる。例えば、上振れ＝荷物が多いケースでは頑張れば目標達成できるが、下振れした場合には経営リソースが余り、赤字になってしまう。つまり下振れと上振れ両方のインパクトを考慮し、経営リソースを最適配置する必要があった。

新たにＥＣ発送の荷物量予測にも取り組んでいる。

ＥＣ発送の荷物量予測は、過去のデータを分析し、ほぼリアルタイムで可視化できる体制を構築した。配送の一部は、パートナーの運送業者にアウトソースしている。荷物量の予測モデルに基づいて、必要なリソースをパートナーに事前通知し、足りない場合は自分たちで確保する。現在はこの予測モデルを利用して２週間から３週間先の荷物量を精緻に予測し、これに基づいて次週の委託量を決定しているという。

中林氏は言う。「『YAMATO NEXT100』では営業利益率６％の確保を明言しているが、経営リソースの最適配置なしには達成できない。つまり、MLOpsの運用環境をきちんと構築できれば、６％は達成できると考えている。その仮説を基に導入を推進している」

実際、荷物の取扱量が増える中、１個当たりの輸送・作業コストは低下しており、営業利益率は２０２０年３月期の約３％から、２０２１年３月期は５・４％まで上昇している。

今後は、登録数５０００万人を超える個人向け会員サービス「クロネコメンバーズ」の会員データの分析など、マーケティング用途にも活用していく考えだ。

ヤマト運輸のように、MLOpsによるぐるぐるモデルの採用が一般企業で進むと、それを使いこなした企業とそうでない企業との競争力に大きな差が出てくることが予想される。

ここまでパワフルな手法であれば、国や地方自治体などで導入することで、少子高齢化への対応力も上がっていくことだろう。ただし、ＭＬＯｐｓの導入には現場の変革やＤＸ人材の配置はもちろんのこと、経営側の理解も欠かせない。ＭＬＯｐｓは各種のデータを利用して予測精度を上げて最終的なビジネス成果を上げていくものだからだ。まさにＢＡＳＩＣｓフレームワークのＳに含まれる継続的改善である。

米ウォルマート、米パックタム

タフで臨機応変なＡＩ交渉人、無数の取引先と納得の条件

コロナ禍で巣ごもり需要が急増した中、複雑化するサプライチェーンがひっ迫している。ＡＩを活用し、ニューノーマル（新常態）に対応しつつ、無数ある取引先ときめ細やかに対応可能なサービスを提案するスタートアップが登場している。

大手流通事業者は大から小まで多くの取引先を抱えるのが一般的で、すべてに対して取引条件を最適化するのは至難の技と言える。長年の課題に対して、小売り世界最大手の米ウォルマートはＡＩの活用によって、取引条件の決定交渉を自動化しようと目指している。

いわば取引担当者が人間からＡＩに変わるわけだが、ウォルマートの取引先にとってもメリットがある。人間では細かな手が回らなかった小規模の取引先にとっては、従来よりも頻繁に条件が見直せるようになり、取引の内容をより満足できるものに変えられる可能性がある。

以下のように「ＡＩ担当者」と、チャットソフトを通じてやり取りする世界が実際に訪れている。

AI担当者：やあ、ジョン。君の会社との取引条件について、理解を深めるためいくつか教えてもらえるかな？例えば（1）支払日を30日から20日に短縮する（2）独占契約を1年から2年にする（3）ペナルティのフィー。どれを重視しているかい？

ジョン：そうだね、（2）（3）（1）といった順番かな。

AI担当者：では、単価が今105ドルのサービスは、いくらまで下げられる？

ジョン：がんばって100ドルかな。

AI担当者：それでは、我々にメリットが少ないので合意できない。では、週末の取引には10％の追加料金を払うとして、95ドルにす

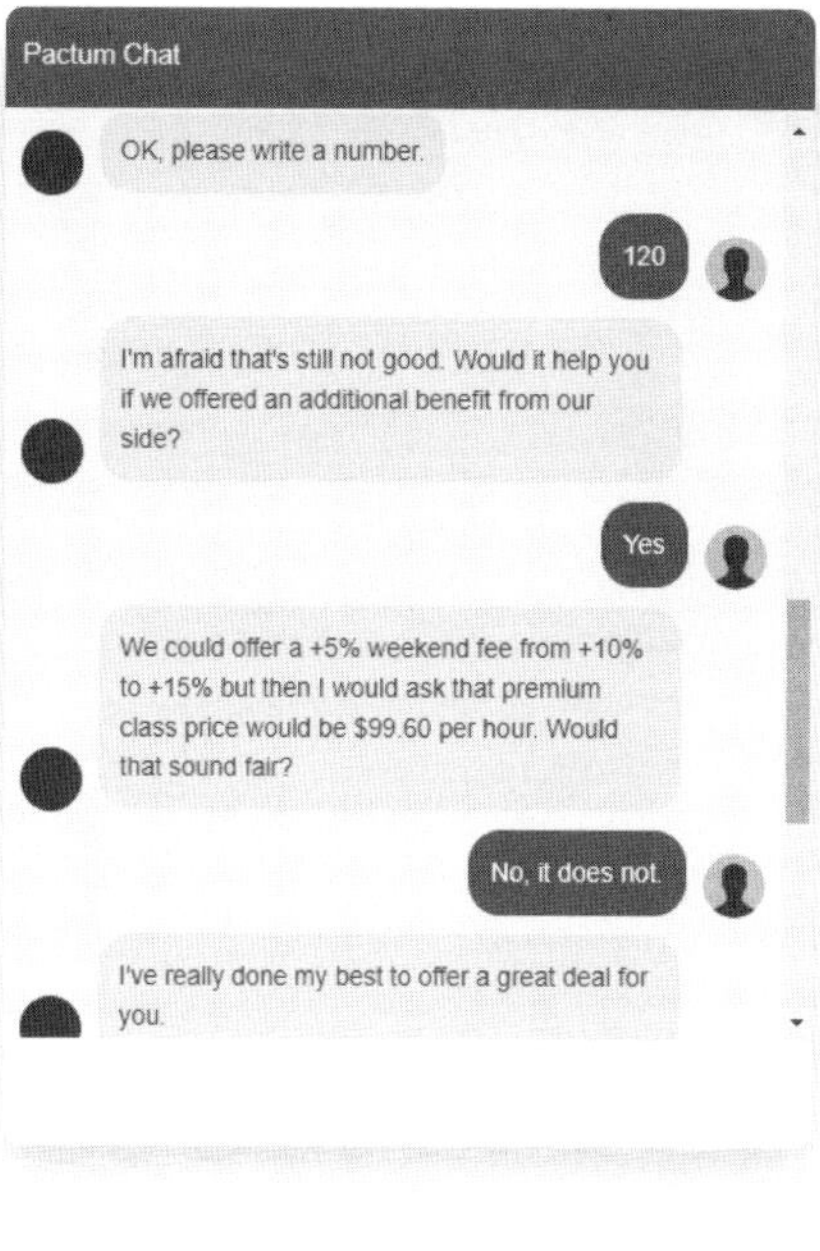

パックタムのAIが顧客とネゴシエーションしているところ
（出所：パックタムのホームページ）

るのはどうかい？

ＡＩ担当者：こちらとしては、好条件を示したつもりだが、違うオファーをしたい。単価を１ドル上げたうえで、２年間の独占契約にしたい。その一方で、24時間以内のキャンセルのペナルティフィーを１００％から70％にしてもらいたい。

ジョン：うーん。それならＯＫだ。

ＡＩ担当者：では、DocuSignのリンクに飛んで契約をお願いします。

少取引の顧客ともじっくり交渉

近い将来、小売業に納入する事業者はこうしたＡＩ担当者とのやり取りがごく普通のものになるかもしれない。チャットソフトの利用は一般化している。相手がＡＩかどうかを意識しなくなっている可能性もある。

ウォルマートは２０２０年に、シリコンバレーのＡＩスタートアップの米パックタム（Ｐａｃｔｕｍ）の開発したＡＩネゴシエーションサービスを試験導入していることを明らかにした。流通業のほか、サプライチェーンに多くの取引先を抱える電機業界が対象になるという。

ウォルマートのような小売大手は、商材やサービスの調達などで１万社以上の取引先を持っているが、大半は一部の大手に集中しそこまで取引量が多くない企業が全体の約８割に達する。すべての企業と四半期ごとに条件を見直すのは担当者にとって大きな負担だ。従来なら人員を拡充して対処するしかなかったが、わずかな取引のために事務処理コストがかさむことになる。

AIを成長させないと競争に負ける

ＡＩネゴシエーションサービスを導入すれば状況は一変する。判断の速さがＡＩの武器だ。社会情勢などに合わせて取引条件を最新に更新できる。しかも一方的に納入価格を値下げしようとするのではなく、取引先が重視する条件を考慮しながら交渉できる。

場合によっては価格を上げたうえで、他の条件で譲歩してバランスをとる。中小の取引先から、人間よりも自社のことを理解してくれていると評価する声も出ているという。

ＡＩネゴシエーションサービスによって、小規模な企業を含め取引先が望む条件がデータとして蓄積される。データが蓄積されればよりウォルマートにとっても取引先にとっても納得できる条件が設定できる。こうなればウォルマートとの取引拡大を望む企業が増える。ＡＩネゴシエーションサービスは、まさにサプライチェーンのぐるぐるモデルと言える。これらはＢＡＳＩＣｓフレームワークのＳのスケールと継続的改善の両方を実現しているものだ。

ネゴシエーションサービスのＳａａＳが普及すれば納入事業者側もＡＩに置き換わる可能性もある。ＡＩ同士の交渉となれば、取引条件は瞬時に最適化される。

一方でＡＩネゴシエーションサービスの利用に当たっては、過去の取引データを学習させたり、人間側で交渉ポリシーを設定したりする必要がある。ＡＩをどう賢く育てていくのか。交渉下手なＡＩが担当すれば競争力が落ちる。人間にはこれまで以上のインテリジェンスが求められる。

スギ薬局

複雑な品揃え選定をＡＩで最適化、店舗の売上向上を狙う

スギ薬局は、国内で広く展開する調剤併設型ドラッグストア「スギ薬局」で２０２１年後半から品揃え最適化ＡＩの運用を開始した。店舗にそろえる商品の組み合わせを最適化し、不要な在庫を減らしながら売り上げの拡大を目指す。ＡＩによる商品構成の見直しが各店舗の競争力を底上げする。

小売業では常に、限られた広さの店舗で売り上げを最大にすること、さらに来店者により良い顧客体験を提供することが求められる。来店者の最後のタッチポイントは売り場であり、店内の棚だ。顧客のニーズや購買行動の変化などに対応する商品を揃えて店舗の棚割りを決めるのは重要な業務になる。

大規模なチェーン店の場合、膨大な種類の取り扱い商品があり、複数のカテゴリー単位で数百に及ぶ。人間が品揃えを具体的な棚割に落とし込むのは大変な労力がかかる。売れ行きに応じて商品を取捨選択して入れ替えながらスペースを調整する必要があるが、商品の組み合わせパターンが膨大になるためマニュアルにもまとめにくい。結果として、棚割りは属人的になることが多く、最適の棚割りをどの店舗でも実現するのは難しかった。

本部担当者が売り上げデータなどから品揃えを最適化

「品揃え最適化ＡＩ」はこの課題を解決する。武器は、膨大な商品数から売上効率を上げる商品の組み

合わせを自動算出する品揃えパターン生成と、過去の商品の購買情報を基に商品の代替可能性を分析し、品揃えから外しても売り上げに影響しづらい商品を決定する代替可能性分析の２つの機能だ。主に過去のＰＯＳデータなどを使い、ＡＩで分析する。

売上実績のある商品を優先的に品揃えする仕組みを備えると、取扱実績がなかった店舗にも売れ行きの良い商品（＝評価の高い商品）が陳列されることになる。顧客が置いてあるだろうと考えている商品や顧客ロイヤリティーの高い商品（特定ブランドなど）を品揃えから外さない仕掛けも組み込まれている。

スギ薬局は関東、中部、関西、北陸に１５００を超える店舗を運営する。店舗の品揃えは商品カテゴリーごとに本部担当者（商品企画、バイヤー）が決める。店舗の棚割りを大きく更新する年に2回のタイミングで品揃え最適化ＡＩを使う。最適化のために利用するデータの範囲は担当者が設定可能で、エリアや店舗グループ、全国のデータなどを選べる。

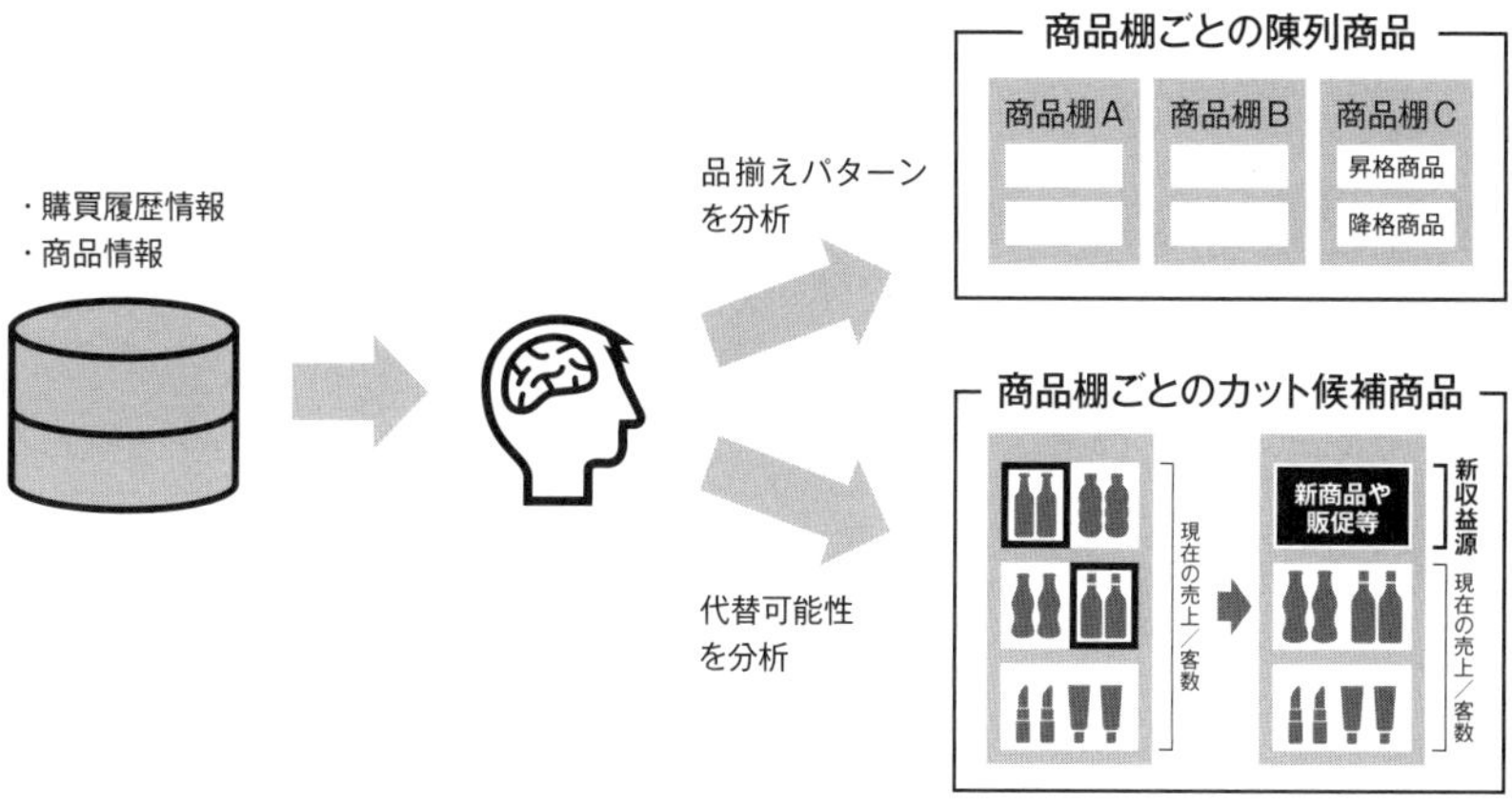

スギ薬局はAIを活用して、店舗における複雑な品揃えの最適化に取り組む
（出所：エクサウィザーズ）

シミュレーションの結果を踏まえて全店舗で活用へ

スギ薬局が品揃え最適化ＡＩを導入した主な目的は、複雑な品揃えの作業を高度化し売り上げを引き上げることにある。

シミュレーションの結果、棚割りをするための品揃えパターン作成業務の標準化で、売上増が期待できることが分かった。これまで担当者によってバラツキがあったが、一定のレベルでの均質化、底上げが達成できているという評価もある。シミュレーションでは売り上げへのインパクトが想定以上に高く、社内でも評価されているという。

スギ薬局は２０２１年後半に品揃え最適化ＡＩの利用を始めた。今後は全店舗でこのシステムを活用する。

幅広い領域をカバーする汎用化を進める

品揃え最適化ＡＩはスギ薬局とエクサウィザーズが共同開発した。このシステムをまず1サイクル（1年）使って、機能面での改善や拡張ポイントを整理する方針である。主にシステム利用者にとっての使いやすさ、出力内容の見やすさなど、ＵＩ／ＵＸの観点での改善などに取り組む予定だ。

棚割り業務はスーパーやコンビニ、ホームセンター、家電量販店などさまざまな小売業で不可欠なものである。将来的には他業種への展開も想定している。

スギ薬局の取り組みはデータの価値化などＢＡＳＩＣｓフレームワークの要素を多く含むが、最大のポイントは、効果の可視化のＡにあるだろう。

⑨地方や中小企業を維持、発展させる

前橋市、帝国データバンク、東京大学など

行政ビッグデータとＡＩで空き家を可視化、防犯や街づくりに

群馬県前橋市は行政の持つビッグデータを活用し、ＡＩによる空き家の判定に取り組んでいる。行政の各部局が持つデータを統合し、８割の確率で迅速に空き家かどうかを判断する。アルゴリズムの改善で判定の精度を継続的に向上させて都市計画や防犯などに活用し、他の自治体にも無償で提供し横展開する考えだ。

「今後はすべての政策がデータに基づき、継続的に判断されることが求められる。その共通言語がデータだ」

前橋市の未来創造部未来政策課の谷内田修課長はこう話す。２０１９年から同市が、帝国データバンク、東京大学、三菱総合研究所と共同のプロジェクトとして取り組んできたのが、ＡＩを活用した空き家の判定だ。従来は外部に委託していたが、現地調査に1年という期間が必要なうえ、調査員によって空き家の判定にバラツキもあった。

問題を解決すべく、プロジェクトメンバーが考えたのが、行政に埋もれたデータの活用である。取り組

みには前橋市の山本龍市長も参画しており、精力的に庁内を駆け回る谷内田課長によってデータの統合を実現した。

実際には住民課の住民基本台帳、水道局の水道使用量、税務課の固定資産課税台帳、各部局のデータを統合して分析した。実行したのはデータのサイロの打破である。民間企業でも同様だが、複数部署のデータを掛け合わせて分析していないケースがよくある。過去の空き家調査の結果を掲載したＰＤＦファイルの情報もデータとして取り出して学習できるようにした。

実際に空き家だったケースを使い、これらの情報を教師データとしてＡＩに学習させ判定するようにした。水道の利用があれば高い確率で人が暮らしていると推定できる。しかし集合住宅など、住居の形態によっては戸別の水道の使用が確認できない

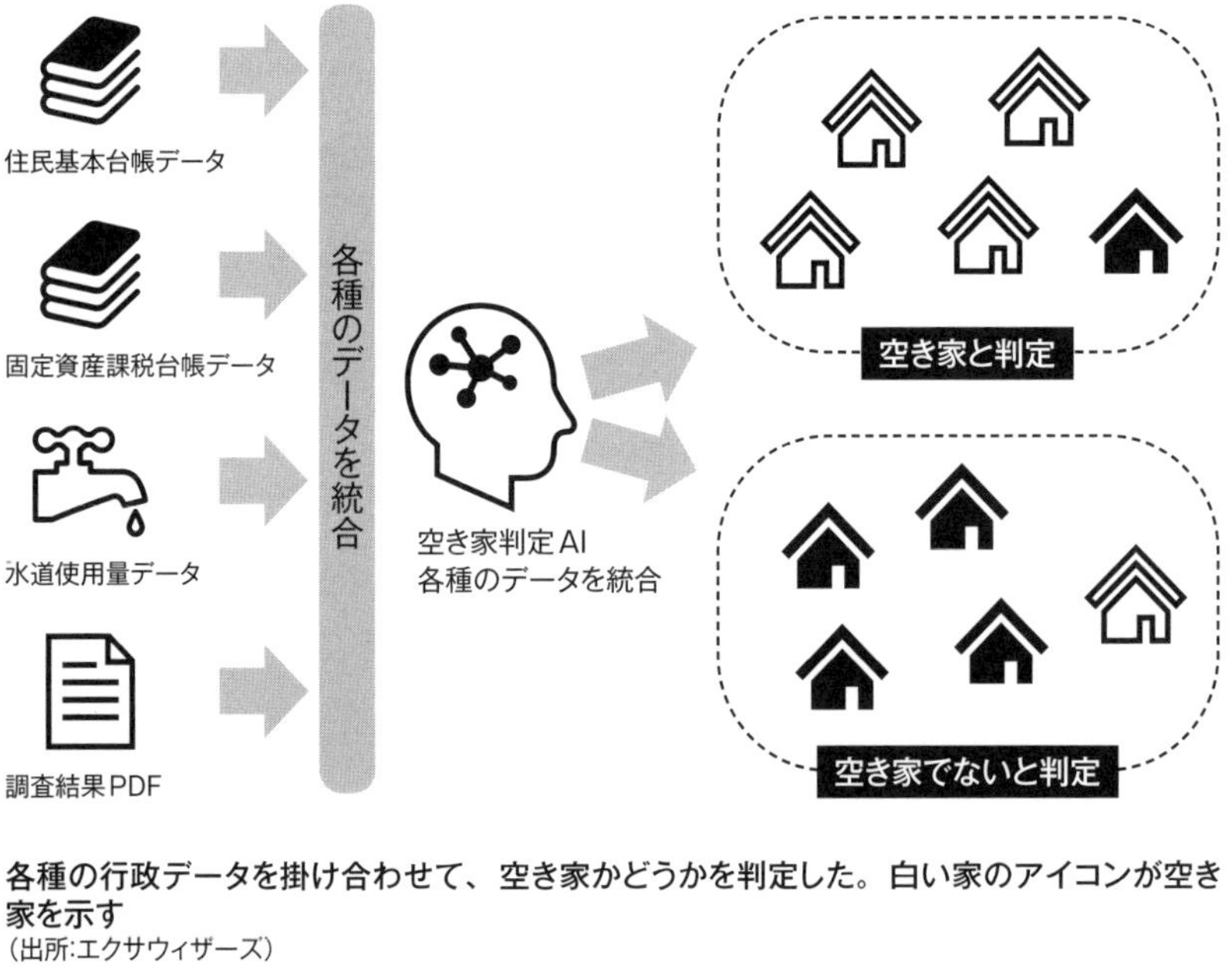

各種の行政データを掛け合わせて、空き家かどうかを判定した。白い家のアイコンが空き家を示す
（出所:エクサウィザーズ）

場合がある。こうした場合、固定資産税の納税状況、他の自治体への移転といった他のデータを加味して、空き家かどうかを判定する。

空き家かどうか０から１で判定

空き家である確率はＡＩが０から１の間で判定する。０・５以上を空き家の可能性ありと定義した。ＡＩによる判定で空き家とされたもののうち実際にそうだったのは約８割、空き家でないと判定されたが実際には空き家だったのは約２割だという。「ＡＩで空き家と判定した場所に関してだけ現地にチェックしにいくことで、手間や予算が大幅に削減できる」（谷内田課長）

データの整備を担当したのは、東京大学および、帝国データバンク企総部企画課の六信孝則課長補佐である。データを統合して分析するには、時期や単位などをそろえる〝研磨〟の作業が欠かせない。六信氏は「データとＡＩの活用で全戸の判定も不可能でなくなった。地図上にデータをプロットし、可視化することでどのエリアで空き家が増えつつあるのか直感的に把握できる。今後はドローンを利用してサーモグラフィーセンサーによる熱の感知等で精度を上げていきたい。家の外観写真による判定も検討している」と言う。

他の自治体にも横展開

前橋市はなぜ空き家対策に乗り出したのか。

背景には、空き家のまま放置される家屋が年々増えていることがある。全国平均で１割を超える。老朽化して危険なだけでなく、人が住まない家屋が増えると防犯上のリスクも高まる。「一定以上空き家が増えるとさまざまな問題が出てくる。一口に空き家と言っても危険なものからそうでないものまでさまざま。現状だけでなく、将来空き家になる確率を算出し、どのエリアが高いのかを判定していきたい。成果を他の自治体にも横展開していくことが決まっている」（谷内田課長）。

同市では市長がこうしたデータによる政策立案や実行に積極的であり、導入にこぎつけた。各部局のデータを横串で活用するには、前橋市のように首長のトップダウンによるリーダーシップが欠かせない。より上流で空き家にしないような住民へのインセンティブ設計も課題だろう。行政だけでは対策に限界がある。「都市開発に関わる民間事業者との連携も必要となる」（谷内田課長）。

空き家の推定や人口推移を基に、政策や都市計画を実施することで、将来の街の姿をどのようにするのか。前橋市は次の世代にどのような資産を残していくのか、新たな打ち手を得られたことになる。

データは統合して価値を高める

この事例に注目するのは、ＢＡＳＩＣｓの要素を数多く含んでいるからだ。特に参考にしたいのが、ＢＡＳＩＣｓのＣ（データの価値を創出）。役所の持つデータには、紙に記載されたものや、ＰＤＦファイルになっているものが多い。こうしたデータは集計できない。データの価値は、紙やＰＤＦを受け取った人が見て終わりである。こうしたアナログデータをデジタルデータに変換すれば、集計、解析が可能になる。ドローンを使った外観写真やサーモグラフィーなどのほかのデータと組み合わせれば、人間には検知できなかったパターンをＡＩが見つけるかもしれない。

人間には分からないパターンをＡＩが判別できるようになると将来、どういった地域で空き家率が高まりそうなのかを予測できるようにもなるかもしれない。データを基に自治体として手を打てるようになる。住民に対する説明もデータをベースにしたものに変わるから、説得力が高まる。ＢＡＳＩＣｓのＡ（効果の可視化）が可能になるわけで、Ｗｅｂ３の価値観が急速に広まっていく中で、自治体の動きの可視化を求める住民が増えるのは間違いない。

将来予測をベースに施策を考え実行し、施策の効果も計測し、効果がないのであれば別の施策をすぐに導入できる。ＢＡＳＩＣｓのＳ（規模の追求と継続的改良）だ。成果を他の自治体に横展開していき、さらに多くのデータを統合していけば、新たな知見が見つかる可能性も高い。数多くの種類のデータが統合され、複雑になり過ぎて人間では判断できないレベルに達したときこそ、ＡＩが本領を発揮する。

最後に強調したいのがＢＡＳＩＣｓのＢ（行動変容）だ。庁内を駆け回った谷内田課長、サポートした山本市長の行動力があったからこそ実現した。市の取り組みが可視化される中で、住民の意識や行動も変化する可能性がある。

アナログだったデータをデジタルにし、いろいろな種類のデータを統合することで、ＢＡＳＩＣｓフレームワークによる社会課題解決が動き始めた。

岩手県紫波町、MAKOTOキャピタル、新潟県・山古志地域

地域のDAOやNFTが続々登場、多様な人材参加で盛り上げる

岩手県紫波町は2022年6月、「Web3タウン」を表明し、地域課題を目指すDAOを設置した。地域を超えて多様な人材との結びつきを創出するのが目的である。新潟県・山古志地域はNFTを発行し、購入者をデジタル住民として受け入れ始めた。

国内の自治体でDAOを設立するのは珍しい。紫波町は仮称として「Furusato DAO（ふるさとダオ）」と名付けている。

DAOは本書でも説明してきたように、トークンのやり取りを通じて、分散型で一定の条件に基づいて、契約したり意思決定したりする組織だ。すべてがオンライン上で完結できる。首長や責任者が意思決定する自治体の一般的な組織とは異なる。

ふるさとダオで想定する取り組みは以下の通りだ。

- DAOに集まる人材やアイデアで地域課題の解決を目指す
- Web3技術を活用した新型地域通貨（トークン）の発行
- 新型地域通貨を使ったふるさと納税の実現と、ふるさと納税 返礼品にNFTを使ったデジタルアートの導入

・Ｗｅｂ３技術の推進に取り組む企業の誘致

これを実現するため、紫波町役場や町民に加えて、国内だけでなく海外のメンバー、民間企業、地元の商店や団体が参加できるとしている。

紫波町には２０２２年５月末時点で人口約３万３０００人、約１万２０００世帯が暮らす。65歳以上の高齢化率は約31％である。全国平均の約29％より２ポイントほど高い。Furusato ＤＡＯで多様な人材を呼び込んで、活力を高め、域内に暮らす若い世代を増やすことができるか。人口減少や高齢化に悩む多くの自治体が注目しているだろう。

同じ東北地方だが、事業創出を手掛けるＭＡＫＯＴＯキャピタルは民間主導である。東北の活性化を目的とした「みちのくＤＡＯ」を設立している。みちのくＤＡＯは新たに東北でのＷｅｂ３経済圏の形成を目指し、ビジネスマッチングや官民連携などのコミュニティーの形成、ＮＦＴの発行や地域トークンなどに取り組む。

錦鯉のＮＦＴを購入し、デジタル住民に

ＮＦＴを活用するのが新潟県の山古志地域である。２００４年の新潟県中越地震で被害を受けた旧山古志村が、05年に長岡市に組み込まれた地域だ。

山古志地域の取り組みはＷｅｂ３の思想を十二分に活用していると言える。

外部の有志も参加する地域団体の山古志住民会議が、名産である錦鯉のデジタルアート「Ｃｏｌｏｒｅｄ

Carp」などを「Nishikigoi NFT」と名付けてNFTで発行した。購入者は同地域のデジタル住民としてブロックチェーン上に登録される。

2022年7月時点で「Nishikigoi NFT」の購入者は900人を超え、山古志地域の住人約800人を凌駕するほどになった。

NFTは暗号資産のイーサリアムで販売される。2022年7月17日時点では購入者の出品として、1点0・3ETH程度から入手できる。ETHは同時点で約18万5000円なので、約5万5000円。発売時の価格0・03ETHと当時のイーサリアムの相場では約1万5000円だったので、後から参加する際のハードルは多少上がる。

山古志住民会議にとっては、NFTの発行・売買によって収入が得られるのと同時に、デジタル住民による新たなコミュニティーが構築され、視点の異なる意見を出してもらったり、投票による

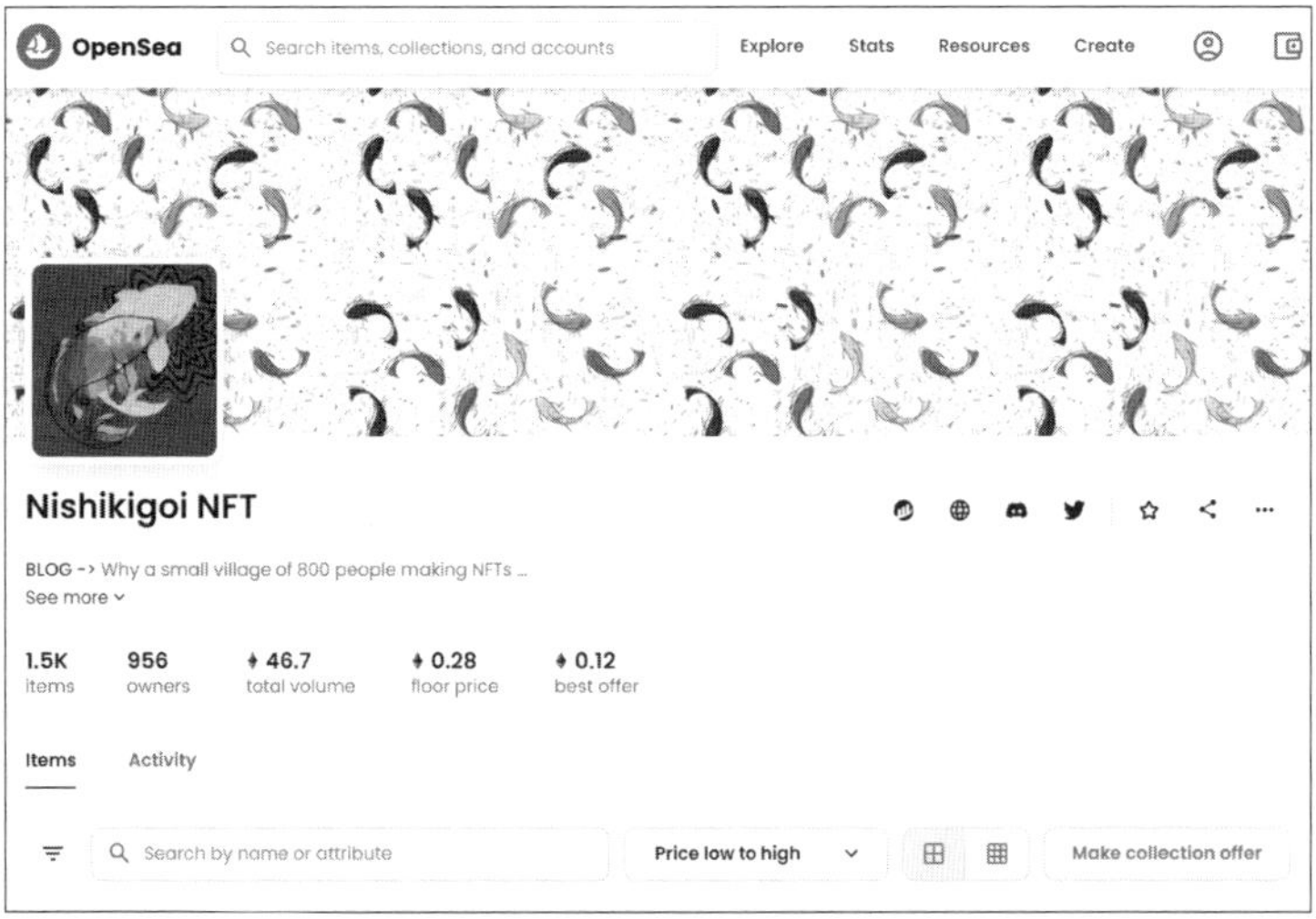

NFTの販売サイトで売られている、旧山古志村のNFT
(出所:OpenSea、https://opensea.io/collection/nishikigoi-nft)

意思決定を図ったりしていく。こうしたアイデアを実行するための資金としてNishikigoi NFTからの収入が利用される。

実際の交流も始まった。日本経済新聞によると、2022年5月の直売所のイベントにデジタル住民が訪れた。旧山古志村住民のうち希望した人に対してNFTを無料で配布し、デジタル住民と交流して連携していく案について、投票が行われ100%賛成で採択されている。議論は対話アプリの「ディスコード」で行われ、投票は「スナップショット」を使ったという。スナップショットは分散型の投票システムで、意思決定用のトークンを利用して投票する。

旧山古志村は錦鯉や棚田などを全国に発信する観光資源として位置づけNFTと組み合わせて新たな価値を創造した。Web3を活用しようとする各地域には、そうした人を引き付ける観光資源の発掘や見直しが重要になってきそうだ。

参考文献
＊日経電子版「DAO トークン保有で組織運営 ブロックチェーン活用」
＊日経電子版「新潟県山古志地域　過疎集落に「デジタル村民」が急増　地域のチカラ　街のイノベーション」

カナダのショッピファイ

〝アマゾンキラー〟のＥＣ、ＡＩが中小の出店事業者に資金オファー

カナダのショッピファイは中小事業者のＥＣサイトの構築や運用を支援することで、〝アマゾンキラー〟と呼ばれるほど急成長している。月額29ドル～と安価で利用できるのが特徴だ。ＡＩを活用した中小事業者の経営支援は最大の収益源にもなっている。

ショッピファイは、ＩＴスキルのない販売事業者でも自社のビジネスにあったサイトをすぐ簡単に構築できるサービスが受けて急成長してきた。決済や在庫管理、データ分析、ソーシャルメディアによるマーケティングなどの機能を用意しており、プログラミングなしでサイトを構築できる。

アマゾンが提供するマーケットプレースのように、サイトで買い物している利用者がショッピファイのサービスを利用していると意識することはない。一方でショッピファイを利用する事業者の利便性を考え、アマゾンや楽天、イーベイ、ウォルマートなどのマーケットプレースに出品する機能も備える。

取引状況からリスクを見極め

ショッピファイの収益を支えるのは出店料ではなく、販売事業者のビジネスを支援する金融サービスだ。グラフの薄い部分の「Merchant Solutions」がそれを指しており、年々売り上げが上昇し全体の7割に達した。

「Shopify Capital」は資金調達が課題となっている中小の販売事業者に迅速に必要な額を融資するサービスだ。担保も取らないから、貸し付けが焦げ付くようなことが多発すれば問題だ。

ここで活用するのがAIである。ショッピファイのプラットフォーム上でのビジネス状況から、どの程度までなら貸し付けても回収可能なのかを分析する。

この結果から、一定の条件を満たす事業者にはショッピファイ側から資金提供をオファーする。既にAIによって与信審査は終了しているから、申し込みから2~5営業日以内に資金を受け取れるという。これを利用して中小事業者がビジネスを拡大させれば、出店料などのサブスクリプションサービスも伸びる。

ショッピファイは詳細を公開していないが、Shopify Capitalで提供するサービスはまさにAIを利用した継続的な改善である。BASICs

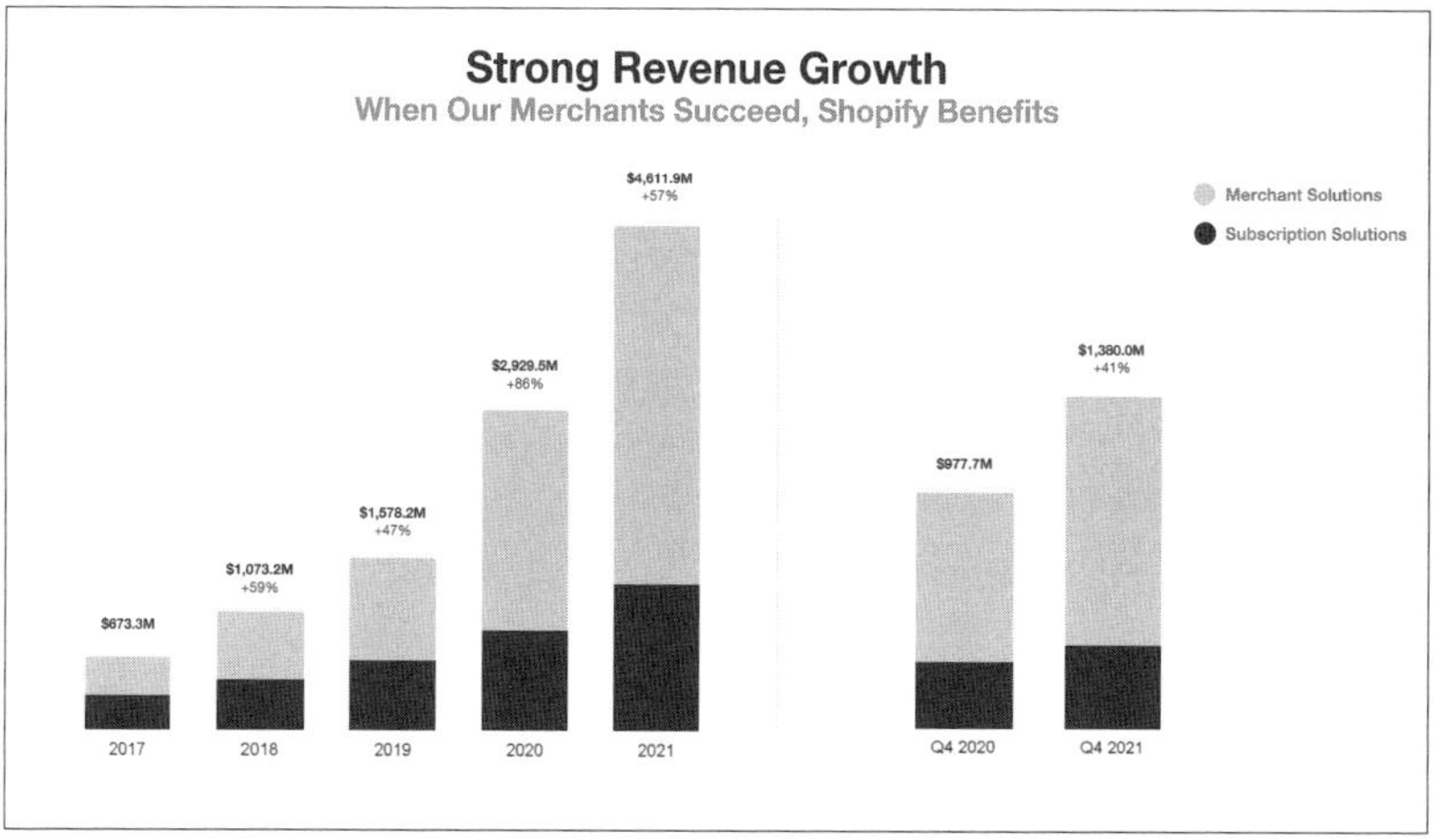

ショッピファイの出店を中心とした「Subscription Solutions」と、出展者への融資などを中心とした「Merchant Solutions」の売り上げ推移。薄いグラフのMerchant Solutionsの売り上げが急増している
（出所:ショッピファイのIR資料）

フレームワークにおけるＳに含まれるものだ。ショッピファイのプラットフォーム上の売り上げや在庫の回転などの状況を把握することで、今後の成長が見込めかつ資金回収が可能な安全な事業者を予測可能となる。顧客の満足度なども基準となり得る。資金力の低い事業者にとっては必要な資金をすぐに得ることができるＷｉｎ－Ｗｉｎのサービスと言える。

ショッピファイの取り組みから分かるのは、従来型の金融機関でなくてもこうした金融サービスに参入できるということだ。むしろ担保の有無で融資枠を判断する伝統的な金融機関よりも進んだ形の融資を実現している。

途上国の貧困層を主な対象に無担保金融を手掛けるバングラデシュのグラミン銀行のような例もある。取引などのビッグデータと高精度のＡＩがあれば、高い収益と中小事業者の支援という社会課題解決の金融事業に乗り出せる。

⑩持続可能な生産・製造を実現する

日本製鉄、エクサウィザーズ

ＡＩで技術を伝承し、持続可能な製造業を実現する

日本の経済を支える製造業だが、高齢化社会、労働人口の減少という社会課題の影響と無縁ではない。これまで高い精度を誇ってきた製造現場で、技能伝承という課題を背景に産業基盤のＤＸによる「遠隔化・自動化」の推進が喫緊の課題となっている。こうした状況を打開する切り札としてＡＩ活用が始まっている。作業状況を可視化し、熟練の技能者と同じような作業を支援する実証実験を開始した。

東京湾を臨む千葉県君津市にある日本製鉄の東日本製鉄所君津地区は東京ドーム約２２０個分以上の敷地にある世界最大級の製鉄所である。製鉄所内の一部のプロセスにおいて、ＡＩによる熟練作業の効率的な技能伝承を実現する基盤構築および実証実験を開始した。

製鉄製造現場では、溶けた鉄の成分、品位調整をする際に発生するスラグを分離する作業を重機での操作で実施している。１０００度を超える高温の溶融物を扱う作業となるため、作業員は現場に設置したカメラで確認しながら重機を用いて遠隔操作で実施している。

高温の溶融物は温度で粘度などの特性や分布状況が変化するため、長年の経験や知識に基づく判断が重

要である。効率的に技能伝承を進めるためには実作業の指標化や熟練作業員のスキル、ノウハウを形式知化することが必要となる。

マルチモーダルのデータから見いだす知見

ＡＩによる熟練者ノウハウの可視化には、多面的なデータの取得と価値化が欠かせない。

今回のスラグ分離作業において、以下のようなデータを取得し、統合的に分析。現状作業の可視化を行った。

①センサーデータ：重機の操業位置、速度など

②動画データ：スラグ分離作業の状況、溶融物の状態など

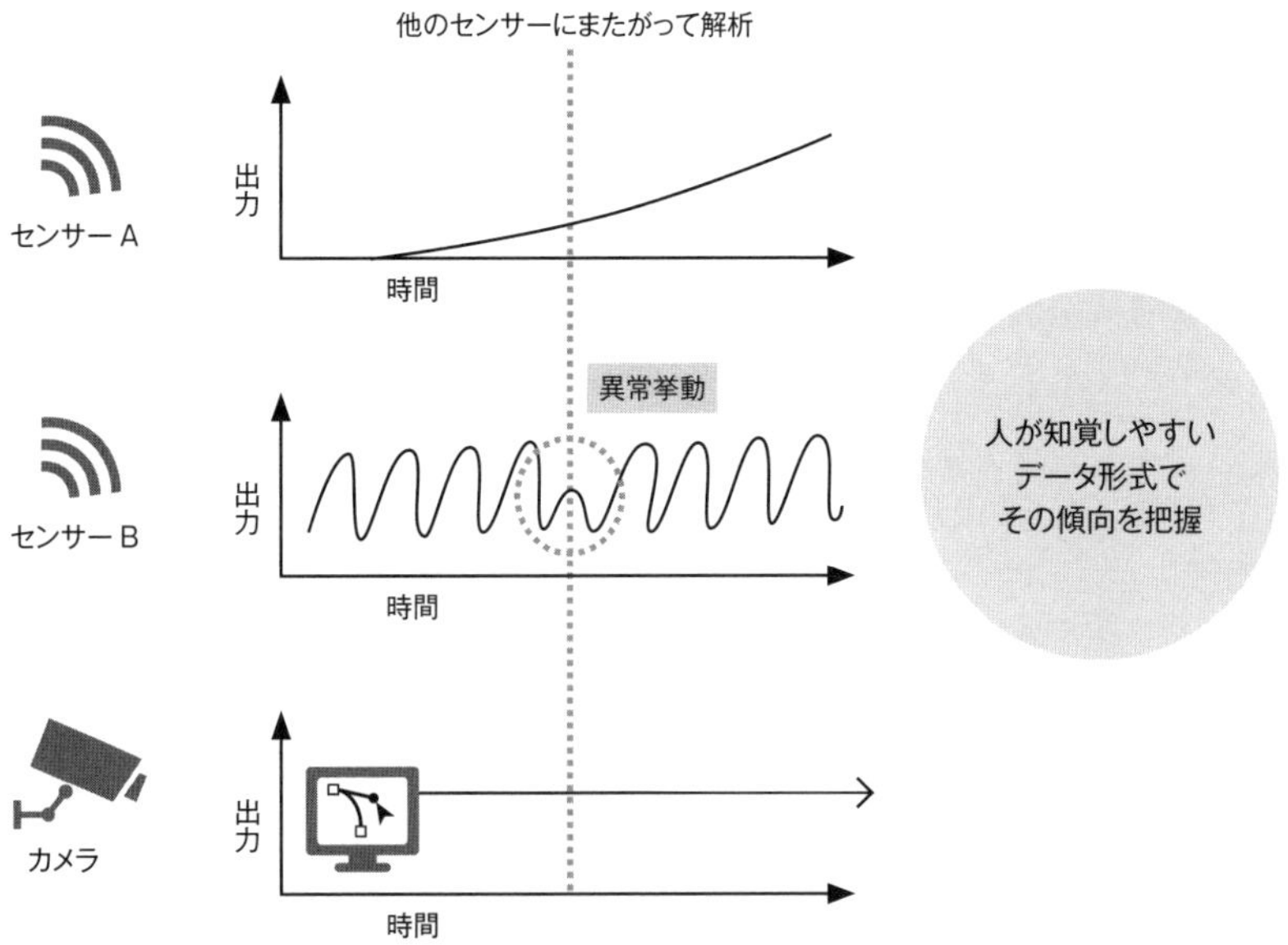

日本製鉄が採用したAIを利用した、作業支援システムの概要。複数のデータを統合して分析することで、熟練の操作を把握したり、運用支援したりできる
（出所：エクサウィザーズ プレスリリース）

③操業情報：処理日時、作業者の情報など

このように複数のデータを取得して、複数種の「マルチモーダル」で統合的に分析することで、従来は難しかった熟練者の特徴の取得や可視化をし、作業の再現を支援するソフトウエアの開発を可能にした。

これらは多様なデータを価値化するＢＡＳＩＣｓフレームワークのＣの取り組みと言える。今後、こうしたアルゴリズムを一般化していくことで、熟練者の作業の可視化や、より経験の浅い担当者の支援を各種業務へ展開することが可能となる。さらに結果をフィードバックして改善していくループを組み込むことで、アルゴリズムを日々改善して精度を複利効果で改善することにもつながる。

ユーハイム

ベテラン職人の技をＡＩで伝承、世界でも均質的に

職人の技を伝承したいという思いは多くの業界に広がる。洋菓子大手のユーハイムはバウムクーヘンを製造するＡＩロボットを開発。日本だけでなく、世界に同じ品質の製品を届けることを可能にした。ＡＩによってどこにでもビジネスのスケールが可能な〝人材〟を手に入れた格好だ。

「地球の裏側にバウムクーヘンを届けたい」

洋菓子大手のユーハイムの河本英雄社長はこう力を込める。

この言葉の通りにユーハイムは２０２１年末、英ロンドンで主力のバウムクーヘンを製造した。２０２２年3月に終了したドバイ万国博覧会（万博）でも、デモンストレーションを披露している。

普段と違うのは焼いたのが職人ではなくＡＩ搭載の業務用オーブン「ＴＨＥＯ（テオ）」だったこと。日本にいる職人の技能を教えこんだＡＩオーブンがあれば、日本はもちろん世界中のどこでも現地に職人を派遣せずにバウムクーヘンを焼成できる。

バウムクーヘンは、職人が温度やオーブンに入れるタイミングを調節しながら、生地を芯棒に巻きつけて10層以上重ねながら焼き上げる。タイミングで仕上がりや味が変わる。ＴＨＥＯは職人の代わりに、生地が適切な状態に焼き上げられているかどうかを、画像や温度のセンサーなどで学習する。

２週間で職人の技を獲得

ＴＨＥＯが職人の技を獲得するまでにかけた期間は約2週間。ＡＩが学習する教師データは、生地をどのように重ねていくのか、どの程度の焼き加減なのかの画像、その際の温度設定、庫内での焼成時間などである。芯棒の回転速度は各層で職人が設定した回転数を反映しているという。層を重ねるごとにバウムクーヘンが大きくなって熱源に近くなり、重量も増すので、細やかな調整が必要となる。

ユーハイムはＴＨＥＯを実店舗に置いてから稼働が安定するまで、一定数を割り引いて販売した。１個ごとの完成度は高かったが、連続的に高品質で生産できるか確認する必要があったからだ。廃棄は避けようと考えた。

AIオーブンの「THEO」（上）と、バウムクーヘンの製造過程
（提供:ユーハイム）

ＴＨＥＯを導入することで、焼き上げる過程で職人が常に確認する必要がなくなり、どこでも同じ品質の商品を提供できるようになった。英ロンドンの店舗では、コロナ禍でバウムクーヘン職人が離職したが、その後再開店する際にＴＨＥＯが活躍した。

現時点でＴＥＨＯは国内１カ所で３台、海外１カ所で２台が稼働している。他社向けにも５台以上提供しているという。国内外でＴＨＥＯの台数を増やしていく考えだ。

独ＢＭＷ、米エヌビディア

メタバースで変わる製造現場、製品だけでなく工場も試作

ＡＩ、さらにＷｅｂ３の活用は大手製造業にとっても待ったなしの状況だ。電動化や脱炭素などの環境対応、各国・地域の規制対応などで必要とされるノウハウの難易度は年々高まっている。自動車業界はメタバースを活用することで、設計や製造の現場を変えようとしている。

独自動車大手のＢＭＷは２０２１年５月、米半導体メーカーのエヌビディアと未来の工場のコンセプトを公表した。メタバース空間内に実際の工場と同様の環境と作業員の分身などが存在する、現実と双子のような環境の「デジタルツイン」を生成する。新たな作業を導入する際やトラブルが起きた場合にどのように対応するかなどを精緻にシミュレートできるようにする。

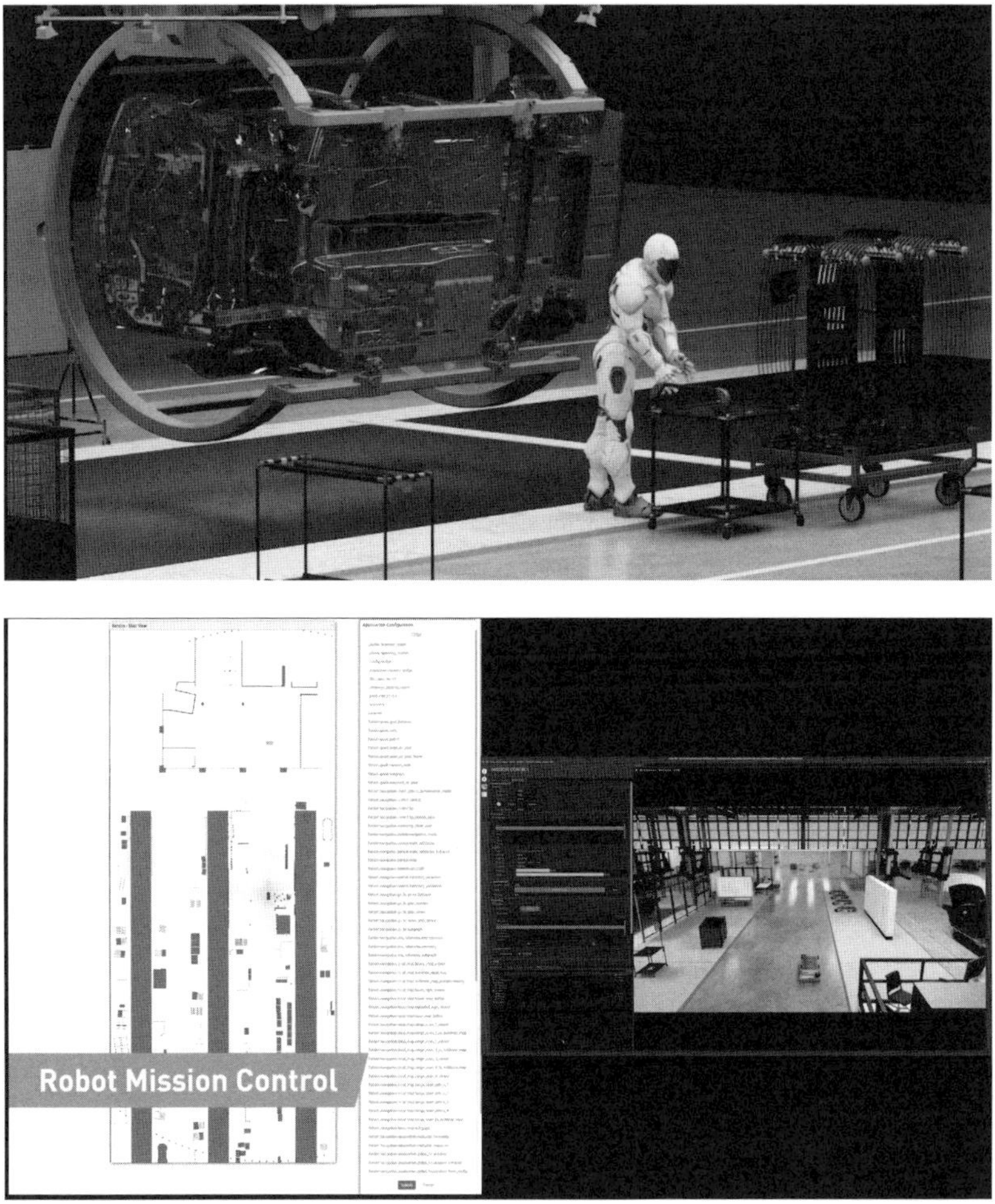

BMWの工場を想定して行われているシミュレーション
（出所：エヌビディアのYouTube「NVIDIA Omniverse - Designing, Optimizing and Operating the Factory of the Future」）

大手企業もＡＩ、そしてＷｅｂ３による現場改革を避けては通れない。ＢＭＷの製造ラインは１ラインあたり最大10種類もの車種を生産できるほどフレキシブルになっている。顧客の要望に応じて、異なるオプションを装着したクルマを製造するからだ。40種類以上のモデル、１車種当たり１００種類以上のオプションがあり、２１００通りもの組み合わせとなる。年間約２５０万台を生産するがその99％がカスタム製造だという。

想定したさまざまな組み合わせを現場で確認する必要があるが、実環境に近いメタバースが利用できれば、ここで多くの確認作業を済ませることができる。

新車種を担当する本社のエンジニアが全世界の工場の設計、ロボットの配置や動きを空間内でより実際に近い環境で試せるようになる。空間内にはデジタルで再現した作業員も登場し、ムリやムダがないか、危険がないかなども確認できる。作業員のデジタルツインがメタバース内に登場し、対象の工場の新ラインで動きや作業時間を確認するといった形だ。

新工場では、メタバース空間で先行して工程の確認や試作も進める。２０２２年６月に開催したエヌビディアのイベントで、ＢＭＷの幹部がハンガリーの建設途中の新工場について、現実にはほとんどが空地だが、デジタルでは80％が完成していると明かした。

デジタル関連のテクノロジーは高度化、複雑化し続けているが、全世界の工場に高度なエンジニアを配置するのは難しい。これまでメタバースは、ゲームや一般オフィスへのリモートワークといった側面が注目されがちだった。今後は、全世界で激動する需要やサプライチェーンに対応する必要がある製造業の現場と設計にこそ、メタバースが不可欠なテクノロジーとして溶け込んでいく。

メタバース、つまりデジタル空間で収集されるデータはそれ自体が大きな価値を持つ。製造業でもＡＩのぐるぐるモデルを生かす企業が増えていくだろう。

参考文献

＊エヌビディアブログ、https://blogs.nvidia.co.jp/2021/05/10/nvidia-bmw-factory-future/、https://blogs.nvidia.co.jp/2022/06/03/isc-digital-twins/

第3部

Web3時代のAI戦略を成功に導く組織・スキル・マインドセット

第10章
「体」自律的なAIファクトリーに変貌

第３部では、ＢＡＳＩＣｓフレームワークを活用し、Ｗｅｂ３時代のＡＩ戦略で成果を上げる企業のあり方を解説する。Ｗｅｂ２・０時代の現在ですら、ＡＩで成果を上げるのは簡単ではない。ＤＸを実現する、イノベーションを達成するのは簡単ではないと言い換えてもいいだろう。残念ながら日本企業のＡＩの活用状況はまだまだといったところだ。

「令和３年版情報通信白書」の「企業におけるＩｏＴ・ＡＩ等のシステム・サービスの導入・利用状況」によると、デジタルデータの収集・解析等のため、ＩｏＴやＡＩ等のシステム・サービスを導入している企業は全体の１２・４％にすぎない。導入予定を含めても２２・２％。導入している１２・４％の企業もすべてがＡＩを活用できているわけではないだろう。

日本企業が強かった大量生産モデルの時代ならよかったのかもしれないが、時代はＷｅｂ２・０からＷｅｂ３に移行しつつある。手をこまぬいている余裕はない。Ｗｅｂ３とＡＩを活用する「Ｗｅｂ３×ＡＩ」の世界を意識する必要がある。

新たな世界に向けてどう企業は変わるべきか。第３部では、組織、スキル、経営者および従業員のマインドセットの３点から考える。どれか１つだけでうまくいくものでもないし、これら３つは相互に影響を与える。

日本の伝統芸能や文化、武道などでよく「心技体」という言葉が使われる。道を極めるには技術だけではなく、心と体も整えなければならない、という意味だ。

組織は体、スキルは技、従業員や経営者の意識、マインドセットは心と言い換えられるかもしれない。本書では体技心の順で解説する。

深化から探索へ、イノベーション力を強化

本章では、Ｗｅｂ３時代のＡＩ戦略を推進するための組織、心技体のうち体の変革を取り上げる。既に触れてきたように、大量生産モデルに最適化した多くの日本企業は、標準化によって収益の中核となる既存の中核事業を漸進的に拡大するのを得意とする。一方で、自らの構造を変えるような変化、新たな時代への対応、イノベーションは得意とは言い難い面がある。イノベーションをＤＸと言い換えてもいい。

「両利きの経営」という言葉をご存じの読者も多いだろう。日本では、チャールズ・Ａ・オライリー氏とマイケル・Ｌ・タッシュマン氏共著の『両利きの経営』で広まった考え方だが、ここでいう両利きとは「深化」と「探索」という経営の２つの方向性を指す。同書にならうなら、深化では効率性やコントロール、確実性、バラツキの縮小に、探索では検索や発見、自律性、イノベーションに力点が置かれる。深化は既存事業での競争を、探索は新規事業の開発・競争に勝ち抜くための企業の行動だ。

企業が目先の収益を増やしたいなら業績のいい分野を深化させるのが手っ取り早い。探索は手間やコストがかかるわりに収益には結びつかないことが多い。結果として、企業は探索活動を怠りがちになる。

短期的には問題がないように見えるが、深化にばかり力を入れると、結果として全社の中長期的なイノベーションが停滞する。この停滞が「コンピテンシー・トラップ」―継続の罠―だ。優良と言われる企業が没落する場合、往々にしてこの罠に引っかかっている。

探索と深化という２つの異なるモードを両立させ、組織が変化し続ける状態を生み出すのが、両利きの経営のポイントだ。

深化に関しては多くの日本企業が得意としてきた。Ｗｅｂ３やＡＩといった新たなテクノロジーが出てくる時代に世界で勝ち抜くためには、深化に加えて探索の能力を高め、新たな経営のあり方を見つける必要がある。

デジタル推進で組織改革を促進

探索の能力はどう高めればいいのか。多くの企業をＡＩで支援しＤＸの実現を支援してき

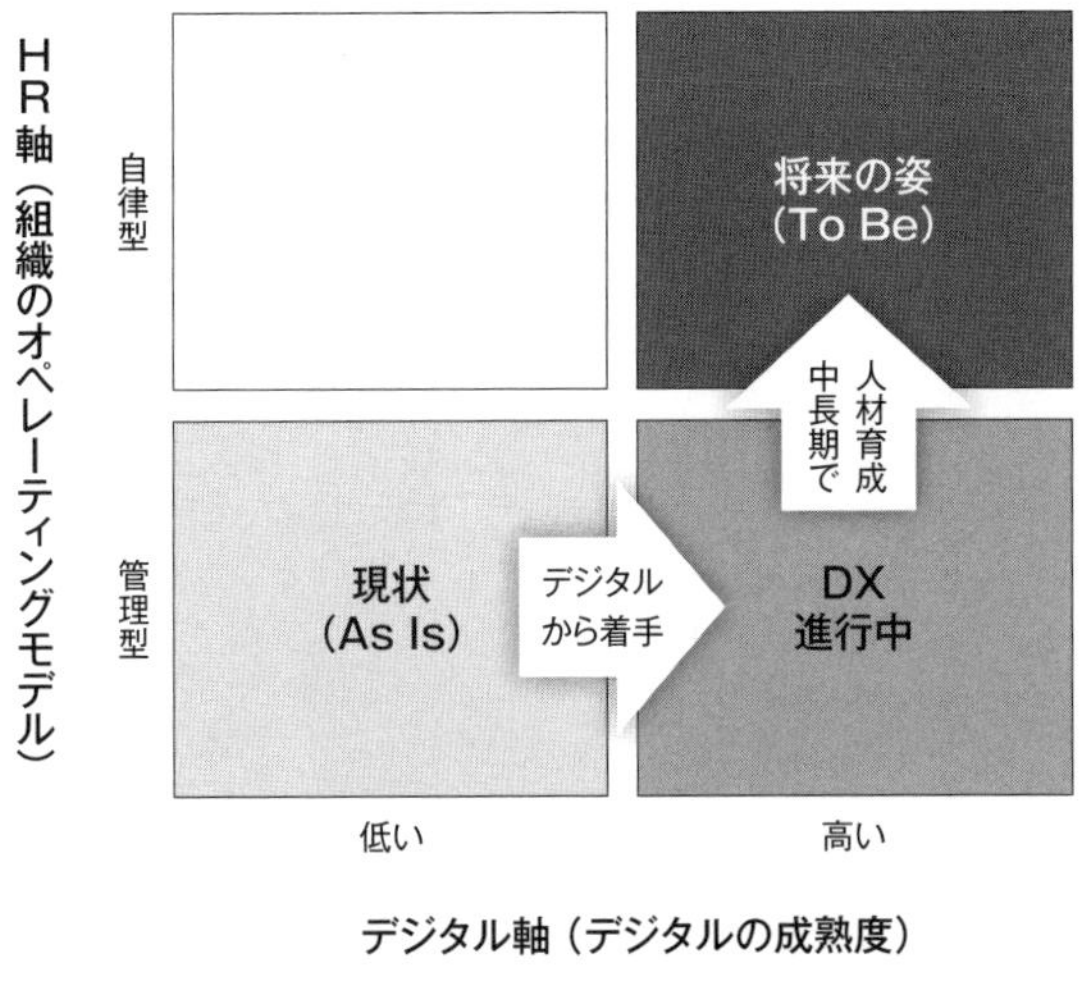

HR×デジタルの２軸で考え、デジタルファーストでDXを推進するためのフレームワーク
（出所:エクサウィザーズ）

た経験から、われわれは組織変革のフレームワークを導き出している。これが役に立つはずだ。

フレームワークで規定するのは組織のオペレーティングモデルの変革とデジタル成熟度の向上である。オペレーティングモデルの変革はテクノロジーではなく人の動きに関するものなので、ＨＲ（Human Resource）軸と呼ぶ。探索の能力を高めるためには双方の変革が不可欠になる。

最終的に目指すのはデジタルに習熟した自律型の組織だ。オペレーティングモデルの変革は不可欠だが、多くの日本企業は組織が階層化した「管理型」が染みついている。自律型に変えるには時間がかかる。まずはデジタルの側面から着手可能な手を打つ、つまりデジタルファーストで進め、人や組織の変革は中長期の視点で進める。

デジタルの成熟度を上げるとはどういうことか。導入しやすいものを挙げれば、社内外とのビデオ会議やオンラインチャットの活用だ。コミュニケーションがオンライン化されることで、他の部署のキーパーソンや外部との連携も増え、短期間でプロジェクトを組成できるようになる。

判子のプロセスや稟議のプロセス、さらに対面営業のプロセスを電子化、可能なものは自動化する。ＡＩによる意思決定の自動化、ＲＰＡ（ロボティック・プロセス・オートメーション）による効率化などもここに含まれる。

単にデジタルツールを導入するだけでなく、結果を評価し、迅速に改善するのが重要である。実際、デジタル成熟度向上の取り組みを開始した企業から、組織変革の手応えを感じているという声を聞く。

第１部でBeyond ＤＸに向けたステップをデジタイゼーション、デジタライゼーション、ＤＸだと説明した。デジタルの成熟度を上げれば自然とデータが集まり始める。単にデータが集まるだけでなく、デジタル化によって形骸化した不必要な業務プロセスも減るだろう。自動化によって付加価値の低い業務から付加価値が高い業務へのシフトも進む。組織はより主体的な活動が可能なものに変わる。

組織を自律型に移行する3つの「S」

ＨＲ軸の変革にはどう取り組むのか。縦割りのピラミッド型で上意下達の意思決定に従ってメンバーが行動するのが多くの日本企業の組織だ。人事異動は1年に1、2度が原則でメンバーは固定しがち。コロナ禍の前までは、オフィスも組織構造を反映した島型のレイアウトでの勤務が大半だった。

終身雇用、年功序列の文化がまだ残っており、ルール順守の名の下に管理職はリスクを避ける傾向が強く、指示待ちの受け身人間が増え、与えられたタスクをこなすのを最優先する。メンバーの異動も縦割りの組織内で完結しがちだ。同調圧力も強く、相互監視に近い雰囲気すら漂う。外部の企業はあくまで委託先として扱うか、そうでなければ丸投げに近い形で業務を任せる。重視するのは価格（コスト）だ。

こういった組織体制で、深化だけでなく探索に取り組むのは簡単ではない。ＨＲ軸で管理型組織を自律型に変革する際のカギとなるのが、ストラクチャー、スタイル、スタッフの3つのSだ。

組織構造を意味するストラクチャーから説明する。見直す対象は組織のガバナンス、アカウンタビリティー、意思決定の3点になる。具体的には組織を、クロスファンクショナルなチーム型の基本構造に変え、同時に権限移譲を進める。現場での指示待ちが減り、各チームが自発的に意思決定することで判断が迅速化する。ＤＸに強い企業は得てして外部企業とのコラボレーションがうまい。外部の企業は「業者」ではなくともに協力する「パートナー」と考える。ＡＩさらにはＷｅｂ3など最新の技術を取り入れて変革を進めるなら、技術に強いスタートアップとの関係が重要になる。業者扱いでスタートアップとの良好な関係は築けない。

次のスタイルは管理スタイルのことだ。組織の価値観やカルチャー、さらにはリーダーシップ、個々の従業員の働き方を変える。自社の利益にとどまらない社会変革につながるビジョンやミッション、あるいはパーパスを策定する。トップの最大の仕事は部下への指示ではなく、これらのメンバーとの共有やモチベートに変わらなければならない。明確にビジョンを共有し、権限が委譲されていれば、組織のメンバーは能動的に動き始める。指示待ち型でリスクの最小化を優先するリーダーは消えていくだろう。

価値観やカルチャーの変革には多様性が意味を持つ。似たようなバックグラウンドを持ったメンバーで構成する組織は、激しく変

	ストラクチャー（組織構造）	スタイル（管理スタイル）	スタッフ（人材）
自律型	• フラットなクロスファンクショナルチーム（柔軟なチーム・タスク） • 外部ネットワーク活用 • 権限委譲で、チームによる意思決定	• ビジョンの共有やエンゲージメント向上を重視 • 自己管理、プロアクティブ	• 自ら考え、動き、改善する • 自律的・柔軟な人材配分 • デジタルのスキルや素養を重視
管理型	• ピラミッド型組織（固定チーム・タスク） • ベンダー委託 • トップダウンの意思決定	• ルール設定や指示によるリスク最小化を重視 • 相互監視、受け身	• ルール順守、与えられたタスク、指示を仰ぐ • 組織に応じた固定的な人材配分

自律型と管理型における、3つの「S（ストラクチャー、スタイル、スタッフ）」。DXを推進し、グローバルな競争に勝ち残るには、自律型への転換が求められる
（出所:エクサウィザーズ）

化し次々と新たな技術が登場する現代に最適とは言えない。変化に強いのはバラエティーに富んだ組織である。デジタルの成熟度が高まって、リモートワークの導入が拡大すればより柔軟な働き方が実現できる。雇用の形でも多様性は進む。

最後のスタッフは人材のことだ。人材は企業にとって最大の財産である。縦割りの組織を前提としたリソースの配置はどうしても硬直しがちだ。硬直して変化の少ない環境ではどうしても、前例踏襲、ルール順守、指示待ち型で与えられたタスクをこなすタイプになりやすい。組織構造の変化と合わせて大胆な人事を打ち出しリソース配分を見直す。社内公募や社内ピッチコンテストなどで、自律的に自らが働く場所を選ぶ機会を与えるのもいいだろう。特区のような専任組織、あるいは子会社を設立して人材を集めても構わない。自ら考え、行動し、改善する。業績や事務処理能力、コミュニケーション力だけでなく、企業を変える原動力であるデジタルの素養やスキルを適正に評価する姿勢も持ちたい。

「AIファクトリー」に移行せよ

次は、ＡＩのぐるぐるモデルを体現できる企業への挑戦だ。第1部で取り上げたＡＩファクトリーの好循環をもたらせる組織と言ってもいい。『Competing in the Age of AI』を参考に、変革の進め方を記す。同書によれば、ＡＩファクトリーの実現には4つのステップを踏む必要がある。①サイロ化されたデータの活用と一部の統合、②統合データ基盤上でのユースケースとなるパイロットプロジェクトの実施、③全社的なデータの統合と組織の再構築、④ＡＩファクトリーの完成―である。

ＡＩファクトリーが完成した段階では、全社共有のデータ基盤上に部門に埋もれていたアナログのデータまでをデジタル化して格納しており、組織全体にＡＩ導入のスキルやノウハウが移植されるだけでなく、ＡＩを効率的に実装するためのツール、具体的にはライブラリーやＡＰＩが共有されている。これらのＡＰＩ群にアクセスしてさまざまなシーンでの分析と意思決定にＡＩを活用する。オペレーションはロボットなどによる自動化が進み、人手を排することで限界コストを下げる。

　ＡＩファクトリーは、ＡＩ活用に必要なデータの収集・展開・利用までのパイプライン、分析のためのアルゴリズム開発、これらを支えるソフトウエアインフラをアジャイルで改善し続けて、実験を繰り返し、より優れた商品やサービスを提供するプロセスと捉えることもできる。例えば第１部、第２部で触れたＭＬＯｐｓはアルゴリズムを改善し続けるためのものだ。

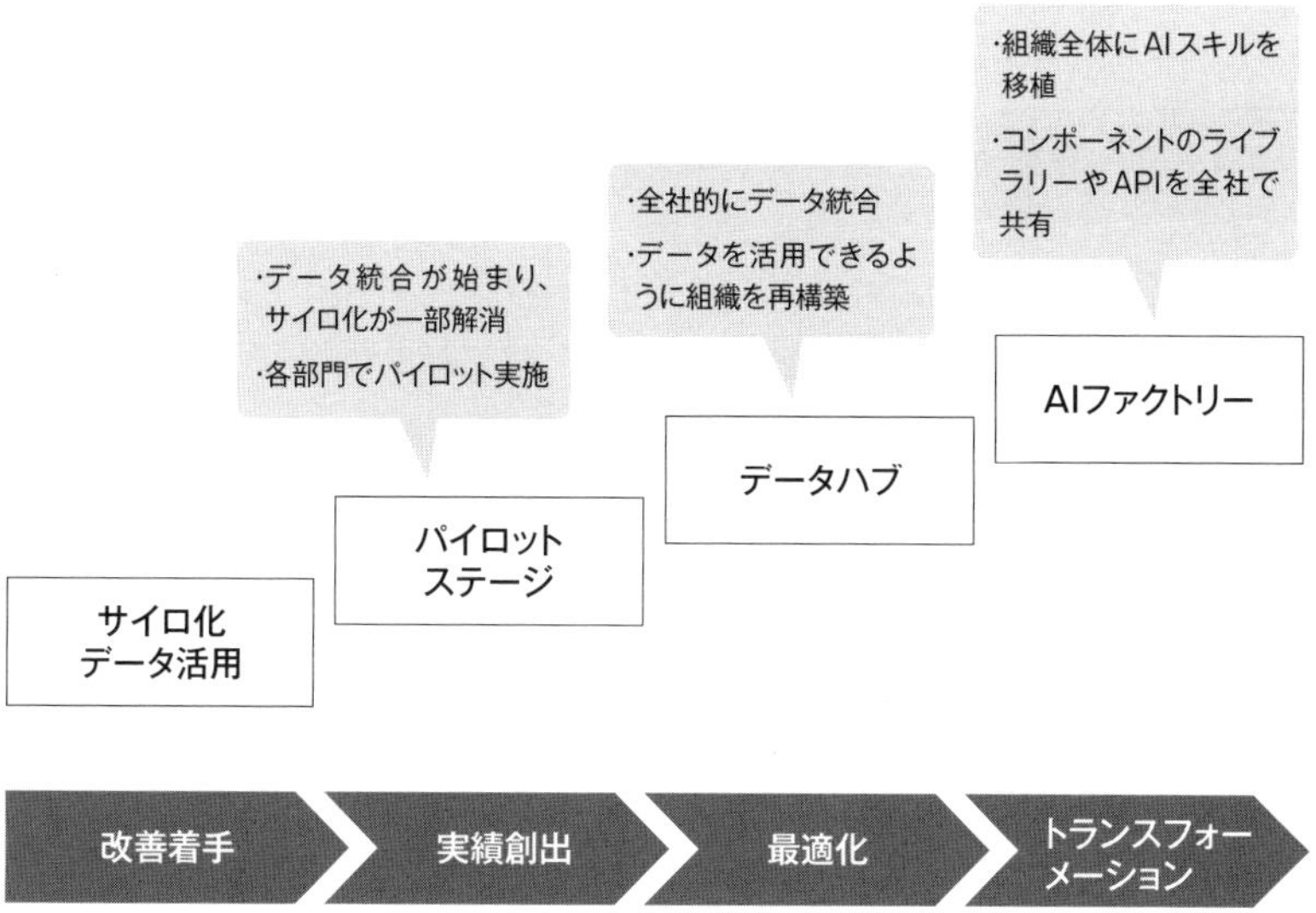

AIをフルに活用する「AIファクトリー」実現までのステップ
（出所:『Competing in the Age of AI』を基にエクサウィザーズ作成）

一般の企業が一気にＡＩファクトリーを目指すのは現実的ではない。運営にはＡＩのスペシャリスト、それもエンジニアリングだけでなくデータサイエンス、さらにはデータやＡＩアルゴリズムのガバナンス、法務に通じたスタッフも必要になる。

具体的にはＡＩファクトリーを実現するため、前述の４つのステップに合わせて組織やスキルセットを変えていくことになる。最初は部門ごとのサイロになったデータの統合だ。次に統合したデータを使って、ＡＩによる価値創出の実績を作る。パイロットステージと呼ばれる段階だ。社内にＡＩに関する知見が少ない状態だから、ＩＴ会社やコンサルティング会社など社外のパートナー企業とのコラボレーションにより知見・経験を獲得する。

成果を確認しながら、全社的なデータ統合を進める。この段階で思い切って資金や人的リソースを投下し、リソースの内製化を進める。この段階をデータハブと呼ぶ。データハブの段階までに、現場のＡＩ活用に関するカルチャーを変えスキル獲得も進める。アジャイルに改善を進めるためにはソフトウエア重視、もっと言えばソフトウエア開発力重視の企業文化が重要だ。これらの段階を経た後、ＡＩファクトリーのフェーズに移行できる。

大前提としてＡＩファクトリーの実現には大量のデータが必須である。社内データを精査したうえでどのような価値創造が可能か、どのようにデータを取得するか、どのようなデータを持つ企業と連携すべきかなどを考えるプロセスを踏む必要がある。これをデータデリジェンス（データ診断）と呼んでいる。

ＡＩファクトリーに移行しようにも、周りにＡＩエンジニアがいない、ＡＩベンチャーに頼んだら開発費が高いと考える読者がいるかもしれない。

こうした問題への解決策も生まれつつある。エクサウィザーズは、ＡＩエンジニアでなくても、ＡＩモデルを呼び出して、ブロックを組み合わせるような感覚でソフトウエアを構築できるようにする統合開発環境の「exaBase Studio」を開発している。いわゆるノーコード開発を可能にする。われわれは年間３００件以上のＡＩ開発案件を手掛けるが、過去に開発したＡＩモデルを「exaBase」というデータベースに格納する。過去に開発したＡＩモデルが再利用でき、どのように活用するのかの知見も蓄積してきている。これらを生かして作ったのがexaBase Studioだ。

　こうしたツールを使えば、社内でのアジャイル開発がよりスムーズに進

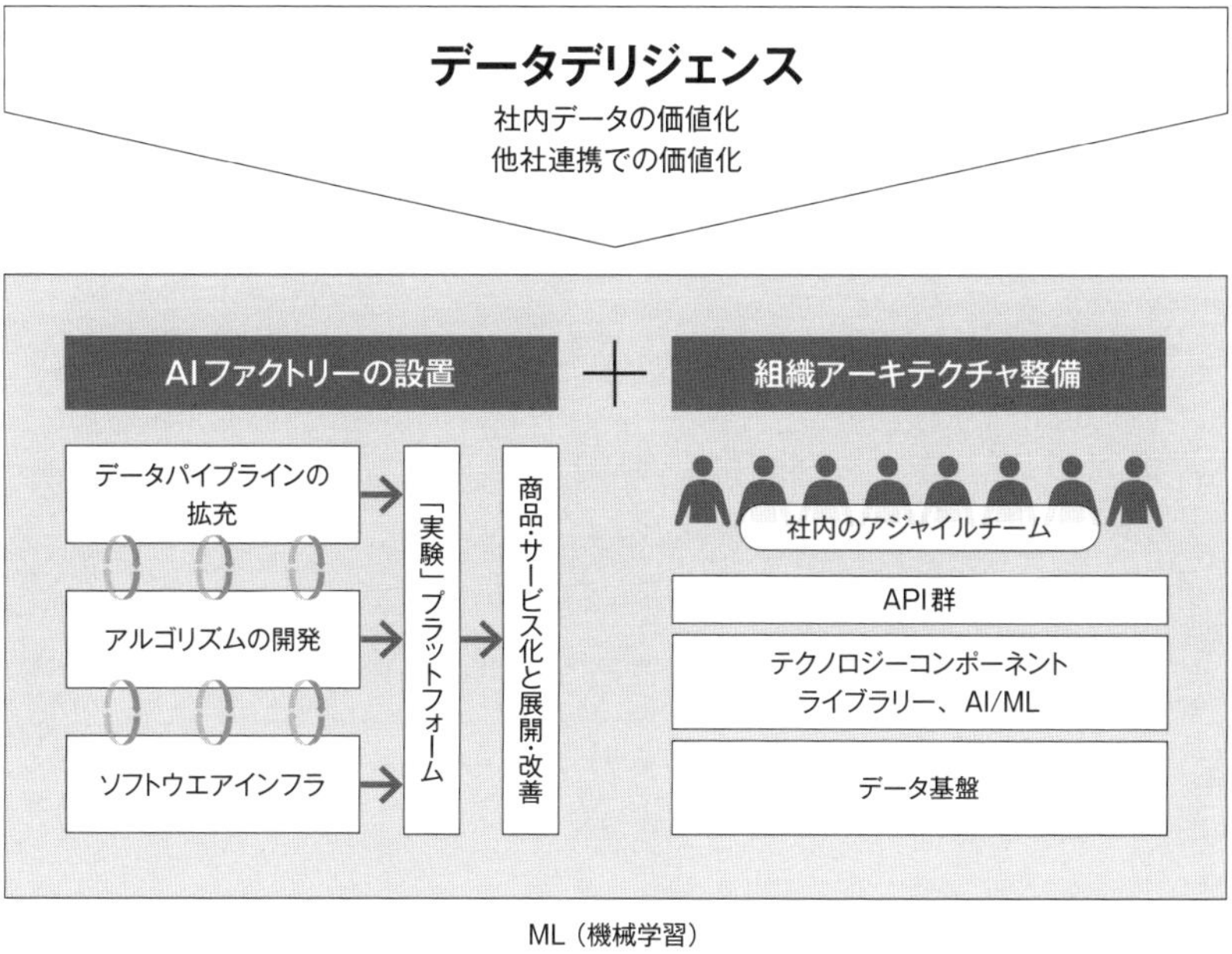

AIファクトリーの設置で一変するAI中心のオペレーティングモデル。組織アーキテクチャーの整備も成功への鍵を握る
（出所:『Competing in the Age of AI』を基にエクサウィザーズ作成）

み、内部の力だけでAIファクトリーを機能させやすくなる。

Web3×AI時代には、こうしたノーコード型の開発が増えてエンジニアリングにも価値観の変化が訪れるだろう。AIエンジニアでない新たなタイプの開発者が企業や社会に増えていく。ソフトウエアの機能実装やアルゴリズムそのものから、これらをブロックとしてどう組み合わせるのかの知恵が重要となる。成果に結び付くデータの価値が今まで以上に高まるだろう。DAOによるネットワークやトークンによる報酬はそうしたものを加速する舞台装置にもなりそうだ。

人間にしかできない知的作業で強さを発揮

AIファクトリーの段階に達すると、意思決定を含めさまざまな企業の活動で、人間とAI駆動型による意思決定を併用することになる。もちろん人間がAIを作る（使う）のであり、AIに使われてはならない。

AIのぐるぐるモデルを使いこなす力が備わった組織は、むしろ人間の能力を最大限に生かす。人間は人間にしかできない業務を担うことでさらなるイノベーションを促進する。

エクサウィザーズのアドバイザーでもある早稲田大学大学院経営管理研究科、同ビジネススクールの入山章栄教授による3つの経営理論を踏まえた指摘に沿って、AIのぐるぐるモデルが実現できる組織で、人間が何に取り組むべきなのかを考える。3つの経営理論とは、両利きの経営、センスメイキング理論、SECI（セキ）モデルだ。

既に記したので両利きの経営の説明は省略する。残る2つに関しては、入山教授の著書『世界標準の経営理論』（ダイヤモンド社、２０１９年）を参考にしながら説明する。

センスメイキング理論はまだ新しい理論で定義も固まっていないというが、入山教授は、日本の大企業にも中堅企業にも最も欠けており最も必要なものだという。

『世界標準の経営理論』ではこの理論を「組織のメンバーや周囲のステークホルダーが、事象の意味について納得（腹落ち）し、それを集約させるプロセスをとらえる理論」と考えてほしいという。

ＳＥＣＩモデルは、一橋大学名誉教授の野中郁次郎氏らが提唱した。ＳＥＣＩは、Socialization（共同化）、Externalization（表出化）、Combination（連結化）、Internalization（内面化）の頭文字を取ったものになる。他者との共感や環境との相互作用を通じて、個人が持つ知識や経験などの暗黙知を共有し、対話や思索を通し

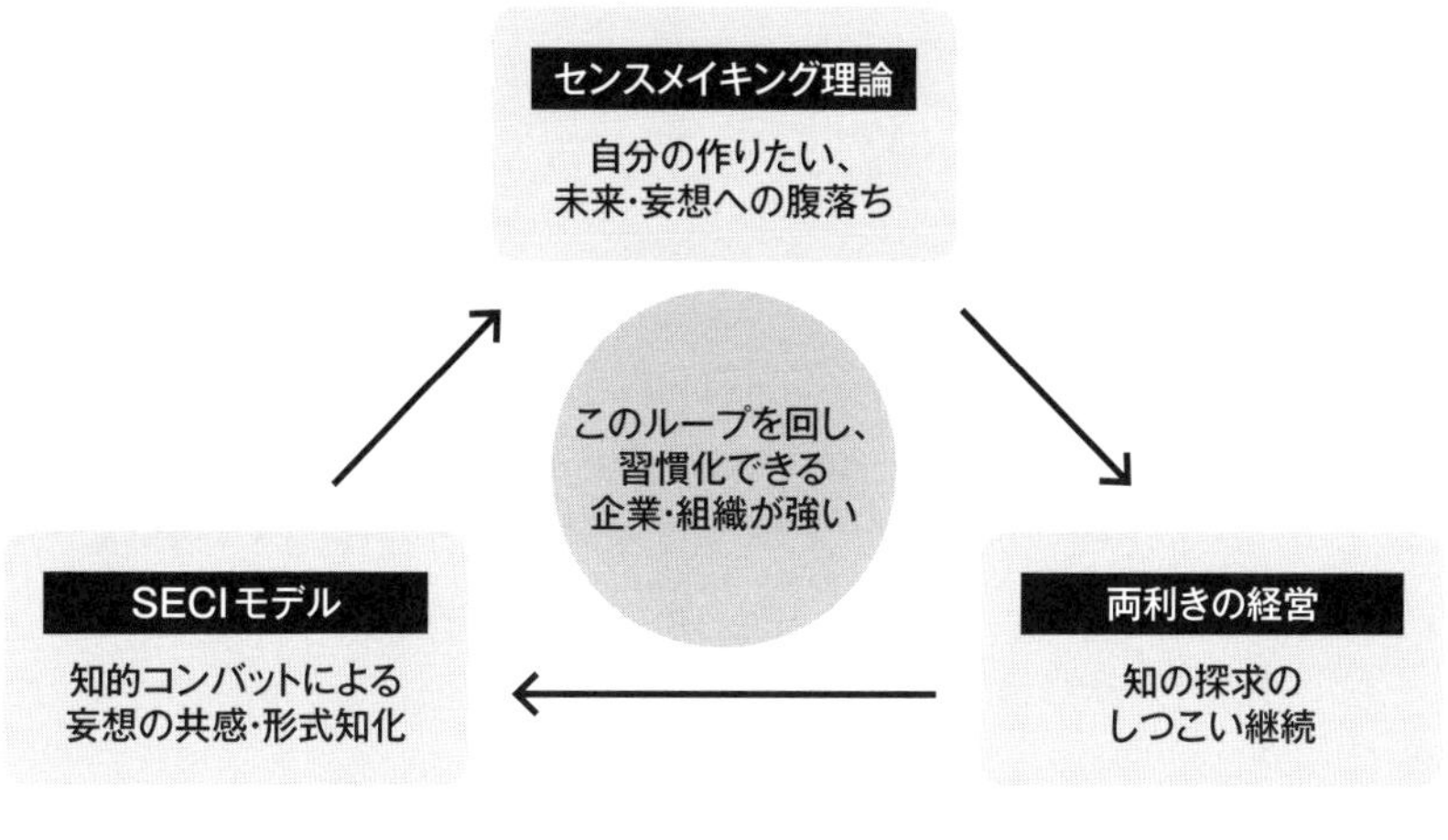

センスメイキング理論に両利きの経営とSECI（セキ）モデルを組み合わせたトライアングルループ
（出所：入山章栄・早稲田大学大学院経営管理研究科教授）

て形式知に変換する。そのうえで、組織全体で共有・管理して体系化し、実践を通じてまた新たな価値や暗黙知を生み出すというフレームワークだ。

ベテラン社員の持つ属人的な知識を他の従業員でも理解できる形で共有し、従業員全体のスキルアップにつなげるといった活動にＳＥＣＩモデルが生かされているだろう。

「センスメイキング理論に両利きの経営とＳＥＣＩモデルを組み合わせたトライアングルループを習慣化できる企業こそ、イノベーションを起こすことができる強い企業だ」。入山氏はこう指摘する。組織での腹落ち→しつこい知の探索→暗黙知の形式知化ができる企業や社会の競争力が高まる。これらは人間にしかできない知的作業である。

Ｗｅｂ３×ＡＩ時代には、このトライアングルループを増やし習慣化できる企業・組織、社会が強さを発揮する。

意思決定も管理職の役割も異なる

ＡＩファクトリーを実践し、さらに上記のトライアングルループが機能する組織では働き方が変わる。典型は中間管理職だ。中間管理職の業務には、①決められた業務からの逸脱の監督、是正の教育、②オペレーションでの必要とされるスキル、能力の明示化、教育、採用、③オペレーションレベルでの最適解構築などの大半部分が含まれる。これらのかなりの部分はＡＩで代替できる。必要な中間管理職の数は確実に減る。

一方、現場では人的なリレーションの重要性はさらに高まる。例えば、顧客との良好な関係を構築して接する営業活動はＡＩでは完全に代替できない。今後は社内外という仕切りを越えてあたかも１つの組織に所属するように現場で協業する仕事が増える。人間的な結節点はＡＩには築けない。

中間管理職には、自らの経験を生かした顧客とのより深い関係の構築や、現場を守るスタッフの心を鼓舞するリーダーシップがより強く求められる。中間管理職は減り、組織内で能力を発揮する人は経営層かこうした現場のリーダーを目指すことになるだろう。

Web3で企業の枠を超える連携が進む

Ｗｅｂ３×ＡＩの時代には旧来の社内と社外という枠を越えたコラボレーションがより重要になる。既に萌芽は見えており、参考になる事例を挙げる。

台湾政府のコロナ禍に対する初期対応である。２０２２年３月まで台湾は、新型コロナウイルス感染症の感染者数や死者数を世界全体でも低く抑え続けてきた。抜本的な対処法がない中、ワクチン接種が可能

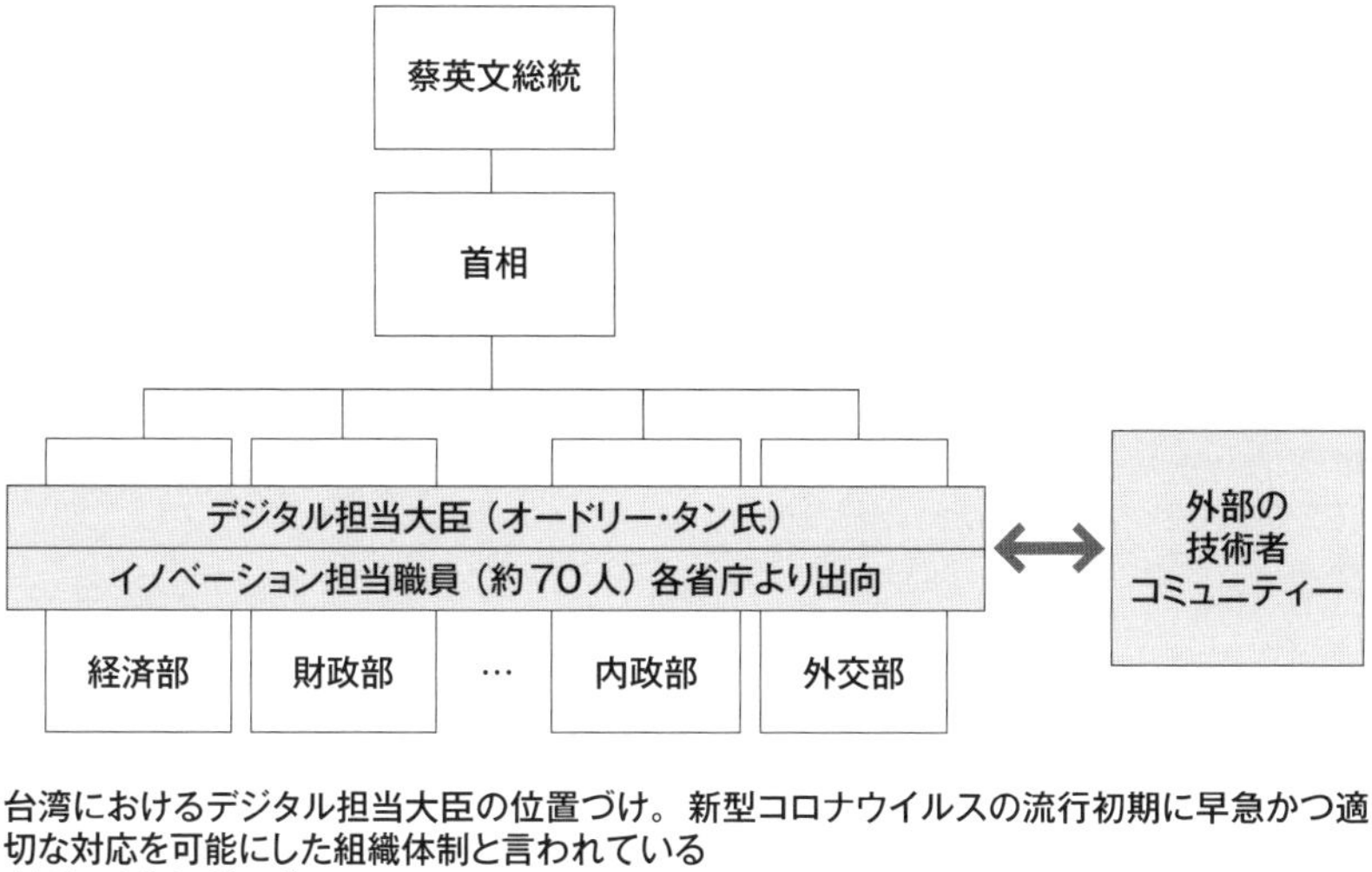

台湾におけるデジタル担当大臣の位置づけ。新型コロナウイルスの流行初期に早急かつ適切な対応を可能にした組織体制と言われている
（出所：エクサウィザーズ）

になるまでの間をしのいだ点は高く評価された。その時点で政府の新型コロナウイルス対策に対する市民の満足度は8割を超えていた。

台湾政府には、ＳＡＲＳ（重症急性呼吸器症候群）の感染拡大の経験があり、普段から感染症対策の体制を整えていたという事実はあったが、デジタル成熟度、ＤＸを実現する力の高さがモノを言った。背景にあるのは、天才プログラマーと言われたデジタル担当大臣のオードリー・タン氏の存在と即応するための組織のあり方だ。

台湾政府は、タン氏を無任所大臣と位置付け、部門横断的な形でＤＸに取り組める体制としていた。どうすれば全体最適で迅速に変革を実施できるかを考えた結果だ。各省庁の長より上の立場で、各部門から出向した約70人を部下に擁する。

そのうえで、タン氏が、台湾で強い影響力を持つ技術者コミュニティーと連携し、オープンイノベーションで事態に対処していった。

こういった体制による成果が、新型コロナウイルスの流行直後から実施したマスク配布の最適化である。具体的には、各店舗にあるマスクの在庫データを収集して、大人用と子供用のマスクがどこに何個あるのかを公開したのだ。30秒ごとに情報が更新される。

公的ＩＤと連携させることで、国民それぞれが割り当てた枚数以上は購入できないようにもした。これによって買い占めを防ぎ、国民に安心を与えた。

マスクの在庫データ公開から数日後には、在庫データと地図情報を組み合わせるなどして、台湾のスタートアップがマスクの在庫状況を簡単に確認できるアプリを次々に公開。ほぼリアルタイムに「どの店舗にどれだけマスクを売っているか」がわかるようになった。マスクを巡る混乱が目に見えて解消した。

台湾の事例では、組織の枠にとらわれず、フラットな関係にあるエンジニアのコミュニティーを巻き込んだ対応が奏功した。実現したのは大臣である前に、ＩＴ起業家であり自らも台湾のエンジニアコミュニティーに影響力を持つタン氏がいたからこそだ。

Ｗｅｂ３の世界では、トークンとＤＡＯがタン氏のカリスマに代わる力を発揮するだろう。台湾がマスクの最適化を進めた時、マスクの在庫共有にはブロックチェーンではないものの分散型台帳の仕組みを取り入れた。タン氏は、Ｗｅｂ３やＳＢＴへの共感を隠さない。第１部でも触れたＳＢＴについての論文である「Decentralized Society: Finding Web3's Soul」には同氏への謝辞が入る。また２０２２年６月には、自らのポッドキャストでＳＢＴのアイデアを発表したヴィタリック・ブテリン氏とも対談している。

参考文献
＊ＪＰＮＩＣ　一般社団法人日本ネットワークインフォメーションセンター「【特別公開】社会変容とインターネット ～１００年に一度の大禍とデジタル社会の初めての遭遇～」、https://www.youtube.com/watch?v=u3hRYv_qAzU
＊天下雑誌「All aboard the SBTs express」、https://english.cw.com.tw/article/article.action?id=3253

第11章 「技」デジタルとイノベーティブの2つのスキルを獲得する

本章では「技」、全社で備えるべきスキルに関して説明する。Ｗｅｂ３×ＡＩ時代に求められるスキルはどのようなものになるのか。

組織の変革に当たって、デジタルとＨＲ（組織）の２軸での変化が不可欠だと書いたが、スキルに関してもデジタルとイノベーティブの２種類の獲得あるいは強化が求められる。

デジタルはテクノロジーに関する、イノベーティブはイノベーションを起こすためのスキルだ。どちらが欠けても変革は実現しない。

デジタルのスキルから説明する。ＡＩを使いこなすためには、機械学習やディープラーニングといったＡＩそのものに加え、データサイエンス、さらにはソフトウエアエンジニアリング、ＵＸなどに関するスキルが求められる。データサイエンスはどういったデータを収集し、どうＡＩで分析すべきなのかといった知見に直結する。

ソフトウエアの開発力を高めるソフトウエアエンジニアリング、現実に顧客がどう使うのかを考えるＵＸの重要性も理解してもらえるだろう。

Ｗｅｂ３の時代に向けては、新たにブロックチェーンやＮＦＴ、ＤＡＯ、あるいはメタバースに関する知識も必要になる。

これらのスキルを身に付けた人材は慢性的に不足している。みずほ情報総研（現みずほリサーチ＆テクノロジーズ）がまとめた「ＩＴ人材需給に関する調査」はＩＴ人材が２０３０年に最大で79万人弱不足すると試算している。ＡＩ人材に限定した試算でも２０３０年には最大で14万５０００人が不足する。

デジタルスキルの源泉はエンジニア

グーグルやアマゾンといったビッグテックですら、優秀な人材の確保に躍起だ。ビッグテック以外の名だたるグローバル企業も人材獲得に力を注ぐ。２０２２年に入って米国で金融引き締めが進む中、収益構造を改善しようとするスタートアップでは人員削減が始まったが、放出されたエンジニアをビッグテックが根こそぎさらっていくようなケースもみられるという。

デジタル人材の重要性を認識しているのはテック企業だけではない。アマゾンと激しく競合する世界屈指の小売企業である米ウォルマートはＩＴ部門と併せて５０００人以上のＤＸ人材を抱える。以前からＩＴに力を入れてきた歴史はあるが、将来を見据えＡＩ人材などに積極的に投資しており、ＡＩの先端技術である深層学習で世界最高峰の学会である「NeurIPS」で、投稿論文がアクセプトされるなどの成果を出し始めた。第１部、第２部でウォルマートによる最新テクノロジーへの取り組みに触れたが、これらが可能になるのは社内の分厚いデジタル人材があればこそだ。

デジタル人材の獲得に特効薬はなく、採用のための努力を続けるのが唯一の答えだ。報酬で報いるのは１つの手段だが、より高額の報酬を提案する企業には勝てない。人材獲得に関しては、ビッグテックを含むあらゆる企業がライバルになる。

報酬以外は何に目を向ければいいのか。高学歴の新卒採用にこだわっている余裕はない。まずグローバル人材を募集する、副業や派遣などを含めた柔軟な雇用形態を整える、といったことが考えられる。技術者のコミュニティーに自ら飛び込んでネットワークを構築し、自分たちの企業に関心を持ってもらってから採用につなげるくらいの努力もあっていい。

エクサウィザーズは１５０人程度のＡＩをはじめとしたエンジニア集団を抱えるが、簡単に採用できているわけではない。出身地は20カ国・地域を超える。ワーケーションなどの形でウェルビーイングな働き方を進める理由の１つには、エンジニアにとって魅力的な職場作りもある。

企業買収もデジタルのスキルを向上させる手段だ。買収を意味するAcquireと採用を意味するHireを合わせた「アクハイヤー（Acquhire）」という造語がある。事業の内容もそうだが、所属するエンジニアの獲得を目的に買収に踏み切るケースも増えている。

グーグルのリソースを求め自ら傘下に

デジタルスキルの獲得にはコストも必要だ。ＥＲＰ（経理や人事などの統合基幹業務システム）のような旧来のシステムは業務効率化やコスト削減のツールとしての意味が大きかった。今求められているデジタルは従来の常識を超える効率化や成長のエンジンとなる新規事業を生み出す原動力にほかならない。企業としてもコストではなく、戦略的な投資として位置付ける必要がある。

デジタル投資とデジタル人材確保の双方に関係する興味深い話がある。

第２部で取り上げたディープマインドは、英国で創業され２０１４年にグーグルに買収された企業だ。

グーグルはディープマインドにとどまらず著名研究者の興したベンチャー企業を次々と買収し、「ＡＩの父」の１人として知られるコンピューターサイエンティストのジェフリー・ヒントン氏をはじめ、数多くのＡＩ研究者を雇用している。なぜヒントン氏のような著名研究者が大学から民間企業に移籍するのか。世界最大級のデータセンターを運用するグーグルのけた違いのコンピューターリソースが研究者を引き付ける。

ディープマインドの創業者であるデミス・ハサビス氏も同様の理由で、早くからグーグルによる買収の是非を検討していたという。生物学50年来の悲願を達成するには、大学の研究予算でもベンチャーキャピタルからの投資でも不十分だったのだろう。

そのグーグルにとってもＡＩ研究者たちの要求額は破格なようで、元ニューヨーク・タイムズ記者のケイド・メッツ氏による書籍『ジーニアス・メーカーズ』によると、ヒントン氏のチームの要求額があまりに高額だったため担当者が一度は却下したものの、最終的に社長判断で予算が通ったという。同書によると、その後ＡＩは予算額をはるかに上回る収益を同社にもたらす結果になったとしている。

イノベーティブになるための5つのスキル

もう一方のイノベーティブなスキル、つまりイノベーションを生み出すスキルは内容が少しイメージしづらいかもしれない。

『イノベーションのジレンマ』の執筆者として知られる経営学者の故クレイトン・クリステンセン氏ら

による『イノベーションのDNA 破壊的イノベータの5つのスキル』を参考に説明する。

同書によれば、イノベーションを起こす起業家や経営幹部は5つのスキル（同書では発見力と呼ぶ）を備える。具体的には、関連づける力、質問力、観察力、人脈力、実験力だ。これら5つを「イノベータDNA」と呼んでいる。これら5つのスキルは、米アップルの創業者の故スティーブ・ジョブズやアマゾンの創業者ジェフ・ベゾス氏など数千人のイノベーターを分析し、どのように創造的なアイデアや事業戦略を生み出したのかをまとめたものだ。

関連づける力は、5つのスキルの柱となるもので、無関係に見える事実やアイデアを結び付け、独創的なアイデアに変える認知的能力を指す。その他の4つのスキルは関連づける力を呼び起こすために必要な行動とも言える。

質問力は、イノベーションにつながるアイデアを引き出すために適切な質問をする力を指す。現状の確認、なぜそうなっているのかという原因の究明、新たな視点の発見などが質問によって可能になる。

観察力は、周囲の出来事を注意深く観察し、どういった仕組みが存在し、うまくいかない場合は何が原因なのかを知る力だ。別の場所、別の仕組みではうまくいっているかどうかにも関心を持つ。観察を続けるうちに、関係ないように見えたアイデアを結びつけるきっかけが生まれる。

1人で考えているだけでは自分の枠を越えることができない。人脈力は多様な人脈、ネットワークを作る力だ。特に新規のアイデア創出につながる人脈を作る力が望ましい。われわれはネットワーク力と呼んでいる。

実験力は、新製品や新サービス、新たな顧客体験や業務プロセスなどを試す、実験する力だ。仮説を検証し、未来がどうなるのかを考える手段が実験力になる。製品やサービスがどうなっているのか分解などによって検証するのも実験の１つと言える。

これらのイノベーティブなスキルを満たした人材の獲得は難しい状況にある。１人の人間が５つのスキルを高いレベルですべて備えていることはまずない。

潜在的人材を発見し育て活用する

デジタルやイノベーティブに関するスキルに長けた人材の獲得が難航している時（こういった企業の方が多いだろうが）に目を向けるべきなのが社内の人材だ。われわれの分析では、既存の社員の約２割程度がデジタルトランスフォーメーションを推進する潜在力がある。こうした人材を「DXポテンシャル人材」と位置づけている。

２割という数字には根拠がある。エクサウィザーズではDX推進の経験やイノベータ研究などをベースに、「exaBase DXアセスメント&ラーニング」と呼ぶDX人材発掘・育成サービスを開発しており、累計で約４００社約２万人が受検している（２０２２年３月末時点）。このうちの４７００人の受検データを分析した結果、２割という数字が浮かび上がってきたのだ。

同サービスは、デジタルとイノベーティブの双方に関連する約１００～１３０程度の質問にオンラインで回答するものだが、それぞれの領域のスキルおよび素養のレベルを可視化する。スキルは一定期間の学習によって後天的に伸ばしやすいが、素養は先天的な要因が大きく学習による急速な改善が難しい。ソフトウエアエンジニアリングや関連づける力はスキルに、テクノロジー好きかどうか、自己肯定感が高いかといったものは素養に分けられる。

回答は、デジタル×スキル、イノベーティブ×スキル、デジタル×素養、イノベーティブ×素養の4つのカテゴリーに分類され、それぞれを10点満点で評価する。このうち、デジタル×スキル、イノベーティブ×スキルがともに8・5以上の人材を即戦力のDX人材とし、デジタル×素養が7・4以上かつイノベーティブ×素養が6・9以上の人材をDXポテンシャル人材と定義している。これまでの受検結果を基に分析し定義した。この結果、専任であるDX推進組織以外の組織の約2割がDXポテンシャル人材であるとの結果になった。具体的には全体4700人中957人（20%）が、

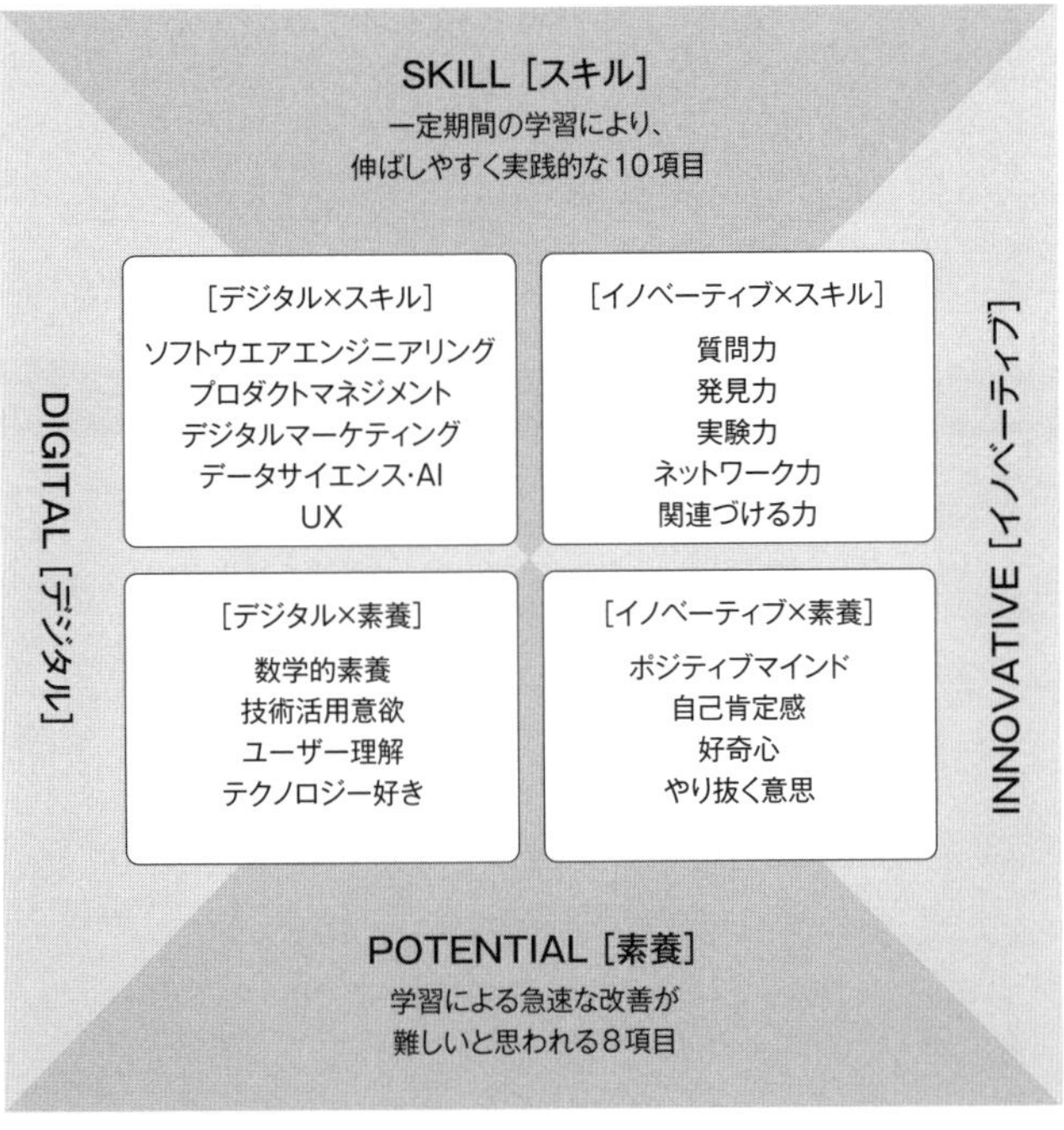

人材発掘・育成サービス「exaBase DXアセスメント&ラーニング」における評価ポイント
（出所:エクサウィザーズ）

DX推進組織への所属	DXポテンシャル人材の割合	DXポテンシャル人材数	総計
所属している	30%	303人	1019人
所属していない	18%	654人	3681人
会社にDX推進組織がある	18%	610人	3474人
会社にDX推進組織がない	21%	44人	207人
総計	20%	957人	4700人

DX推進組織に所属していないDXポテンシャル人材の割合。約2割が該当する

職種別DXポテンシャル人材の割合

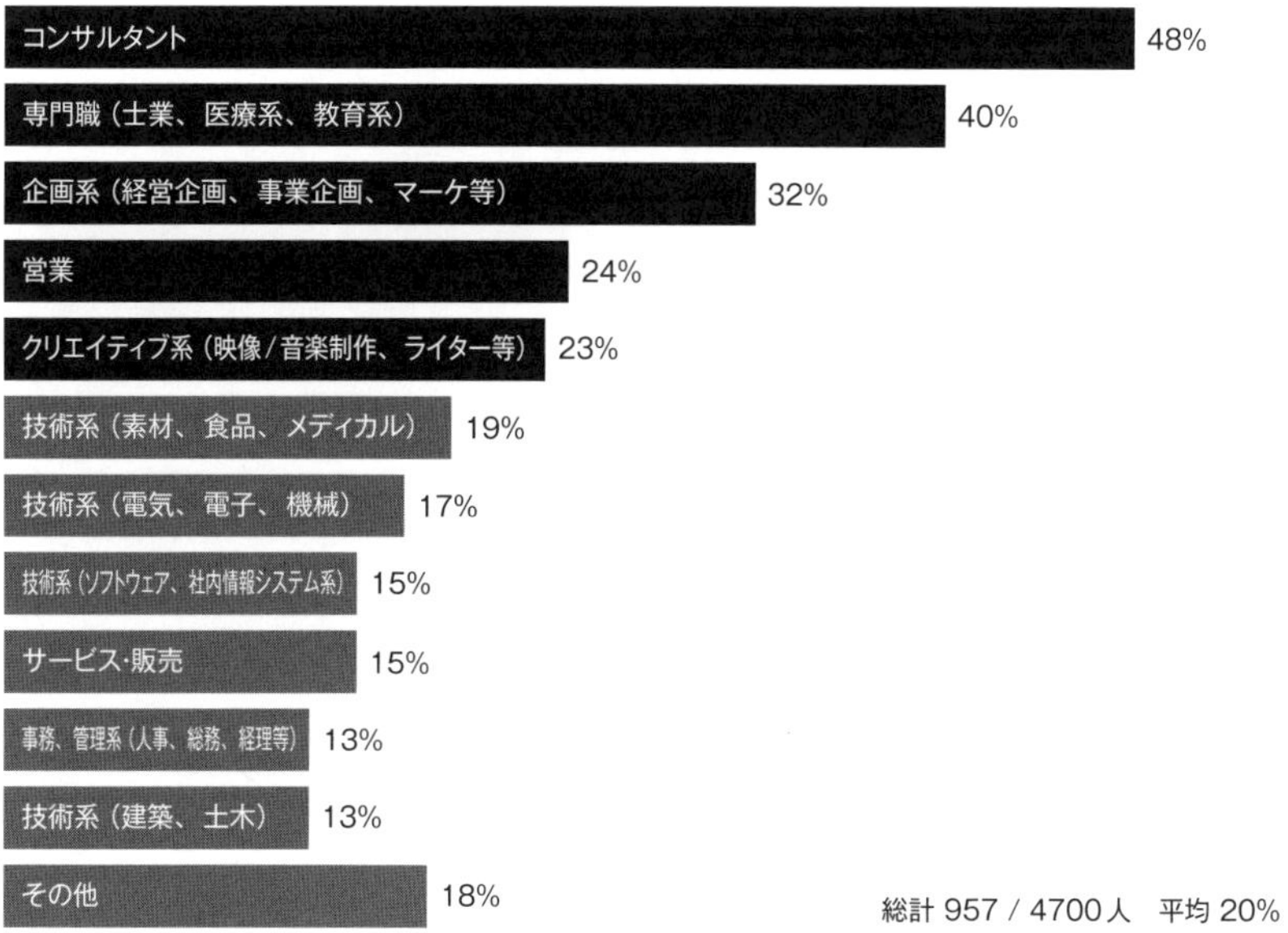

（エクサウィザーズ調査・分析、2021年12月）

ＤＸ推進組織に所属していない３６８１人中６５４人（18％）がＤＸポテンシャル人材である。

こうした素養のスコアが高いＤＸポテンシャル人材について、スキル面の向上を図ることで、社内でのＤＸ人材を増強できる可能性がある。前述の通りスキルは比較的向上させやすい。

ＤＸポテンシャル人材の比率が特に高いのはコンサルタントの48％で、士業、医療系、教育系の専門職の40％がこれに続く。企画系では32％、営業では24％だった。少し意外かもしれないが、ソフトウエアやＩＴ関連技術職では15％にとどまった。

eラーニングでスキルを上げ戦力化を促進

ただし何もしなければポテンシャル人材は文字通り、潜在的な人材のままだ。９５７人の43％に当たる４１１人はデジタル×スキルがレベル１以下。イノベーティブ×スキルでも38％の３５９人がレベル１以下だった。

現実には、リラーニング（再学習）やリスキリング（職業能力の再開発・再教育）で能力を開花させる必要がある。eラーニングなどの学習機会を一定期間（約３カ月～半年）提供することで、スキルのスコアは上昇する。１段階上のレベル２に引き上げるだけでポテンシャルのつかないＤＸ人材が生まれる可能性が高い。

時間とコストは発生するが、新たに採用するのに比べれば確実に人材を確保できる。活用しない手はない。どういった企業なのか、企業文化や業務内容を熟知しているのもＤＸポテンシャル人材のよさだ。灯台下暗しで社内にも多くの人材がいることを再認識すべきだ。

オズボーン教授の10スキルでより具体化

５つのイノベーティブのスキルを読んだだけでは、具体的にどう行動すべきかわかりづらいかもしれない。理解を助けるために、われわれは５つのスキルを、英オックスフォード大学のマイケル・オズボーン教授による論文「未来のスキル」で示された10のスキルに置き換えて解説する。われわれの調査で、５つのスキルと未来のスキルの間には高い相関関係があることがわかっている。

２０１８年からエクサウィザーズの顧問を務めるオズボーン教授は、２０１３年に発表した論文『雇用の未来〜コンピューター化によって仕事は失われるのか〜』で知られている。今後10年の間に47％の職業が自動化される、つまりＡＩによって雇用が奪われるという指摘で有名になった。

オズボーン教授が、それに続いて執筆したのが、２０１７年に発表した２０３０年に必要とされるスキルについての論文『未来のスキル（The Future of Skills: Employment in 2030）』になる。

未来のスキルが参考になるのは、さまざまな職業が自動化されることだけを前提に執筆されたものではないからだ。職業の自動化を含む技術的変化に加え、環境の持続可能性、都市化、格差の拡大、政治的不確実性、グローバル化、人口動態の変化の合計７項目を、未来に求められるスキルに影響を与える主要なトレンドとして挙げている。どのトレンドも社会課題に直結する。未来のスキルはこういった時代に求められるものでもある。

７項目のトレンドを踏まえ、言及されている未来のスキルは10に上る。①社会的洞察力、②発想の豊かさ、③心理学、④指導力、⑤協調性、⑥独創性、⑦戦略的学習力、⑧アクティブ・ラーニング、⑨教育学、⑩社会学・人類学だ。これらの多くが人間にしかできない「ソーシャルインテリジェンス」を重視している。具体的にどういった行動・能力が求められるのか、わかりやすくわれわれが整理したものが以下になる。

いろんな人とコミュニケーションする中で、社会にあるさまざまなステークホルダーのニーズをくみ取り（①）、たくさんのクリエーティブなアイデアを出し合い（②）、複数のオプションの中から本当に自分たちのやりたいことを見つけ出し（③）、ゴールを設定して、それをさまざまな人と共有し（④）、一緒にやろうよと動機づけ（⑤）、協働する中で自分の個性を見つけ出し（⑥）、その個性を育成するプランを自ら設計し（⑦）、時には傷つきながらも目的に向かって努力していく中で成長し（⑧）、そこで身に付けたスキルを体系化して他者に教えながら（⑨）、

1. 社会的洞察力（Social Perceptiveness）：いろんな人とコミュニケーションする中で、社会にいるさまざまなステークホルダーのニーズをくみ取り、
2. 発想の豊かさ（Fluency of Ideas）：たくさんのクリエーティブなアイデアを出し合い、
3. 心理学（Psychology）：複数のオプションの中から本当に自分たちのやりたいことを見つけ出し、
4. 指導力（Instructing）：ゴールを設定して、それをさまざまな人と共有し、
5. 協調性（Coordination）：一緒にやろうよと動機づけ、
6. 独創性（Originality）：協働する中で自分の個性を見つけ出し、
7. 戦略的学習力（Learning Strategies）：その個性を育成するプランを自ら設計し、
8. アクティブ・ラーニング（Active Learning）：時には傷つきながらも目的に向かって努力していく中で成長し、
9. 教育学（Education and Training）：そこで身につけたスキルを体系化して他者に教えながら、
10. 社会学・人類学（Sociology and Anthropology）：新しい社会を生み出していく。

マイケル・オズボーン教授が言及する10の「未来のスキル」
（出所：『未来のスキル（The Future of Skills: Employment in 2030）』を基にエクサウィザーズ作成）

新しい社会を生み出していく（⑩）。

トランザクティブメモリーでスキル・組織力を高める

こうしたデジタルのスキル、イノベーティブのスキルを双方とも蓄積、向上させるために有用なのがトランザクティブメモリーの醸成だ。トランザクティブメモリーとは、組織において「誰がどのような情報に詳しいか」を共有し、分からない問題に直面したら、その問題に詳しい人にたずねることで情報を自分のものとして活用するという概念だ。従業員全員が全員の頭脳を共有するイメージと言えばいいだろうか。

組織にはさまざまな人材がいる。各人が持つ情報やスキルを共有できれば、組織としての能力は高まる。トランザクティブメモリーを高める手段はいくつもある。ナレッジマネジメントと言われていたデジタルツールの利用もそうだが、あまり普段の業務で接することのないメンバー同士が話せる機会を設け、コミュニケーションを活性化させるのも有効だ。

エクサウィザーズでも、社内のトランザクティブメモリーを最大化するために、いろいろな施策を行っている。自分が実現したいことや挑戦したいこと、将来像を含めたスキルなどの情報を全社員と共有できる、直接の業務に関係ない部活動や、参加希望者がシャッフルされて抽選で3、4人のグループに分けられ食事をとりながらオンラインで雑談するシャッフルランチなどがそうだ。経営会議はオンラインで開催しているが、社員なら誰でもその内容を聞くことができる。

第12章 「心」前向きなマインドセットが成長につながる

本章では、「心技体」の心、つまり従業員の幸福や精神的な健康がどうあるべきかを考える。働き方改革やウェルビーイングといった言葉を耳にする機会も増えた。

組織を変革し、必要なスキルを獲得するだけでも変革は進み始めるだろう。だがこれにかかわる人材の心の状態がどうかで、成果に大きな差が生まれる。

仕事を通じて力を出し切る幸せを感じ、仕事を通じて人とつながる幸せを感じるには、自分の意見を言えるような風通しのいい社風と、仕事仲間とつながりやすい環境であるかどうかが大事だ。

大量生産の時代には、人間も会社という大きな機械の部品のように動くことで、成果を上げていたから、上意下達の組織でも機能した。だがＷｅｂ３×ＡＩの時代には、クリエーティビティーが競争優位を生む一因になる。自由にクリエーティブな意見を言える雰囲気がマインドセットに好影響を与え、イノベーションの創造につながる。

シリコンバレーで尊ばれる前向きなマインドセット

その好例が米シリコンバレーだ。数えきれないほどのスタートアップを輩出したこの地域には、自由で前向きなマインドセットを尊ぶことで組織を活性化させ、成長につなげる文化がある。

米ペイパルと米パランティアテクノロジーズの共同創業者としても知られ、シリコンバレーを代表する投資家・実業家であるピーター・ティール氏は「明らかな楽観主義」の有効性を明言する。アップルの共同創業者であり前ＣＥＯだった故スティーブ・ジョブズ氏が米スタンフォード大学卒業式での伝説的なプレゼンテーションの最後に話した「Stay Hungry, Stay Foolish」の一節も、同様のマインドセットを維持し続けることの大切さに触れたものだ。

マイクロソフトは５つの項目で自社のカルチャーを紹介しているが、その１つに「グロースマインドセット」を挙げる。キャロル・S・ドゥエック氏によるベストセラーの『マインドセット』で有名になった言葉でもあるが、グロースマインドセットは、能力は高められる、人はより良くなれる、失敗を恐れない、挑戦する、といったマインドセットになる。比較されるのは「フィックストマインドセット」であり、こちらは、能力は固定的、人は変われない、失敗を恐れる、難しい挑戦を避ける、というものだ。

グーグルが有名にした言葉が「心理的安全性」だろう。心理的安全性とは、組織の中で自分の考えや気持ちを誰に対しても安心して発言できる状態を言う。

同社が「効果的なチームを可能にする条件は何か」に対する答えを見つけるために実施した「プロジェクトアリストテレス」によって、心理的安全性に注目が集まるようになった。

このプロジェクトでグーグルは、エンジニアとビジネスの合わせて１８０のチームを調査し、何がチームを効果的にするかを分析した。明らかになったのは誰がメンバーであるかよりも、チームがどのように協力しているか、だったという。

チームが効果的であるかどうかに影響する因子は５つあり、最も重要だとされたのが心理的安全性だ。

心理的安全性の高いチームに属するメンバーは、他のメンバーに対してリスクを取ることを恐れない。バカにされることも罰を受けることもないと確信している。

残る４つの因子は相互信頼、構造と明確さ、仕事の意味、インパクトだった。

前向きなマインドセットがイノベーションにつながるだけでなく、マインドセットの不調は企業の損失に直結する。厚生労働省の「令和3年労働安全衛生調査（実態調査）」によれば２０２１年10月末までの１年間に、メンタルヘルス不調により１カ月以上休業、あるいは退職した労働者がいた事業所の割合は全体の10・１％に達する。

人材は企業にとって最大の財産である。従業員が働けないという事態そのものが問題であり、たとえ比率が低くても無視できない。この中には変革を支える人材も、可能性を持ったポテンシャル人材もいたはずだ。周囲への悪影響も無視できない。

従業員１人（年収約６００万円、30代後半の男性）が半年間休職した場合、約４２２万円の損失（休職前後の３カ月と休職中の６カ月に周囲の従業員が休職した従業員の業務を残業で代替すると仮定）が追加的に発生するという調査もある。損益だけをみても大きなマイナスだ。

心理状態を把握しマインドセット維持

従業員の良好なマインドセットをどう維持すればいいのか。現状がどうなっているのかわからなければ手の打ちようがない。同意を得たうえで、従業員の心理状態を把握する。多くの場合、メンタルヘルスは徐々に悪化する。早期に適切な手段を取れば問題を防げる。

具体策として「コンディションサーベイ」「ｅＮＰＳ」「クレドシートｆｏｒ １ｏｎ１」の3つを紹介したい。

１つ目のコンディションサーベイは職場の雰囲気を調べるためのアンケート調査で、エンゲージメント、ｅＮＰＳ、心理的安全性、ストレスチェック、インテグリティ、ダイバーシティ＆インクルージョンなどの分野で約40個の回答をしてもらっている。例えばエンゲージメントでは、以下のような8つの質問に答えてもらっている。これは米ＡＤＰリサーチ・インスティテュートが２０１９年に発表した、従業員のエンゲージメントの度合いを知るための評価項目である。重要なのは上司や会社でなく、回答者自身を評価するものであることだ。

『ハーバード・ビジネス・レビュー』２０１９年11月号の「組織図には表れない チームの力が従業員エンゲージメントを高める」という記事に具体的な質問が掲載されているので引用する。

（1）私は、会社が掲げる使命に対して心から貢献したいと考えている。
（2）仕事上で、自分に期待されていることを明確に理解している。
（3）所属チームのメンバーと価値観が共通している。
（4）仕事で毎日、強みを発揮するチャンスがある。
（5）チームメイトが私をサポートしてくれる。
（6）優れた仕事をすれば、認められることがわかっている。
（7）会社の未来は明るいと強く信じている。
（8）仕事では常に、成長が求められている。

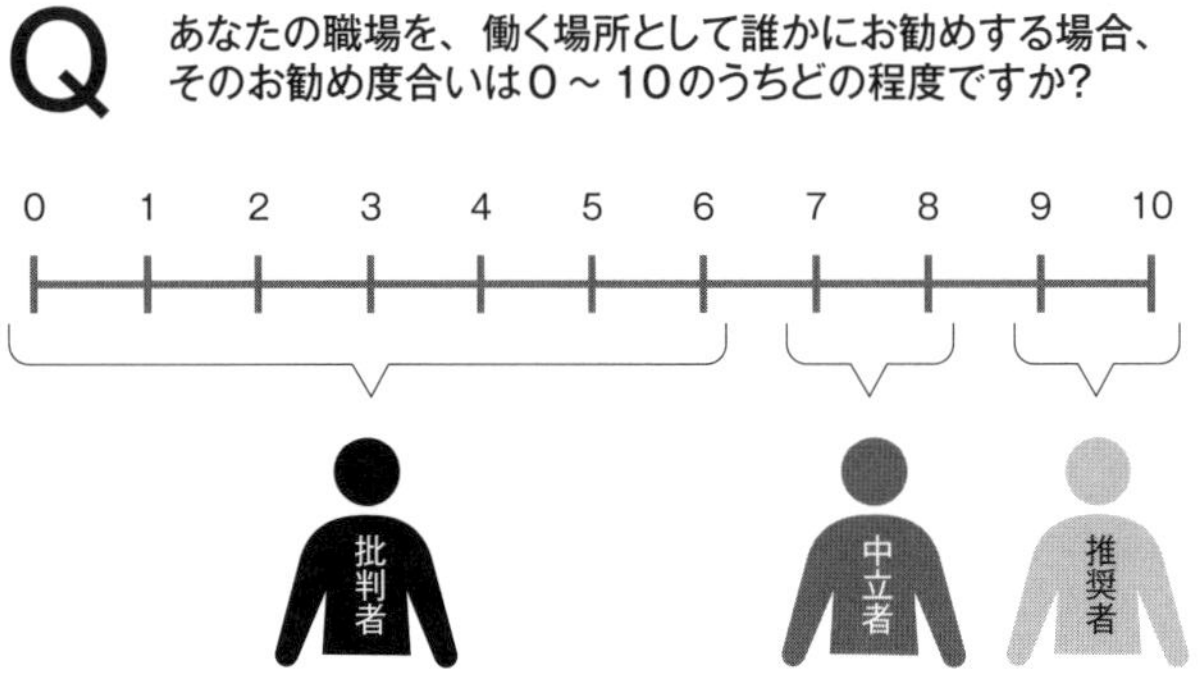

「eNPS」とは、従業員ロイヤリティを測る指標。推奨者の割合（%）から批判者の割合（%）を引いた値

業界別のeNPS

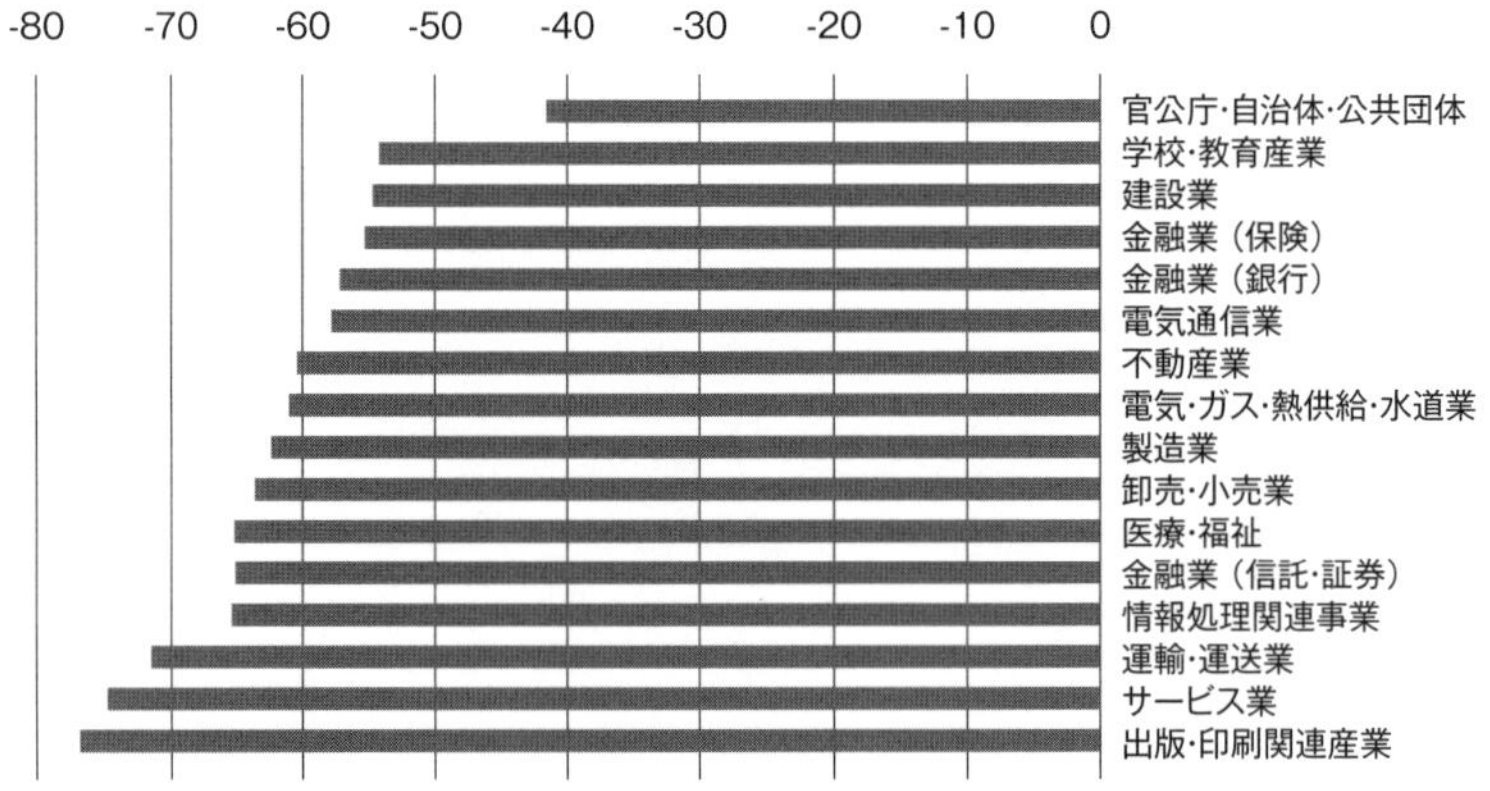

eNPSの算出方法（上）と、業界別のeNPS
（出所:ビービッドの「eNPSは何によって上がるのか-16業界eNPS調査結果」）

ｅＮＰＳはエンプロイー・ネット・プロモーター・スコアを示す。「あなたの職場を、働く場所として誰かにお勧めする場合、そのお勧め度合いは０～10のうちどの程度ですか」と質問し、職場の奨励度を数値化した指標。具体的には10段階中６以下を批判者、９以上を奨励者とし、奨励者の割合から批判者の割合を引いた数字になる。

最後のクレドシートｆｏｒ１ｏｎ１だが、クレドシートは行動指針を意味するクレドを書き込むフォーマットになる。自分の実現したいことは何か、自分にとって大きな挑戦とはなんなのか、そのために自分はどんなスキルを身につけ・磨き、誰と・どんなチームで協働すればいいのか、などに関して、自分のクレドを記入する。この後、記入した内容に沿って上司と１対１つまり１ｏｎ１で面談し、自身の成長の方向性をすり合わせる。

いずれもＡＩを併用すれば、対処策の策定まで含め判断を高度化できる。これらの施策はエクサウィザーズでも定期的に実施している。

仕事を通じた自己実現がikigaiを生む

仕事自体、より正確には仕事を通じた貢献で感じる自己実現もマインドセットに好影響を与えることも指摘したい。ここでユーダイモニア研究所の水野貴之代表理事が唱える「ikigai理論」を紹介する。同研究所は、心の豊かさを意味するikigaiを最大化する経営の実現を掲げる。ikigaiは人間が置かれている状態、感じている欲求によって異なる。

有名なマズローの欲求５段階説では「生存」「安全」「帰属」「承認」「自己実現」の順に人間は新たな

欲求を求める。生存欲求が満たされれば次に安全欲求を、安全欲求が満たされれば帰属欲求を、という順番だ。

ikigai理論では、マズローの各段階の欲求を基に、人間のニーズを生存・安全、帰属・承認、自己実現の3段階に整理している。どういったニーズを求めているかで、人間が感じるikigaiは変わる。生存・安全というニーズでは安心が、帰属・承認のニーズ段階では満足がikigaiをもたらす。現代の日本社会ではこれらのニーズは実現さ

自己実現	内発的	自律系	感じる	快楽の悦び （ヘドニア）	五感を通じて得られる快楽的な歓び ・美味しい料理を食べたい ・歌う　・ダンス
自己実現	内発的	自律系	探究する	熱中の喜び （フロー）	何かを生み出すために没頭することで得られる忘我状態の歓び ・研究開発　・スポーツ ・芸術　・ゲーム
自己実現	内発的	共同体系	交流する	団欒の歓び （ヒュッゲ）	居心地のいい時間を仲間と一緒に楽しむことで得られる歓び ・家族・仲間と楽しい時間を過ごしたい
自己実現	内発的	共同体系	貢献する	最善の歓び （ユーダイモニア）	人生における重要な目的や自己の存在理由を、社会への貢献に見いだすことによって得られる持続的な歓び ・この仕事をするために私は生まれてきた
帰属・承認	外発的	社会適応		満足	道徳、役割、力の誇示、自己有用感 ・誰よりも早く出世したい ・欲しい物を手に入れたい
生存・安全	外発的	身体適応		安心	生存や安全の欲求を満たす ・お腹が空いたので昼食を取りたい ・よく寝たい

ニーズ

ユーダイモニア研究所の水野貴之代表理事が唱える「ikigai理論」における、各段階の欲求（出所:ユーダイモニア研究所）

れ、自己実現が求められる。外発的なものから内発的なものに変わっていく。

自己実現のニーズが一般化した社会で新たに加わるikigaiが、最善の歓び（ユーダイモニア）、団欒の歓び（ヒュッゲ）、熱中の喜び（フロー）、快楽の悦び（ヘドニア）だ。これらの4つのうち、人生における重要な目的や自己の存在理由を、社会への貢献に見いだすことによって得られる持続的な歓びのユーダイモニアは仕事を通じて実現できる。

ストレスを与えない、失敗を恐れない創造的な環境、信頼できるチームの醸成と同様に、やりがいを感じられる仕事ができることもよりよいマインドセットの実現に役立つ。

注釈

＊「心理状態を把握しマインドセット維持」の項目で紹介している「eNPS」がベースとしている「NPS（ネット・プロモーター・スコア）」は、ベイン・アンド・カンパニーが2003年に開発した、顧客ロイヤルティを調査する手法です。ネット・プロモーター、ネット・プロモーター・システム、ネット・プロモーター・スコア、NPS、そしてNPS関連で使用されている顔文字は、ベイン・アンド・カンパニー、フレッド・ライクヘルド、サトメトリックス・システムズの登録商標又はサービスマークです。

参考文献

＊米ADPリサーチ・インスティテュート「The Global Study of Engagement Technical Report」、https://www.adpri.org/wp-content/uploads/2020/07/
＊ハーバード・ビジネス・レビュー　2019年11月号「組織図には表れない　チームの力が従業員エンゲージメントを高める」

おわりに

最後に私がなぜ本書を執筆することにしたか、エクサウィザーズがどう誕生し、何を考え、何を実現しようとしているのかを踏まえながら、改めて説明したい。

「ＡＩを用いた社会課題解決を通じて幸せな社会を実現する」をミッションに掲げるエクサウィザーズは２０１６年に設立された。われわれのミッションに共感いただける顧客・ユーザーや従業員も広がり、２０２２年７月時点でＡＩ・機械学習のエンジニア、コンサルタントやサービス企画・開発人材、ＵＩ・ＵＸデザイナーなど、約４００人が結集するまでになった。

エクサウィザーズとは10の18乗（エクサ）の魔法使い（ウィザーズ）という意味である。ウィザードは、エンジニアの間で人並外れて優秀な人に対する敬称だ。他のＡＩベンチャーと当社の最大の違いは、多様なバックグラウンドを持つウィザードが集まってきている点である。エンジニア、コンサルタント以外に、中央省庁、ジャーナリスト、金融機関の経験者や弁護士、介護士など各ドメインのウィザードが多数在籍している。

「社会課題解決×ＡＩ」というビジョンを掲げ、かつこれをスタートアップで事業成長しながら展開していく。当社の取り組みを共有するのは、ひいき目に見ても世の中のためになる。こう思い本書を書き始めた。

ＡＩを用いた社会課題解決で幸せな社会を実現したい

「ＡＩで社会課題を解決する」

このミッションはただのお題目ではない。われわれは本気である。月２回開く全社員向けのオンライン会議では、経営陣から「われわれは社会課題を解決するために、ここに集まっている」ということを繰り返し何度も強調し伝えている。

物質的な価値から心の豊かさを求める時代に移行する中、この志に共感する人たち、なかでも優秀な若者が増えてきている。この志の下に優秀な人材から注目を集めており、ビジネスパーソン向けＳＮＳ世界最大手のLinkedInが、優秀な人材を獲得できた国内のベンチャー企業をデータに基づいてランク付けする「LinkedIn Top Startupsランキング」で、２０１９年、20年の2年連続で首位に輝いた。

業務で大変な思いをしたときも、「今やっていることが誰かの役に立っている」という信念がわれわれの原動力だ。選択に迷ったとき「社会課題を解決するために集まっている」という思いが羅針盤になる。

何よりも幸せな社会を実現する自分たち自身が幸せでいたい。ＡＩの力で幸せな社会を築く一方で、われわれ自身も仕事を楽しみたい。仕事を通じて人とつながって幸せになりたい。経済的な幸せだけがすべてではない。

ここで創業者の１人である会長の春田真さんの言葉を紹介したい。われわれはこれを日々意識して課題解決に取り組んでいる。

「子供の頃、やらないといけないことは自分でやりなさいと教えられただろう。後片付けだったり、勉強だったり。大人になると変わるのか？　やらないといけないことと思うかどうかの違いだろう」

「そして目の前の問題に向き合おう。自分でやらないといけない問題だと認識しよう。やるしかないでしょ。世界を自分たちの子供たちが少しでも幸せを感じられる社会にするために。さぁ、始めよう」

企業はWeb3にどう向き合うべきか

執筆が中盤に差しかかったころ、Web3に関する情報ニーズが急速に高まった。「Web3とは何か」というテーマのさまざまな書籍や解説が登場しているが、

「企業、特に大企業はWeb3にどう対応すればいいのか」

「これまで続けてきたDXとの関係性はどう考えればいいのか」

「Web3とAIの関係性は何か」

といった疑問に現時点でのわれわれの仮説を共有したいと考えた。ここにきて顧客のCxOなどにWeb3に関して直接質問される機会も増えている。Web3は技術のイノベーションでもあるが、主たる変化は価値観の変化である。社会課題をAIで解決するというわれわれのミッションが直結すると考えている。

Web3には、テック大手への富と力の集中に対する反発として登場した側面があるが、これからはデータを個人が所有・管理し、パワーを人々に戻すムーブメントとなっていくはずだ。

第2部では、現時点で成果が出ているかどうかという視点で、Web2・0のAI・DXの事例を多く紹介している。こうした事例からも今後、Web3のテクノロジーや考え方を取り込んでさらに発展していくものが出てくるだろう。

中核技術になりそうなのは、第1部で取り上げた「SBT」という技術だ。Web3のオピニオンリーダーの1人であるビタリック・ブテリン氏が書いた論文「Decentralized Society」によると、人々は自分の個人データを自分で管理し、これを積極的に提供することで、科学技術、経済が大きく発展することに貢献するようになるという。

個人から社会に

今は個人データを「外部の企業に積極的には共有したくない」という人がほとんどだろう。積極的に提供するようになるには、どういう要素が必要なのか。ブテリン氏らは、まずプライバシーを守れるようなSBTを含むWeb3関連技術であり、次にデータを提供する動機となるインセンティブが必要と指摘する。ここで言うインセンティブはトークンを配ることだと言い換えられる。個人に代わってパーソナルデータを管理し、データの使用料をめぐって企業と交渉する「パーソナルデータ管理組合」のようなものも出てくるだろうとしている。

人々が積極的にパーソナルデータを提供するWeb3時代には、どんなことが可能になるのだろう。例えば、地球上のほとんどの人が自分のDNAや生体のデータ、食事、運動に関するデータを提供すると同時に、がんの発症を報告するようになれば、がんのなぞがかなり解明されるようになるだろう。アプリなどを通して、がんにならないようなライフスタイルを個々人に向けて提案できるようにもなる。がんになる確率がかなり低下するのではないだろうか。同様に、心臓疾患、うつ病などのメンタルヘルスなど、人類が直面しているさまざまな課題に効果的なアプローチが見つかるだろう。社会課題解決に向けて夢は膨らむばかりだ。

個々の企業がＡＩのぐるぐるモデルの恩恵を受けていたものが、社会全体が恩恵を受けるように変わる。これがＷｅｂ3のインパクトだと思う。

エクサウィザーズはＷｅｂ3が知れわたる前から同様のビジョンを持って活動してきた。医療、介護、金融、製造現場、人事など多方面の事業を手がけてきたのは、いろいろな領域のデータを組み合わせることで、ＡＩのぐるぐるモデルの生み出す価値が中華鍋を模したカーブのように加速し増えていくことを知っていたからだ。われわれはこれをマルチモーダル・マルチセクター戦略と呼んでいる。

とはいえ1社でできることは限界がある。エクサウィザーズは日本を代表する大企業やテクノロジー企業と組んで、さまざまな社会課題解決にチャレンジしてきた。

そこに登場したのがＷｅｂ3だ。この価値観変化、技術、ムーブメントは、われわれが待ち望んでいたものである。すべての企業、すべての人々と一緒になってＡＩのぐるぐるモデルで、科学技術、経済を中華鍋カーブで発展させていけるかもしれない。

こうした流れの中で、ＤＸを志向する企業にとって、本書で紹介した「ＢＡＳＩＣｓ」が1つのフレームワークになると考える。フレームワークというと難しく聞こえるかもしれないが、現在や今後の取り組みのチェックリストととらえていただければいい。

10分野でクロスする社会課題解決に取り組む

社会課題解決のフィールドは実に幅広い。エクサウィザーズは第2部で紹介した10の社会課題解決のほとんどの分野に対応できる、知見、サービス、アルゴリズムなどの技術を保有し、実際に提供している。第3部までの内容の補足を含むものでもあり、以下で説明したい。

まず「心身とも健康を保ち続ける」に関してだ。本文中では、「①超高齢化社会に対応する」で介護向けの「Care Wiz トルト」「同ハナスト」にフォーカスしたが、「②高度医療、パンデミックに立ち向かう」「③ウェルビーイングに過ごす」でも、ライフサイエンス・医療ヘルスケアの専門部隊が取り組んでいる。

例えば、創薬化学に特化をしたAI機能の独自APIモジュール群である「exa Chem」を大手製薬企業と共同開発し、製薬会社などとのプロジェクトの各段階で本格活用を始めた。低分子領域に関する化合物データに特化をした機能で、データの前処理や既存のワークフローのツールとの連携が、他の汎用のAIツールに比べると容易だ。データサイエンスの知見が深くない研究者でも活用できることを意識している。

exa ChemのAPI群を活用して創薬化学研究のAIプラットフォームを構築するサービスも提供している。創薬のプロセスにデータ駆動型の文化を根付かせて、ここでAIのぐるぐるモデルを実現していくものだ。

③の課題であるウェルビーイングに関しても、さまざまな技術を開発している。
専門家のメンタルヘルスのアドバイスを届ける「WellWiz」は、ＷＨＯ（世界保健機関）の定めたウェルビーイングに関する簡易アセスメントを基にしたセルフチェックのＷｅｂアプリだ。利用者が日々感じた事、大事なことを書き出して振り返ったり、呼吸法や認知行動療法などのトレーニングプログラムを受けたりできる。認知行動療法の専門家とのオンラインで面談できる機能もある。

われわれはWellWizをプラットフォームとして他のサービスと連携させていく考えだ。大手保険会社とその顧客への共同サービス展開も想定している。

「④ワークスタイルの変化に対応する」では、上司とメンバーなどでの１対１の面談をＡＩによる画像分析で評価するサービスを開発済みだ。今後、ウェルビーイングのサービスを高度化していくうえで必要となる。

第１部でスマートコントラクトに関連して述べたが、われわれはトレーニングなど体の動きをＡＩによる画像認識でデジタル化するテクノロジーやサービスを持っている。この技術を生かし、大手製薬企業とヘルスケアプロダクトの開発や現場実証をしたり、アカデミアと新規医療ソリューションを研究したりしている。

次は「環境変化に対応し持続する」に関してだ。「⑤気候変動に対応する」「⑥脱炭素、省資源に挑む」は当然のことながら社会にとって重要なトピックだ。

エクサウィザーズはエネルギー会社などでのクリーンエネルギーや再生可能エネルギーのプロジェクトを推し進めている。気候分野では日本気象協会と提携し、気象リスクによる「商品需要予測」「ヘルスケア」

「防災」などに取り組むと公表している。

「⑦食料危機を回避する」は、ＡＩ活用の新領域と言え、顧客企業から相談を受け始めている。創薬化学で培ったＡＩモデルやその実装、運用のノウハウが生きてくる分野といえる。エクサウィザーズはＡＩを活用したロボットの専門チームも擁しており、食品業界などのサプライチェーン効率化に活用できるテクノロジーを保有している。

最後は「地域やビジネスを強くする」に関してである。「⑧サプライチェーンを守り、ビジネスを継続させる」では大手物流会社とともに、日本の一般企業では珍しい「MLOps」による予測精度の向上に取り組んでいる。米テクノロジー大手などがＡＩのぐるぐるモデルで採用してきたものだ。日本企業に広がれば、国内外のサプライチェーンを強化することができる。特に資源や部品などを供給する側において重要になるだろう。

流通の現場では、ＡＩによる天候の精緻な予測、市場での実際の需要、現場スタッフの稼働といった制約条件を考慮したうえで最適な運用を実現する必要がある。ＡＩによる予測だけでなく数理最適化と呼ぶ手法も組み合わせて取り組んでいる。

「⑨地方や中小企業を維持、発展させる」については、第2部で紹介した「トルト」を自治体レベルで採用するケースが増えている。高齢者の入院につながる転倒リスクを、より網羅的にデータで把握できるようになる。自治体で、ＥＢＰＭ（証拠に基づく政策立案）による施策の実現を後押しする。このほか自治体の介護関連データを用いた要介護度の予測ＡＩを開発したり、自治体がＤＸを推進するための人材育成サービスを提供したりするなどしている。

「⑩持続可能な生産・製造を実現する」では、第2部で大手製鉄会社に提供した、見える化による技術伝承の案件をご紹介した。今後、製造業だけでなくさまざまな産業で同様のニーズが拡大すると考えられる。エクサウィザーズにはこうした要望に応えることができるテクノロジー、そしてエンジニアやコンサルタントが多く在籍する。

ここまでに挙げた社会課題解決は独立したものではなくクロスしていることが少なくない。例えば、「⑤気候変動に対応する」「⑥脱炭素、省資源に挑む」の推進は、単に発電所などの運転をＡＩで自動化するだけで十分とは言えない。

実効性を持たせるうえで重要なのは現場にいるベテランが長年蓄積したノウハウである。こうした暗黙知を形式知に変換し、データ化してＡＩで支援することで組織としてずっと活用できるものになる。

誰もが課題解決に参加できるように

第3部では、Ｗｅｂ3時代のＡＩ戦略を成功に導く組織・スキル・マインドセットについて説明した。ＤＸにおける中核技術としてＡＩが位置づけられることには同意できるし実装してみたいが、社内にＡＩエンジニアがいない。ＡＩベンチャーにＡＩモデルを作ってもらっても内製化が進まないという読者も多いと思う。

第3部でも少し触れたが、われわれはこの問題に対する解決策を提案している。エクサウィザーズは年間３００件程度のＡＩ案件を手掛けているが、そこで開発したＡＩモデルを「exaBase」というデータベースに格納し続けており、過去に開発したＡＩモデルを再利用できるようにしている。これらを基に「exaBase Studio」と呼ぶ統合開発環境を提供したいと考えている。ＡＩに特化したノーコードツールである。exaBase Studioを使えば、エンジニアでなくても、ユーザー企業の担当者がブロックを組み合わせるような感覚で複数のＡＩモデルを連携させたり、容易に好みのクラウドサービス上に実行環境を構築したりできるようになる。

キャンバスのような画面に、ＡＩアルゴリズムやソフトウエアの処理のアイコンを配置してつなぐことで、コードを記述しなくてもＡＩアプリケーションを構築できる。多くの「ＡＩ部品」をブロックのように用意しており、ユーザー企業内にあるＡＩアルゴリズム、インターネット上のＡＰＩなども活用可能だ。多くのノーコードツールとの違いはこうしたオープン性にある。

従来なら、ＩＴ企業に対して自社の要求を精緻な仕様として提示し、数カ月、あるいは数年をかけて開発していたシステムやサービスを、数日から数週間で構築できるようになる。従来型のシステムやサービス開発のように、最初から全機能を実装する必要はない。アジャイル型で小さく産んで、関係者の要望を取り入れて育てていけばいい。

生産、研究・開発、マーケティング、セールス、カスタマーサクセス、人事など、社内を横断する部門がそれぞれのアプリケーションを構築し、連携させるのも容易になる。企業の経営層が経営数字をみながら、ＡＩモデルを入れ替えたり、設定値を調整したりする時代がくるかもしれない。

エンジニアにとってもexaBase Studioを利用するメリットは大きい。顧客に動くプロトタイプをすぐに提供できたり、ＡＰＩを利用してさまざまなサービスとつないで高度なアプリケーションを実現したりできるからだ。

２０２２年度中に各業種の大手顧客とexaBase StudioのＰｏＣに取り組み、23年度から本格的に提供したいと考えている。ＢＡＳＩＣｓフレームワークを参考に事業を再定義し、まずは小さくサービスを始めることができる。

われわれが目指すのは、社会に貢献したい意志さえあれば、ＡＩのぐるぐるモデル型で社会課題解決のプロジェクトが立ち上げられる世界である。そのためのプラットフォームがexaBaseであり、これを活用するためのexaBase Studioである。これらを利用して、社会課題解決のプロジェクトを立ち上げていただきたい。

謝辞

最後に謝辞を述べさせてください。

まず初めにエクサウィザーズの顧客企業の皆さま、パートナー企業・クライアント企業の皆様。本書におけるさまざまな社会課題解決の事例は当社の顧客やパートナー企業との取り組みから見いだした示唆をふんだんに盛り込んだものであり、世の中に新しい価値を生み出したいという強い思いを持った皆様との議論の積み重ねによって生まれたものです。改めて、敬意と感謝を申し上げます。

市嶋洋平さんなしには本書は出版できなかったといっても過言ではありません。当社のマネージングエディターとして、Ｗｅｂ３、ＡＩ、ＤＸ、社会課題解決の複雑な内容を取りまとめ、国内外事例のリサーチ、取材も一手に引き受けていただき、ＢＡＳＩＣｓフレームワークの原案も提案いただきました。米国では企業戦略を外部に的確に伝えるロールとして定着しているマネージングエディター。日本でもエクサウィザーズから一般化してもらいたいと思っています。

湯川鶴章さん（エクサウィザーズのＡＩ新聞編集長）は、米国での長年の駐在経験やネットワークを生かし常に先端技術をウオッチしており、表面だけでなくその背景や近い将来どのように扱われ広まっていくのかまで見通しています。特に本書におけるＷｅｂ３に関する最新動向のリサーチや、われわれの事業で最重要なＡＩとの関係性に対する洞察は湯川さんから得られたものです。

久保雅裕さんは、本書におけるＢＡＳＩＣｓフレームワークを中心とする思考の結晶化をご一緒させていただきました。公共部門と民間企業の課題解決のエリアの重なりがいままでになく広がっているという指摘もいただきました。いつも深い洞察に基づく、新しい知見をいただいています。

エクサウィザーズのボードメンバー、なかでも社外取締役の火浦俊彦さんには『Competing in the age of AI』などから得られた示唆の解釈、経営的観点から見たＡＩのあり方など、対話させていただいた内容をふんだんに盛り込ませていただきました。社外取締役の新貝康司さんには社会課題解決に向けたイノベーションの生み出し方、組織運営のあり方などについて、これまで対話させていただいた内容を盛り込ませていただきました。代表取締役社長の石山洸さんには、独創性の高いアイデアや考え方を、本書の要所で多数参考にさせていただきました。

エクサウィザーズのアドバイザーでもある早稲田大学大学院教授の入山章栄さんには、執筆された「世界標準の経営理論」、監訳された「両利きの経営」に基づいた重要な示唆をいただき、先端の経営学や組織論について貴重な意見交換をさせていただいております。また、ユーダイモニア研究所の水野貴之さんには、今後日本の企業や組織が直面するであろう人材活用の限界とその解決策について知見をいただき、本論の締めくくりとして紹介させていただいています。

日経ＢＰで編集を担当いただいた中村建助さんには、ねばり強く私の考え方やエクサウィザーズの取り組み、事例についてご説明しご理解いただきました。そのうえで建設的なフィードバックやアドバイスをいただき、忍耐強く本書の編集に尽力していただきました。

紙幅に限りもあり、本書籍の出版に関わっていただいた皆様すべてをここに挙げきることはできません。数えきれないほどのエクサウィザーズの皆さまに、事前リサーチやアドバイス、時間のない中でのチェック作業に協力いただきました。また、社外でご協力いただいた皆さま、いつも暖かく応援してくれる家族、日経ＢＰの皆さまのご協力なくして本書は完成しませんでした。

改めて感謝を申し上げたいと思います、本当にありがとうございました。本書を参考に、Ｗｅｂ３時代に日本の企業や社会がＡＩ活用を加速していくことができればうれしく思います。

２０２２年８月　大植　択真

エクサウィザーズ　取締役　大植 択真

京都大学工学部卒業。京都大学工学研究科修了（都市計画、AI・データサイエンス）。2013年、ボストンコンサルティンググループに入社。事業成長戦略、企業変革、DX推進、新規事業立上げなどの多数のプロジェクトに従事した後に2018年、エクサウィザーズ入社。2019年4月より、AI事業管掌執行役員として年間数百件のAI導入・DX実現を担当。企業の経営層や管理職向けDX研修の講師実績が多数ある。2020年6月に取締役就任。兵庫県立大学客員准教授。著書に「次世代AI戦略2025 激変する20分野 変革シナリオ128」（日経BP、2021年）。趣味は旅行やお酒。最近のプライベートは育児が中心になっている。

本書で紹介している社会課題解決フレームワークの「BASICs」について、エクサウィザーズのホームページで活用に向けた解説をしています。ご興味のある方は次のQRコードを読み込んでアクセスいただけます。なお、リンク先のページは事前の告知なしに提供をやめる場合があります。あらかじめご了承ください。

Web3時代のAI戦略

社会課題解決を成長ビジネスに変えるの正のスパイラル

2022年8月29日　第1版第1刷発行

著　者　大植 択真（エクサウィザーズ）
発行者　戸川 尚樹
発　行　株式会社日経BP
発　売　株式会社日経BPマーケティング
〒105-8308　東京都港区虎ノ門4-3-12
装幀　松川 直也（日経BPコンサルティング）
制作　日経BPコンサルティング
印刷・製本　図書印刷株式会社

本書籍に関するお問い合わせ、ご連絡は下記にて承ります。
https://nkbp.jp/booksQA

ISBN 978-4-296-11267-8